SCOTTISH GAELIC TEXTS

VOLUME SEVEN

# ADTIMCHIOL AN CHREIDIMH

# ADTIMCHIOL AN CHREIDIMH

The Gaelic Version of John Calvin's
Catechismus Ecclesiae Genevensis

A Facsimile Reprint, including the Prefixed Poems
and the Shorter Catechism of 1659, with Notes and
Glossary, and an Introduction

Edited by

## R. L. THOMSON

Lecturer in the Department of English Language
and Medieval Literature, University of Leeds

Published by Oliver & Boyd for the
SCOTTISH GAELIC TEXTS SOCIETY
Edinburgh
1962

Published . . . 1962

PRINTED IN GREAT BRITAIN BY
ROBERT CUNNINGHAM AND SONS LTD., ALVA

ILLVSTRISSIMIS VIRIS
QVORVM DISCIPVLVS
QVAMQVAM INDIGNVS
INTERDVM FVIT
HOC OPVSCVLVM
PIVS AVCTOR
D. D.

# PREFACE

THE first Gaelic book printed in Scotland, Bishop Carswell's translation of the Book of Common Order, had to wait just over three centuries to be reproduced in Dr M'Lauchlan's edition of 1873. The second has waited even longer, and that it now re-appears at all is the result of a suggestion made to the editor by Professor Angus Matheson of Glasgow in 1954.

In the course of writing the Introduction it became apparent that some standard of comparison for early Scottish Gaelic was necessary, and it was decided to add in an appendix a reprint of the second, but earliest surviving, edition of the Shorter Catechism. It is a happy coincidence that this reprint should fall at least in the vicinity of its tercentenary, and that the book as a whole should form a belated part of the celebration of the quatercentenary of the Reformation in Scotland.

Professor Matheson has been the presiding genius of this edition, and the treatment of the poems is almost entirely his work. He and Mr D. S. Thomson of Aberdeen have taken a share in the onerous task of proof-reading.

But there are many other debts. The major one must be to the Scottish Gaelic Texts Society for accepting this edition into their series, and to the Dublin Institute for Advanced Studies for so generously assisting its publication. Professor Dillon has taken immense trouble over the edition and it is a source of real regret to me that the present volume is not more like what he would wish it to be, but, as his own annotations (as many as fifty to the page) demonstrate, the number of corrections of letters, accents, and punctuation required to remove the abundant misprints of the original would have deprived the result of any real claim to be called a reprint. In deference to his and Professor Jackson's opinion some modification of terminology have been made in the Introduction. The National Library of Scotland has provided excellent photostats of the texts, and Mr Myrddin

vii

Lloyd, Mr Loudoun, and Mr Roger have been generous with assistance and advice. Professor Greene, Trinity College, Dublin, kindly communicated to me the readings of the Catechism in the Irish Prayer Book of 1608, and gave me advice on other points. For photostats of the manuscripts referred to in Appendix I I am indebted to the Librarians of the Royal Irish Academy and Trinity College, Dublin, to the British Museum, and especially to the Rev. Charles O'Conor, S.J., for permission to have photographs made of two pages from the Book of the O'Conor Don. The Rev. James Mackintosh, Librarian of Trinity College, Glasgow, kindly gave me a detailed account of the Catechism's connection with the College. On my own behalf and that of the Society I have also to acknowledge a grant in aid of publication from the McCaig Trust.

It is my hope that the re-issue of this text will lead others better equipped than I to investigate more fully the history of early Scottish Gaelic.

R. L. T.

# CONTENTS

# INTRODUCTION

## I DATE OF PUBLICATION

The Gaelic translation of John Calvin's *Catechismus Ecclesiae Genevensis* is preserved, so far as is known, in a unique printed copy in the National Library of Scotland, Edinburgh. It has been described by the two bibliographers of Scottish Gaelic printed works; first by J. Reid in his *Bibliotheca Scoto-Celtica* (1832), 123, who also published as an appendix (pp. 173-8) the poems prefixed to the text, and secondly by D. Maclean in his *Typographica Scoto-Gadelica* (1915), 49.

There seems to be no mention of the book earlier than Reid's notice. The marginalia, all in a seventeenth century hand or hands, on pp. 88 and 92[1] show that it belonged to John Loudoun and John M^cCalman. It may be possible to identify the former of these with the John Loudoun who was appointed a regent at Glasgow University in 1699, became Professor of Logic there in 1727, and died in 1750. The implication, if there is only one hand, would be that Loudoun received the book by gift, bequest, or purchase, from M^cCalman's library; if there are two distinct hands, as I incline to believe, then M^cCalman is simply one of the former owners. In either case we should expect him to be of an older generation than Loudoun, though not necessarily the first owner of the book. The surname occurs a number of times in the records of the Synod of Argyll, and was that of a prominent ecclesiastical family in Lorn.[2]

[1] Page 88, outer margin, *Johne Loudoun With my hand, et non aliena.*; at the foot *ex libris Joannis M^ccalmā*. The taller letters are tipped where the margin has been trimmed, and at the foot the top half only of *finit* remains. Page 92 bears only the improving maxim *Cum sis vir fortis, Ne des tua Robora scortis* in the outer margin.

[2] See *Fasti Ecclesiae Scoticanae* IV, 86, 92.

The book came into the possession of the National Library of Scotland in 1936 when the Senate of Trinity College, Glasgow, sold it to the Library for £50. It had been in the possession of the College from December 1894, when it was presented as part of a collection of rare and valuable Celtic books by the Rev. William Ross, Free Church minister of Cowcaddens, who had made strenuous efforts to raise funds for the purchase of the whole collection when it came on the market in that year. I have not yet been able to discover to whom this collection belonged. It had not been very long in his possession, however, for it figures in the sale catalogues of David Laing's library, part I, 693, in 1879. David Laing had been Librarian of the Signet Library until his death in 1878, after which date his books were by his own direction disposed of by auction between 1879 and 1882. Between Loudoun's death in 1750 and the acquisition of the book by David Laing its history is a blank.[1]

The translation is bound up with an English edition of the same text, printed by Wreittoun at Edinburgh in 1631. The Gaelic version lacks the title-page and any prefatory matter which may have preceded the five poems prefixed to the text. As these pages, like those bearing the additional prayers at the end, are not paginated, it is impossible to be sure how much is lacking. The absence of a title-page also makes it uncertain whether the translator intended *Adtimchiol an Chreidimh* to stand as title to the whole book; it is not inappropriate, for the Catechism is in one sense a treatise 'concerning the faith', but strictly this is the rendering of *De Fide*, the title of the first section only.

The questions which consequently arise in connexion with the Gaelic version are these: when, where, and by whom, was the book printed and published, and who was the author of it? It is easy to say where and by whom it was printed. At the end of the text of the Catechism, in three hollow square type-ornaments appear the letters I W P, interpreted no doubt correctly, as 'Iohn Wreittoun, Printer',

[1] I am obliged to the Rev. James Mackintosh, Librarian of Trinity College, Glasgow, for most of the information in this paragraph.

and as Wreittoun was printing in Edinburgh between 1624 and 1639 we have some sort of answer to our first three questions.[1]

It is desirable, however, to answer the first question more precisely if possible, and it has been customary to refer the Catechism to the year 1631. It does not appear that any arguments for this date have been set out, but rather that the question was settled by the fact of the English and Gaelic versions having issued from the same press, being bound together, and by the former being dated 1631.[2] While these facts are indisputable, the conclusions drawn from them are not. The present binding belongs only to the later eighteenth century, as Mr Lloyd kindly informs me, and there is no evidence that the two books were brought together before that date. There is evidence to the contrary in the shape of stitch-holes in the Gaelic where there are none in the English, evidence from marginalia that its margins were once larger, and severe wear of its outer pages, all of which suggests a period of separate existence. Nor can the two books be considered as companion pieces, for whereas the Gaelic is printed in roman and italic, the English is in roman and black-letter, and the numbering of the items and the running titles of the Gaelic are absent from the English. The points in common are the printer, the subject, and the size, and none of these is evidence for a particular year. On the other hand the year 1631 is almost exactly in the middle of Wreittoun's period of activity, and, if no further evidence were available, might be allowed to stand as a reasonable conjecture.

Thanks to the perseverance of the National Library staff, further evidence is available. Mr Alex. Roger undertook a comparison of the typography of all the known Wreittoun books, and noted particularly that the type-ornament which forms a band at the head of the first page of the Gaelic version hardly occurs after 1631. Furthermore, this

[1] For Wreittoun's printings see Mr W. Beattie's article in the *Edinburgh Bibliographical Society's Transactions* II, 91-103.

[2] In fairness it should be stated that Mr Beattie notes that the date is not necessarily the same as that of the English book.

ornament was in constant use by Wreittoun from his earliest books, and part of it, which at first appears with a distinct shading, becomes more and more worn until the shading disappears altogether; this stage had been reached in the late 1620's, and the appearance of the ornament in the English of 1631 is exactly that of the Gaelic version. We are thus enabled to conclude that the two books are approximately contemporary and to give the date of the Gaelic one as c. 1630.[1] The dating is thus not altered, but now rests on a real, or at least an explicit, foundation.

## II  CARSWELL NOT THE AUTHOR

One of our questions remains unanswered. The title-page may or may not have borne the translator's name, but in its absence there is no other direct evidence. It has usually been stated that the translation is by John Carswell, the translator of the Book of Common Order, sometimes known as John Knox's Liturgy. Reid was prudent enough to express no opinion, but M'Lauchlan, the editor of the reprint of Carswell's book, wrote (p. xxii) that 'Carswell seems to have executed a translation into Gaelic of Calvin's Catechism. This was not published for nearly sixty years after his death, but there is internal evidence to show that the work is Carswell's, and that it had lain by in MS. during that long period.'

He does not tell us what this internal evidence is, but we may conjecture that he was thinking of the metrical version of the Lord's Prayer and the prayers added at the end of the text, all of which also appear in Carswell's work. None of this is strictly 'internal' evidence, for the poems and prayers are no part of the Catechism, and no more prove that it was translated by their author than the presence of a poem attributed to John Stewart of Appin proves that he was the translator.

M'Lauchlan may have meant rather that the style and language of the two translations was so similar as to imply

[1] (See Mr Roger's forthcoming article in *The Bibliotheck*).

common authorship, and this is a suggestion worth considering in some detail.

The style and language of the two works are indeed similar, and this impression of similarity is deepened for the modern reader by the fact that both are written not in Scottish Gaelic but in the literary Gaelic which was still the common property of Scotland and Ireland at that time, but from which literary Scottish Gaelic has now diverged, as the spoken language no doubt had already done. The essential Irishness of the language may be seen, for example, by comparing it on the one hand with the contemporary works of Keating, and on the other with the equally contemporary Manx translation of the Book of Common Prayer.

Yet even so there are differences. The style of both shows the customary fondness for pairs of synonymous expressions in rendering single nouns and verbs of the original, but there is this difference in the technique that while Carswell prefers alliterating pairs, often artificially manufactured by the use of prefixes, the translator of the Catechism disregards the charms of alliteration and does genuinely seem in many cases to be trying to render the full sense of his original. While there is little difference in language there is some in orthography, as when Carswell regularly uses *ts-* to express the lenition of *s-*, irrespective of the cause of lenition, whereas the Catechism, with only a few exceptions,[1] has the modern distinction between *ts-* and *sh-*; or when Carswell prefers *Sbiorad* to the Catechism's *Spiorad*.

We have spoken already of the 'original' of the translation. The work published by Calvin in French in 1545, and later the same year in Latin in a revised form, was first translated into English from the French version by William Huycke[2] and published at Geneva in 1556. The first Scottish edition was printed in Edinburgh in 1564 in one volume with and following upon the Book of Common Order and

---

[1] See note on 161 b 6.

[2] The name appears also in the address to the reader by Thomas Broke: 'Al these were by master Wylliam Huicke . . . translated out of frenche whyle he was at Geneva.' He does not appear in DNB.

the Metrical Psalms, the whole being often referred to as the Psalmbook.[1] This version differs a good deal from the English one published in Geneva, but is clearly founded upon it, and is not an independent rendering of Calvin's original but a revision of the Geneva edition, produced in the main by pruning its exuberances of style, though it may also have taken the Latin text into account.

The Gaelic version was not based upon either of these English translations nor upon their French original, but on the Latin. It is true that there are something under a score of places where the Gaelic agrees with the English and French versions rather than with the Latin,[2] but they are insignificant in comparison with the hundreds of instances in which the Gaelic and Latin stand together in opposition to the French and English. The exceptions may be accounted for by assuming that the translator also made use of the English or French text occasionally—several bilingual editions were issued—but there can be no doubt that the Latin text was his ordinary original.[3]

Carswell's title-page declares that his translations were 'ar na dtarraing as laidin, & as gaillbherla', but Professor Matheson is of opinion that little or nothing was translated from Latin. Nor is there any reason why it should have been, for the authoritative version as far as Carswell was concerned was the English one. The same is true for whoever undertook to translate the Catechism and we should have expected him to base his work on the English text. The fact that he did not do so, apart from militating against the suggestion that Carswell was the author, suggests someone who was either more at home with Latin than English, or

---

[1] The text may be consulted in H. Bonar's *Catechisms of the Scottish Reformation* (London, 1866), where he reproduces the Scottish text, notwithstanding his having placed the title-page of the Geneva edition before it. A recent translation from the Latin is that of the Rev. Professor J. K. S. Reid in the *Library of Christian Classics*, XXII.

[2] Cf. notes on 27 b 13, 48, 155 b 3, 246 b 5, 361 b 6, and for 23 b 7 see Glossary s.v. *tegmhail*.

[3] The Latin is probably misinterpreted, only by the Gaelic version, at 15 b 5, 174 a.

who had the scholarly instinct to go back to the fountain-head, and draw from Calvin's own final version direct.

A further argument against Carswell's authorship lies in his having already composed a catechism, which appears to be to a great extent original, though the framework was provided by the Little Catechism[1]; it seems probable therefore, that he had considered translating the full Catechism, but thought the task too great or the Catechism itself too long and difficult for his purpose.

We may also consider the continuity of the text of the Lord's Prayer, the Creed, and the Commandments from Carswell through Calvin's Catechism (CC) to the Shorter Catechism (SC). A close examination of the four texts (two in CC) of the Commandments, and of the three texts of the Lord's Prayer and Creed will show that, despite some minor variations, most of which substitute a simpler or more modern turn of phrase, the versions given in SC are derived from those presented by Carswell.[2] The version of CC is thus by-passed completely. It derives from Calvin's Latin, and in the case of the complete version of the Commandments (217) from the Catechism in the Irish Prayer Book of 1608. If Carswell had been the translator of CC we should have expected him to repeat his earlier versions to avoid confusing his readers with two different renderings. If the Commandments in CC 217 are an integral part of CC then the author cannot possibly be Carswell who died over thirty years before ever the Irish Prayer Book appeared. They may, of course, be an editorial addition.

It is clear then that Carswell, the only candidate nominated, is not likely to have been the translator of CC, though like him the translator was someone with a good knowledge of Latin and a pretty complete mastery of literary Gaelic. The most likely classes in which to find such a person

[1] Text in Bonar, 93-95. Carswell's major interpolations follow questions 4, 11, and 13.

[2] This is certainly true for the Creed and Lord's Prayer; in the Commandments there is a tendency for SC to follow CC 217 in the second commandment, in the second half of the fourth, and in the seventh.

are those of the ministers and the bards. It will be convenient at this point to consider the language of *CC* and *SC* and the history of the genesis of the latter and of the Gaelic metrical psalms, before trying to resolve this question of authorship.

## III  LANGUAGE OF THE TEXT

The inflections of the regular verb in *CC* are as follows:

Present Indicative
- 1 sg. indep., -*im*: *creidim* 16 b 1, *goirim* 22 b 1, *tuigjm* 26 b 1, *admhuim* 138 b 1, *breathnaighim* 314 b 1, but *aithneochum* 329 b 1 (on this and other apparently future forms see note on 22 b 5).

  dependent: no examples noted.
- 2 sg. indep.: always *atá tú ag* . . .

  dependent, -*and* (*tu*): *tuigeand* 26 a 1, *lémeand* 55 a 1, *faoigheand* 104 a 1, *ainmhaigheand* 96 a 1, but *saoilinn* 4 a 1.
- 3 sg. indep., -*idh*: *leanaidh* 127 a 1, *congmhaidh* 31 b 1, *beanaidh* 18 b 1, but *gaoridhe* 15 b 4.

  dependent, -*and* (*se*): *doirteand* 45 a 4, *teagmhand* 23 b 7, *seasand* 27 b 7, but *jarraind* 226 a 1.

  —: *cuir* 287 a 1.
- 1 pl. indep., -*ma(o)id*: *gabhmaid* 91 b 13, *fedmaid* 71 b 1, *rigmaoid* 12 b 1.

  -*im*: *gaórmimnj* 7 b 4, *aidmhighim* 7 b 7, *aithnighim* 7 b 7. See below on the subjunctive.

  dependent, -*maid*: *fédmaid* 71 a 1; -*mid*: *credmid* 92 b 2, *fédmid* 118 a 1, *tuigmid* 111 a 1.

  -*am*: *tualaingeam* 117 a 3, *tionoileam* 124 a 1, *mothuigheam* 91 b 3, *comhullmhaigheam* 128 b 6; -*im*: *aithnighim* 9 b 1, *tuigim* 9 b 1. Note *tairgheammain* 226 b 3.

  —: *cred sind* 30 b 1, *tuill sind* 286 a 4.
- 2 pl.: no forms noted.

3 pl. indep.: no examples noted.

    dependent, *-id*: *tualaingid* 116 b 3, *taitnaid* 123 a 2, *fedaid* 28 b 3, *fásaid* 127 a 2.

    *-and (siad)*: *taobhand siad* 81 b 3.

relative, *-as*: (3 sg.) *foghnas* 42 b 5, *fiadhnaiseas* 111 b 4, *ergheas* 114 a 1, *treoraigheas* 128 b 3, (1 pl.) *leagas sind* 123 b 2, (3 pl.) *anas siad* 105 b 5.

    *-and*: (2 sg.) *creúd breathnaigheand (tu)* 28 a 2.

The Present Subjunctive is not usually distinguishable from the dependent Present Indicative, but the following distinctive forms occur:

2 sg. *go naomhtha tú* 166 b 1, *muna mhaire thu* 309 b 2.

3 sg. *go dtairnge sè* 155 b 1, *da seachna éneoc* 316 b 2, while *muna coimedaidh sê* 104 b 4, and *no go bfuasglaidh* 283 b 4 are identical with the simple present indicative.

1 pl.: of the forms in *-im, -am* cited for the indicative some (after *ma* 7 b 4, *mur* 9 b 1, *nach* 87 b 1, *go* 43 b 6) may be subjunctive, but others (after *a°* 124 a 1, *ni* 124 b 1) cannot possibly be.

### f-Future

3 sg., *-faidh*: *leanfaidh* 27 b 10.

1 pl., *-feam*: *legfeam* 149 a 1, *roindfeam* 240 b 11.

3 pl., *-faid*: *bécfaid* 70 b 5.

relative, *-feas*: *luáidhfeas* 217 b 3.3.

### eo-Future

3 sg., *tóigheobhaidh* 108 b 6, *fuileongaidh sé* 64 a 7, *aithéreochaidh* 109 b 2.

1 pl., *coindeobham* 124 b 2, *breathnocham* 125 a 1, *laibheoram* 163 b 1, *fuileongam* 262 b 6, *toimheosam* 266 b 5, but *cruindeochaidh sind* 22 b 5.

relative, *oibréochas tú* 217 b 4.2, *aitreobhchas se* 91 b 1, *ainmeochas sé* 137 b 3, *signeobhas* 81 a 1, *taiteonas* 130 b 2, *meras* 175 a 3.

### f-Conditional

3 sg., *-fadh (se)*: *nochfadh sé* 73 b 2, *anfadh sé* 69 b 2, *cuirfeadh se* 39 b 5.

eo-Conditional

3 sg., *suidheochadh* 273 b 5.

1 pl., *do thiondsgeonamaois* 174 b 1.

Imperfect and Past Subjunctive

3 sg., -*adh*: *saoradh, teasargadh* 58 b 10, *lionadh* 61 b 4, *randsaigheadh* 123 b 4, *guibhernoraigheadh* 80 b 3, *scriosedh* 270 b 9.

1 pl., -*mis*: *tujgmis* 56 b 2.

3 pl., -*dis*: *iarrdis* 280 a 3, but *beanadh siád* 98 b 5.

Preterite

2 sg., -*is*: -*thrégis* 66 b 9, -*labhrais* 45 a 1.

3 sg., —: *do adjmh* 39 b 2, *do ardéigh se* 66 b 7, *do ardlabhair* 58 a 1, *do chlaoi, do bhris* 69 b 6, -*cheandaigh* 31 b 3, -*chruthaidh* 2 b 1, -*chriochnaighe* 49 b 4.

1 pl., -*amar*: -*roindeamar* 17 a 2.

3 pl., -*adar*: *do imechradar* 108 b 3, *do mealadar* 338 b 5.

Imperative

2 sg., —: *maith* 257 b 9, *saor* 257 b 11, *ciulain* 257 b 11, *lean* 62 a 1, *indis* 66 a 1, *aithris* 61 a 1, *minigh* 57 a 1.

3 sg., -*adh*: *cumhdaigheadh* 305 b 1, *breathnaigheadh* 307 b 10.

1 pl., -*am*: *gluaiseam* 83 a 1, *labhram* 234 a 5, *roindeam* 258 a 2, *laimhaigheam* 241 a 1.

Impersonal Forms

Present, -*thar*: *aithbherthear, aithfhoirmthear* 117 a 1, *aithnighthar* 6 b 1, *comhluaidhthear* 110 a 1, *credthear* 100 a 2.

-*tar*: *glantar* 71 b 6, *nochtar* 27 b 1, *piantar* 70 a 3, *aitheantar* 252 b 2, *moltar* 267 b 2, *aithristear* 110 b 3, *furailtear* 91 b 11, *foscailtear* 193 b 2, *éstear* 249 b 2.

-*ar*:*dleaghar* 111 a 2, *salchar* 122 b 3, *dlighear* 162 b 6, *breathnaighear* 198 b 1, *ciontaighear* 192 b 1. Note also *naomhthair í* 99 b 5.

Future: *aithneochar* 100 b 8, *criochnochar* 27 b 10.

Conditional: *tuigfuighthe* 17 a 1, *glórfluighthe* 2 b 3, *do mhillfidhe* 292 b 7, *tuigfidhe* 258 a 1, *gloirfidhe* 260 a 5, 268 b 6.

*faidéochthi* 217 b 5.2, *faideobhthaoi* 187 b 2, *sailedhchaighte*
    53 b 4.

Imperfect and Past Subjunctive: *glantaoi* 90 b 4, *coimh-
    liontaighe* 287 b 1, *coimhlionta* 67 b 3, *tairngnaidhe*
    247 b 3, *guibhernoraighthe* 173 b 3.

Preterite: *do buaileadh* 58 b 5, *do céusadh* 16 b 6, *do coimpreadh*
    46 b 5, *do crochadh* 16 b 6, *do hadhlaictheadh* 16 b 7,
    *do hordhaigheadh* 48 b 1, *gur hoibrigheadh* 50 b 4, *do
    fhoillsigheadh* 22 b 4, *ler chruthuigheadh* 1 b 2.

Of the Irregular Verbs the following forms occur:

I. *Bheith* 1 b 1, 7 b 6, *bheth* 20 a 3,
        22 b 3, 24 a 2, and passim

Present independent
    1 sg., *ataim* 47 b 1, 40 b 1, *atam* 65 b 5.
    2 sg., *ata tu* 20 a 1, 24 a 2, 95 a 1.
    3 sg., *ata* 3 b 1, 5 b 1, 27 b 6, *atà* 1 b 1; *ge ata se* 239 b 4,
        *o ata* 225 a 1.
    1 pl., *ata sind* 8 b 1, *atamaid* 29 b 7, 54 a 1, 70 a 1, *ata
        maid* 107 b 4; *ó tamaid* 315 b 5.
    3 pl., *ataid* 26 b 1, 49 b 6, 71 a 2; *ge taid* 321 b 4, *o ataid*
        203 b 1.
Present dependent
    1 sg., *ni fhuilim* 328 b 1.
    2 sg., *an bhfuil tú* 40 a 1; *ni bfuil tu* 24 a 1, *ni fhuil tu*
        82 a 1; *le bhfuil tu* 23 a 1, *ar a bhfuil tu* 37 a 1.
    3 sg., *an bfhuil* 99 a 1, *bf.* 254 a 4; *ni fhuil* 99 b 1, 329 b 3,
        330 b 1, 25 b 3, *ni fuil* 103 b 3, *ni bfhuil* 63 a 1; *go
        bfuil* 22 b 7, 23 b 2, 79 a 1, *go bfhuil* 329 b 2, *go
        fhuil* 332 b 4; *nach fhuil* 19 a 1, 105 a 2, 329 a 1,
        *nach bfhuil* 76 a 2; *mur a bhfuil* 13 b 2; *gen go bfuil*
        28 b 1; *aga bhfuil* 24 a 3, *aga bfuil* 132 b 1, *aga
        bfhuil* 155 b 4, *ag nach fhuil* 261 b 4, *ag nach fuil*
        282 a 2; *ar a bfuil* 70 a 4; *o bfuil* 198 a 3, *o nach fuil*
        237 a 5; *le bfuil* 293 b 1; *abhail bfuil* 240 b 6,
        *amball abfhuil* 356 b 4; *re bfuil* 189 b 1; *as an
        bfhuil* 151 a 1; *da bfuil* 217 b 2.2, 280 b 3, *dá
        bhfhuil* 217 b 4.10; *abhfuil* 106 a 1.

B *

1 pl., *go bfujlmid* 41 b 6, 251 b 8, *go bfhuilmid* 115 b 4,
327 b 7; *nach fhuilmid* 274 a 1, *nach fuilmid* 327 b 6;
*ar abhfuilmid* 301 b 3.

3 pl., *abfuilied* 86 a 1; *go bfuilid* 26 b 2, 27 b 9, 116 a 1,
*go fhuilid* 336 b 2; *nach fuilid* 55 b 1; *le bfuilid*
345 b 9; *da bfuilid* 258 b 1, *da bhfuilid* 321 b 2.

Imperative

3 sg., *biadh* 307 b 8; *na biodh* 136 b 4, 217 b 1.1.

Present Subjunctive

3 sg., *go raibhe* 99 b 4, 181 b 2; *da raibhe* 360 b 1, b 2, b 3,
*da raibh* 224 a 1; *muna raibhe* 104 b 2. With *gé*,
*ge bé* 193 b 4, 105 b 1, 107 b 9, *ge be* 337 b 1, *gidh
be* 260 b 3.

1 pl., *go mbeam* 285 b 1; *dá mbeam* 362 b 1.

Future independent

3 sg., *biaidh* 109 b 1.

1 pl., *bheam* 165 b 3, 291 b 5, *beam* 291 b 2.

relative, *bhias* 99 b 1, 108 b 6, 251 b 10, *bhías* 161 b 3,
*bheas* 126 a 3.

Future dependent

3 sg., *ambiaidh* 262 a 1, *ambi* 109 a 1; *ni bhia* 227 b 2; [*go*]
*mbiaidh* 86 a 2, *go mbia* 84 a 3, *go mbhiáidh* 85 a 3;
*nach bididh* 84 a 1, 164 b 1, *nach bjaidh* 72 b 5; *da
mbía* 117 b 2; *as biond* 13 a 1 (hab. pres.?).

3 pl., *go mbed* 153 b 4, *go mbéd* 188 b 1.

Past Subjunctive

3 sg., *da mbheth* 29 b 2, *da mbeth* 284 b 1; *muna bheth*
189 b 3, 361 b 7, *muna abheth* 238 b 2.

Imperfect and Conditional

3 sg., *do bhiadh* 29 b 4, 66 b 5, 95 a 9; *ni bhiadh* 286 b 2;
*go mbiadh* 77 b 6, 89 b 2, 48 b 5, *go m'biadh* 49 b 3,
54 a 5, *go mbiadh* 50 b 2, 126 a 3, *gombhiadh* 53 b 5,
96 b 8; *nach biadh* 259 b 5, 316 b 3, *nach biodh*
220 b 2; *suil bhiadh* 229 b 11.

1 pl., *do bhimis* 320 a 5, *gidh dho bhimis* 226 b 6; *ni bhimis*
284 b 3; *go m'bjmjs* 40 b 5, *go mbimis* 74 b 6,
107 b 6; *da mbimis* 315 b 2.

3 pl., *do bhédis* 123 b 8; *do bhidis* 215 a 4; *go mbédis*
123 b 7.

Preterite independent

  2 sg., *do bhadhais* 129 a 3.

  3 sg., *do bhi* 36 b 1, 60 b 5, 68 b 3, 77 b 7, *do bi* 70 a 6,
    66 b 7, 129 a 1.

  1 pl., *dobhamairne* 58 b 9.

  3 pl., *do bhadar* 108 b 1.

Preterite dependent

  3 sg., *ni raibh* 76 b 4, *ni raibhe* 67 b 1, 68 b 4; *go roibhe*
    61 a 2, *go raibhe* 71 b 9, *go raibh* 67 a 1.

  1 pl., *le roibhamar* 71 b 10.

## II. The Copula

Present independent and relative

    *is* 2 b 3, 5 a 1, 14 a 1; 1 a 1, 3 a 1, 7 a 1; 5 b 1, 14 b 1,
      27 b 4.

    with *má*: *más* 227 b 2, *mas* 236 a 1, 251 b 4, *ma (s-)*
      72 b 2, *mase* 163 b 1, 173 b 1.

    with *ó*: *os* 25 b 1, 137 b 9, 206 b 1, *ó (s-)* 22 b 6.

  interrogative (nas.)

    *an* 60 a 1, 76 a 1, 254 a 3; *in* 79 a 2, 112 a 1, 227 a 1;
    *ané* 10 a 1, 33 a 1, 51 a 1 and passim.

  interrogative-negative

    *nach* 345 a 1.

  negative (prefixing *h-* to vowels)

    *ni* 63 b 1, 125 b 1, 87 a 1, 239 b 5, *ní* 313 b 9; *ni he*
    126 b 4, 23 b 1, 56 b 1, *ni headh* 10 b 1, 79 b 1.

  negative relative and conjunctive

    *nach* 11 b 1, 53 a 2, 64 a 1, 162 a 1, *nac* 10 a 1, 121 a 2,
    ? *nar* 231 b 2.

  conjunctive (often len.)

    *gurab* 4 b 1, 27 b 5, 27 a 2, 64 a 3, 118 a 3, 238 b 3;
    *gurab é* 4 a 1, 22 b 5, *gurab eissan* 27 b 11, *gúrabeadh*
    138 b 1; *garab* 33 b 1; *gurob* 158 b 1; *gur b'* 54 a 3,
    *gur bh-* 259 a 1, 266 b 7; *gur* 230 a 4; but *gurab*
    *dtoil leis* 12 b 3.

  with *ar*: *arar* 230 a 8.

    *as*: *as nách* 145 a 1.

    *do*: *da'n* 2 b 5, 43 a 1, *da* 83 b 2, *danab* 81 b 3, *da madh*
    149 b 2; *da nach* 355 b 2.

*fá*: *fa* 261 a 3.

*gé*: *ge h-* 277 b 1.

*go*: *gus ar b-* 230 a 7.

*in*: *jnar b-* 302 a 1, *jnar* (nas.) 306 b 1.

*le*: *lenab* 251 b 1, 282 b 4, 293 b 2, *len* (len.) 236 a 2;
    *les nach* 269 b 5.

*ó*: *ó* (nas.) 353 b 1.

*muna*: *muna b-* 94 b 1, *munab* 191 b 5.

Present subjunctive
  conjunctive, *goma* 257 b 5, b 7.
  negative, *nar b-* 274 b 6.
  with *gé*: *gidh* 156 a 3, 215 a 4.

Future independent, *budh* 38 b 4 (as relative).
  relative, *bhus* 8 a 2, 108 a 1, 117 b 4.
  dependent, *ní búdh* 217 b 3.2.

Conditional and Past Subjunctive
  *do budh* 118 b 5, 191 b 4, 254 b 1, 328 b 1; *amhail bhudh*
     286 b 3, *mur budhe* 27 b 8, *mur bhudheadh* 253 b 2,
     *mar bhudheadh* 278 b 9, *mar budheadh* 28 b 3,
     29 b 10, 256 b 4, 277 b 14, *mar udheadh* 52 a 2.
  *do b'* 29 b 1, 341 a 2.
  negative, *ni budh* 59 a 2; conjunctive *nach budh* (len.)
     52 b 3.
  conjunctive, *gomadh* 58 b 3, 60 a 3, 62 b 4, 95 a 8, *goma*
     311 b 5, 315 b 14.
    with *dá*: *damadh* 59 a 1.

Preterite simple
  *do budh* 53 b 2, rel. *budh* 69 a 2, 76 b 5, 352 b 3, *bhudh*
     (len.) 177 b 5.
  *do b'* 51 b 1, 59 a 5, 129 a 1, *do b-* 49 b 5; *do bha* 76 b 3,
     *do bh-* 180 b 1; with pron., *do bseadh* 51 b 1.
  negative, *nir* 36 b 1.
  negative conjunctive, *nach budh* (len.) 370 c 1.
  conjunctive, *gur* 62 b 1, 95 a 4, *gur b'* 52 a 1, *gur bh-*
     51 a 1, *gurabudh* 169 a 3.
  negative relative, *n'ar bh-* 307 b 4, *nach ar* 206 b 2.
  with *ar*: *ar ar bh-* 257 b 2.
    *ó*: *o do b-* 339 a 2.

### III. *Breth* 50 a 2

Present, 3 sg., *nach ber sé* 314 b 6.
impersonal, *do bhearar* 190 a 2.
Present Subjunctive impersonal, *suile bhearthar* 102 b 4.
Future, 1 pl., *go mbearam* 240 b 4.
Past Subjunctive, 3 sg., *go mberadh sé* 149 b 5.
impersonal, *nach beartha* 313 b 13.
Preterite, 3 sg., *rug* 62 b 3, 71 b 4.
impersonal, *rugadh* 16 b 4, 79 b 2.

### IV. *Cloisdin* 15 a 2

Present, 1 pl., *do cluindmid* 282 b 7, *an tan chluindeam*
          346 b 4.
impersonal, *trés agcluintear* 253 a 5.

### V. *Dénamh* 29 b 12, 43 b 8, -*e*- 43 b 2, 51 b 6,
          -*é*- 44 b 5, 141 b 1; gen. *deanta* 58 a 3, 59 a 5

Present independent
    3 sg., *do ni* 28 b 5, 91 b 2, *do ní* 91 b 10, 27 b 16.
    1 pl., *do njmid* 249 a 1, *do nímid* 274 a 2, *do nimid* 249 a 2,
          *do niam* 121 a 3, 199 a 1, *ma ni sinn* 7 b 2.
    3 pl., *do ni'd* 115 a 3.
dependent
    3 sg., *dha ndén* 268 b 4, *denand* 252 b 3, -*é*- 280 b 3, 315 a 2,
          -*é*- 153 b 2.
    3 pl., *dénnand siad* 320 a 4 (-*eu*-?).
impersonal indep., *do nithear* 91 b 5, b 7, 123 a 1.
dependent, *dentar* 272 a 1, 277 b 5, -*é*- 278 b 1, -*é*- 291 a 1.
Future indep., *do dhéuna tu* 217 b 4.2.
impersonal dependent, *diongantar* 126 b 7, 224 a 6.
Present Subjunctive
    1 pl., *suil dhearnam* 162 b 7, *muna dearnam* 332 b 1.
Imperative, 2 sg., *dén* 166 b 2, 196 b 1, 208 b 1, *na dénse*
          166 b 4, *déun* 217 b 2.1, *déna* 143 b 1, 200 a 1,
          204 a 1, -*eu*- 217 b 9.1.
    3 sg., *na dénadh* 166 b 5.

Past Subjunctive indep., 3 pl., *do dhendaois* 238 a 2.
  dependent, 3 sg., *denadh* 165 a 2, 261 b 7.
  3 pl., *deandaois* 118 a 4.
  impersonal dependent, *deantaoi* 24 a 4, 68 b 3.
Preterite indep., 2 sg., *do rindis* 8 a 3.
  3 sg., *do rinde* 77 b 4, 103 b 2.
  3 pl., *ma dho rindeadar* 286 a 5.
  dependent, 3 sg., *dearna* 337 b 3, 368 b 4.
  impersonal indep., *do rindeadh* 27 b 5, 51 b 2.

VI. *Dul* 53 b 3, 43 b 4, 58 b 8, *dull* 83 b 5

Present (independent and dependent), 3 sg., *téd* 162 a 1,
    358 b 3, 338 a 2.
  3 pl., *téd siadson* 262 b 3.
Present Subjunctive, 1 pl., *suil go dtégheam* 176 b 7.
Imperative, 2 sg., *eríg* 73 a 1.
  1 pl., *ergéam* 143 a 1, *ergeam* 150 a 1, *erghéam* 185 a 1.
Future dependent, 3 sg., *no go reach* 271 b 4.
Imperfect indep., 3 pl., *tegdis* 152 b 9.
Past Subjunctive dependent, 3 sg., *deacadh* 57 b 5.
Conditional indep., 3 sg., *do reachadh* 191 b 7, *do rachadh*
    113 b 10.
  dependent.    3 sg., *rachadh* 59 a 4, 221 b 3, 259 b 3.
          3 pl., *rachdis* 279 b 3.
Preterite indep.,   3 sg., *do chuaidh* 16 b 7, 75 b 1.
  dependent,    3 sg., *deachaidh* 69 b 1, 78 a 1, b 1.

VII. *Faghail* 103 a 3, 112 a 2, *faguil* 71 a 3;
    gen. *faghala* 262 b 1

Present indep.,    1 pl. *do ghebhmid* 284 a 2.
          3 pl. *do ghebhid* 250 a 3.
  dependent,    2 sg., *faiogheand tu* 104 a 1.
          3 sg., *fajgheand* 104 b 1.
impersonal indep., *ghebhthar* 306 b 2.
  dependent, *faghar* 282 a 1, 110 b 1.
Present Subjunctive, 2 sg., *fuighe tu* 303 a 2.
    1 pl., *fagham* 252 b 4.
  dependent, *faghar* 210 b 5.
Future indep., 1 pl., *do ghebham* 77 b 1, 119 b 1, -*é*- 126 b 1.

Past Subjunctive, 1 pl., *faghmaois* 249 b 2.
impersonal dependent, *faghthaoi* 115 b 1, *faighthaoi* 227 b 5.
Conditional indep., 3 sg., *do ghebhadh* 60 a 3, *-é-* 191 b 6,
372 a 1.
Preterite indep., 3 sg., *fúair* 16 b 6, *do fuajr* 57 b 1.
dependent, 3 sg., *go bfhuair sé* 62 b 5, *bf.* 82 a 5.

## VIII. *Faicsin* 84 a 4

Present indep., 1 pl., *do chiamaid* 71 b 1, 335 b 7, *do chiam*
299 b 9.
impersonal indep., *do chithear* 23 b 8, 130 b 2, *do chiothear*
198 a 1.
dependent, *faicthear* 100 b 6, 157 a 1.
Future indep., 1 pl., *do chithfeam* 165 b 3.
impersonal dependent, *faicfuithar* 63 a 1.
Past Subjunctive impersonal dependent, *faicthi* 268 b 5.
Preterite impersonal, *do chondcus* 62 b 6, *do condarcus* 83 b 5,
*do chondarcus* 273 b 1.

## IX. *Ragha* 44 a 1, 58 b 6

Present indep., 1 sg., *aderim* 119 b 1, b 3, *adirim* 240 b 1.
2 sg., *ader tu* 52 a 1, 113 a 1.
3 sg., *ader* 65 b 4, 82 a 2.
3 pl., *aderid* 368 b 3.
dependent 2 sg., *âbrann tu* 2 a 1, *abair tu* 56 a 1,
80 a 1, 319 a 1.
3 sg., *abair sé* 164 b 1.
1 pl., *abram* 111 b 2.
impersonal, *aderthar* 47 b 2, *aderear* 61 a 2.
Future dependent, 1 pl., *aibheoram* 28 a 2.
Past Subjunctive indep., 1 sg., *aderaind* 54 a 4, 70 a 8.
impersonal dependent, *abarthaoi* 116 b 2.
Imperative, 2 pl., *abraidh* 257 b 4.
Preterite indep., 1 sg., *adubhras* 178 b 5, 202 b 3.
2 sg., *adubhrais* 263 a 2, *adubhras* 180 a
1, 214 a 2.
3 sg., *adubhairt* 233 b 8.
1 pl., *adubhrámar* 35 b 3, *-a-* 234 b 1.

impersonal indep., *adubhradh* 59 a 1, 69 b 3; *(re)raigheadh*
50 b 3.
dependent,     *dubhradh* 153 a 1.

## X. *Rigim*

Present indep.,     1 pl., *rigmaoid* 12 a 1, b 1.
impersonal,     *riogar* 280 b 11.

## XI. *Tabhairt* 42 a 1, 89 a 1; gen. *tabhartha* 42 b 1

Present indep.,     3 sg., *do bher* 37 b 2, 72 b 1, 91 b 2, b 9.
dependent,     1 sg., *tabhruim* 23 b 1.
3 sg., *tabhair* 28 b 6, 72 a 1, 117 a 4.
1 pl., *tabhram* 173 b 2, 286 b 12.
impersonal indep., *do bhearthar* 91 b 12, *bhearar* 332 a 1.
dependent, *tabharthar* 250 b 5.
Imperative,     2 sg., *tabhair* 171 a 1, 159 b 1, 257 b 8.
3 pl., *tabhradh* 248 b 2.
Future indep.,     3 sg., *do bhéura* 217 b 5.3.
1 pl., *do bhéram* 147 b 3, 162 b 8.
dependent,     1 pl., *tiobhram* 227 b 4.
impersonal dependent, *tiubhthrar* 6 b 1.
Past Subjunctive, 3 sg., *tugadh* 139 b 1, *tughadh* 334 b 5.
impersonal dep., *tabharthaoi* 107 b 1, 180 b 1, 268 b 4.
Conditional indep., 3 sg.,     *do bheradh* 33 a 2, 68 a 4, *-é-*
232 b 4.
1 pl., *do bhermais* 103 b 4.
3 pl., *do bhérdis* 152 b 9.
dependent, 3 pl., *tabhradhdaois* 340 b 6.
Preterite (indep. and dependent), 3 sg., *tug* 32 b 1, 58 a 1,
45 a 3, 58 b 2, 98 b 4; but *do thug* 368 b 1.
impersonal, *tugadh* 41 b 1, 44 b 1, 68 b 2, 230 a 10, 348 b 1,
*tuca* 367 b 2, *chugadh* 170 b 1.

## XII. *Teacht* 29 a 1, 63 a 2; gen. *teachta* 339 a 8

Present indep.,     3 sg., *tig* 125 b 10, 130 b 2, 215 a 3.
1 pl., *tigmid* 30 a 1.
3 pl., *tigid* 121 b 1, 122 a 1, *tegid* 45 a 1,
*tegaid* 45 b 1.

dependent    3 sg., *tig* 215 b 2, 372 b 2, 154 a 1, 331 a 1, 251 a 2.

3 pl., *tegaid* 175 b 3, *tigid* 71 b 8, 27 b 18, 127 a 2, *tigeand siad* 214 b 5.

impersonal, *ticthear* 100 b 4, *tigthear* 301 a 1.

Present Subjunctive, 3 sg., *go dtí* 257 b 6.

1 pl., *go dtíseam* 43 b 5, -*i*- 327 b 9.

Imperative, 2 sg., *tar* 217 b 3.1.

1 pl., *teagam* 88 a 1, *tégam* 204 a 1, *tigeam* 276 a 1.

3 pl., *thigeadh siad* 305 b 3.

Future relative, *thiocfas* 16 b 10, 83 b 1.

dependent, 3 sg., *tiocfa* 83 b 3, 86 b 3, 259 b 8.

Past Subjunctive, 3 sg., *tigeadh* 259 b 4.

3 pl., *tigdis* 122 b 1, 123 b 3.

Preterite (indep. and dependent), 3 sg., *tanaic* 39 b 1, 77 b 4, 370 d 3.


The occurrence of the various mutations after preverbs may be summarised as follows. For preverbs with the Substantive Verb and the Copula, see above.

(*a*) interrogative *a, an* invariably nasalises: e.g. 154 a 1, 178 a 3, 78 a 1.

(*b*) negative-interrogative *nach*, which is rare, nasalises *t*-26 a 1, but has no effect on *f*- 71 a 1, or a vowel 250 a 6.

(*c*) negative *ní* lenites, as *c*- 317 b 4, *b*- 227 b 7, *g*- 347 b 5, but there are many exceptions: *f*- 315 b 10, 320 b 1, 63 a 1 against 100 b 6, 157 a 1, 282 b 1, *t*- 116 b 3, 124 b 1, 370 d 3 against 259 b 8, *c*- 61 b 1, 110 b 5, *g*- 99 b 3, *d*- 337 b 3, 69 b 1, 78 b 1 against 260 a 3, and *h*- is once prefixed to a vowel (356 a 1) against 356 b 1. With *ro*, giving *nír*, we have lenition of *t*- 239 b 1, and *d*- 239 b 1 against 58 a 2.

(*d*) conjunctive *go* (including *gen go* and *no go*) nasalises except in 272 a 1 (*d*-) and 2 b 3, 333 a 2 (*g*-). With *ro*, giving *gur*, there is usually lenition in the personal forms except 307 b 3 (*f*-), 227 b 7 (*c*-). In the impersonal forms absence of lenition is normal, e.g. 67 b 4, 71 b 7, but 60 b 2. Vowels regularly have *h*- prefixed in impersonal forms as

50 b 4, 34 b 2, 82 a 2, 316 a 2, rarely in the personal ones, but cf. 237 a 8.

(*e*) negative-conjunctive *nach* normally nasalises but a number of exceptions occur with *b*- (237 a 3, 314 b 6, 313 b 13), *d*- (280 b 3, 118 a 4) and especially *f*- (110 b 1, 104 b 1, 64 a 7, 116 a 3, etc.), and lenition is once found at 262 b 5. With *ro*, giving *nachar*, lenition occurs as 298 a 1, 335 b 7, but in an impersonal form *nar claoigheadh* 69 b 4.

(*f*) negative-relative *nach* seems not to cause mutation except in 227 b 9, where it nasalises. With *ro*, giving *nar*, we have only impersonal forms, one lenited and one un-mutated (64 a 5), one with *h*- prefixed to a vowel (227 b 1).

(*g*) negative-imperative *ná* does not mutate but prefixes *h*- to an initial vowel, 143 b 4.

(*h*) *má* 'if' lenites, 7 b 1, b 4.

(*i*) *dá* 'if' invariably nasalises except once 303 b 6 (*g*-).

(*j*) *muna* 'if not, unless' does not generally mutate but lenites *m*- twice (309 b 1, 320 b 3), *b*- once (320 b 2) and *c*- once (292 b 8).

(*k*) *mur(a)* 'when' nasalises, as 6 b 1, 9 b 1, 13 b 2.

(*l*) prepositions with the relative nasalise and, so far as they are attested, the *ro*-forms lenite personal forms of the verb.

> (i) *a* 'in' 302 b 1, *an* 117 a 1, *ina* 25 b 6, *ina n*- 92 b 2, *anna* 17 a 2; with *ro*, *jnar* 121 a 1. With *abhail a* 'where' 180 b 6, 240 b 6, 305 b 5, 356 b 4.

> (ii) *ar* 7 b 6, *ara* 301 b 3, 307 b 7, *ar an* 9 a 1, *ar an'* 111 a 1; with *ro*, *arar*: no mutation of *f*- 66 a 2, prefixed *h*- in the impersonal *ar ar hongadh* 49 b 2.

> (iii) *a* 'out of', *asa* 107 a 1, 279 a 1, 127 a 2, 58 b 1, 23 b 1, etc., *as an* 226 a 1, (*as*) *a bhfásaid* 127 a 2.

> (iv) *do* 'to, of', *da* 232 a 1, 321 b 2, 367 b 2, *da n*- 27 b 21.

> (v) *dá* (relative), *da* 23 b 7, 98 b 4, 280 b 3, 258 b 1, 268 b 4, *da n*- 118 a 3, 249 b 3; with *ro*, only *dar labhrais* 45 a 1.

> (vi) *faoi* 216 a 3, *fa* 19 a 2, 22 a 1, 104 a 1, *fa n*- 2 a 1, 319 a 1; with *ro*, *far* lenites except 56 a 3 (*f*-, probably for *far fh*.) and 142 a 1 (impers.).

> (vii) *go*, only in *gus an legfeam* 149 a 1 and *gus ar ordaigh sê* 314 b 4.

(viii) *le, le n-* 32 a 1, 242 a 1, 70 a 3, 216 a 2, 96 a 1, etc.,
except for 71 b 6 (*g-*); with *ro, ler* lenites except for
223 b 2 (*c-*) and 36 a 1 (impersonal with *h-* prefixed to
a vowel). See also note on 65 b 6.

(ix) *ó* 27 b 18, 198 a 3, 251 a 2.

(x) *ré* 'to'; with *ro, ris ar gabhadh* 79 b 2.

(xi) *tré*, only in *trés agcluintear* 253 a 5.

The mutations after the simple prepositions, with and with-
out the singular article, appear as follows:

(i) *a, i* 'in' nasalises without exception: e.g. *a gciond*
16 b 8, *adtír* 5 a 3, *abhferg* 66 b 6, *ambroind* 50 b 1, *a
n'Dia* 16 b 1, *angoire* 242 b 6; *in ndhia* 8 b 2, *jn n'Dia*
14 a 2, *in gach* 79 b 4, 233 b 7; *an admhail* 107 a 2,
*anifreand* 65 a 2. Reduplicated only in 15 b 2, 21 b 1.
With the article, usually *isin* (but see note on 2 b 2),
often lenites *c-* 140 a 1 (no mutation 356 a 2), *f-* 44 b 4,
184 a 2, 230 a 2 (but nasalised 217 a 2); *b-* is lenited
192 b 2, but more frequently nasalised 125 b 3, 296 a 3,
303 b 9, 347 b 4, 329 b 8, *m-* is lenited 276 b 7, 280 b 11,
and *s-* is most frequently lenited to *ts-* 166 b 10,
312 a 2, 328 b 9, 339 a 2, 347 b 4, etc., but remains un-
mutated 2 b 2, 192 b 3; *t-* is nasalised 247 a 2, and *d-*
unmutated 39 b 1, 99 b 2. The balance seems to be
moving towards lenition except of the dental stops,
but the preponderance of nasalisation with *b-* is
striking, though exx. with *mbh-* are doubtful.

(ii) *ag* has few examples with the article; *s-* is lenited to
*ts-* 362 b 3, 363 a 2, *g-* is lenited 161 b 4, nasalised
221 b 3, and unmutated 330 a 1.

(iii) *ar*, being of multiple origin, must always appear to
present a confusing picture, and is here omitted.
With the article nasalisation is general, but *t-* (except
217 b 5.2) and *d-* and *s-* (except 170 a 2, see note)
remain unaffected. *M-* is found lenited 282 a 3, and *f-*
unmutated 42 b 8 (against 119 b 3).

(iv) *a(s)* with the article lenites *s-* to *ts-* 41 b 7, 347 a 1, and
*m-* 285 a 1, nasalises *c-* 114 a 1, and *b-* 190 b 4, 239 a 3,
and leaves *d-* unaffected 176 b 7.

(v) *do* 'to, of' lenites; with the article lenition is general except of *t-*, *d-*. *S-* becomes *ts-* 234 a 3, 358 a 2.

(vi) *fa, faoi, fo* always lenites; with the article it nasa`ises, 58 b 8.

(vii) *gan* normally lenites except *t-* 56 a 1 and *d-* 309 b 4, but nasalisation is found in 5 a 3 (*t-*) and 97 b 5 (*b-*).

(viii) *go* with the article nasalises *c-* 148 a 5, 246 a 1, and *b-* 63 b 3, 93 b 2, 336 a 2, lenites *s-* to *ts-* 245 b 5, 341 a 1, and *m-* 155 b 3. *C-* remains unmutated in 166 a 1.

(ix) *le* with the article nasalises *c-* 66 b 4, and *b-* 27 b 1, 357 a 5, but lenites *m-* 315 b 6, *g-* 345 b 8, and *s-* 53 b 4, 223 b 2, while *t-* is unaffected. *F-* is equally divided, nasalised in 114 b 3, 342 a 2, b 6, lenited in 65 b 4, 278 b 4, 328 b 8.

(x) *ó* always lenites; with the article we find lenition of *p-* 58 b 11, *m-* 58 b 11, and *b-* 31 b 3, 126 b 5 (but nasalised 338 a 2), while *c-* is nasalised 373 b 11, and *t-* remains unaffected.

(xi) *ré* 'to' does not mutate except for lenition in 104 b 4 and nasalisation in 135 b 2 (see note). With the article it nasalises *p-* 138 a 3, *c-* 65 b 2, 138 b 1, 248 b 3, and *b-* 156 b 6, while leniting *s-* 181 b 1.

(xii) *ré* 'before' nasalises, 84 a 2, 118 a 2. With the article we find lenition of *b-* in 64 a 2, but nasalisation in 334 b 2.

(xiii) *tré* lenites all consonants except *d-* 111 b 6 (against 206 b 7). With the article nasalisation appears in *c-* 97 b 4, *p-* 77 b 7, *b-* 64 a 6, 332 a 2, 366 b 3. *T-* 172 a 1 is unaffected, as is *s-* 120 a 3, 111 b 5, 346 b 3 (against lenition in 346 a 1, 366 b 7).

So far as any general conclusion may be drawn from this material it is that after the singular article preceded by a preposition *b-*, *c-*, and *p-* are more prone to nasalisation than lenition, while *f-* and *g-* are indifferent. The expected exemption from lenition is found with *t-* and *d-*, but *c-*, *g-*, and *f-* all show a tendency not to be mutated. The lenition of *s-* to *ts-* frequently occurs where other consonants are nasalised, and one wonders how far this was brought about by the belief in the 'eclipsis' of *s-*.

## IV HISTORY OF THE SHORTER CATECHISM

Whereas we are quite in the dark about the genesis of the Gaelic version of *CC* the details of the production of the Synod of Argyll's version of the *SC* are adequately documented in the Synod records.[1]

At its May meeting in 1649[2] the Synod appointed seven ministers to translate into Gaelic the Shorter Catechism which the General Assembly had approved on 28 July 1648 'for catechising such as are of weaker capacitie'. Each was to bring his own version to the next Synod where they were to be compared and a single version agreed. A year later[3] the Synod recommended 'every presbyterie to use diligence for translateing the Shorter Catechisme in[to] Irish'. In October 1650[4] a slightly different group of eight was assigned the task, as well as that of translating the *Sum of Saving Knowledge*. Elaborate arrangements for consultation among the translators seem to have failed to produce anything, and in April 1651[5], as a last resort, the Synod ordained that Mr Ewan Cameron, Mr Dugald Darroch, and Mr Ar[d]. Reid should remain at Inveraray after the session had ended and not leave the town until they had completed a translation of *SC*. These measures were at last effective and by October 1651[6] the Synod had before it a translation, now credited to Mr Dugald Campbell and Mr Ewan Cameron, which it unanimously approved for general use. Manuscript copies were ordered to be made by Neill mc Ewan from Mr Cameron's copy, to the number of seventeen, one for each minister, at a cost of forty shillings each. In the following summer,[7] however, the members of the Presbytery of Skye, who were often absent from the Synod's meetings, produced a translation by Mr Angus mc Quein and another appeared from

---

[1] *Minutes of the Synod of Argyll 1639-1661*, ed. Duncan C. Mactavish, Scottish History Society Publications, Third Series, vols xxxvii, xxxviii (1943-4). The references in the following notes are to the volume and page of this edition.

[2] 9 May 1649; I, 127.      [3] 1 May 1650; I, 173.

[4] 16 October 1650; I, 185      [5] 10 April 1651; I, 208.

[6] 15 October 1651; I, 222.      [7] 19 May 1652; II, 3.

c

the hand of Neill mc Quein[1]: these the Synod ordered to be compared with their authorised version and any disagreements resolved on the spot, believing that only 'the alteratione of a few words' was necessary. By the autumn of 1652[2] the Synod had decided to print their translation, and ordered Mr Euen Cameron to go to Lochaber for six months 'against the first of Merch nixt' and collect the whole stipend teinds in order to cover the cost of printing and his own expenses. This arrangement seems to have been effective, and in May 1653[3] the printed copies were distributed, every minister receiving 'a competent number' for the use of his flock. The number printed is not mentioned and no copy of this first edition is known to survive. Mr Cameron spent the time from 15 July that year until the autumn meeting of the Synod preaching in Lochaber once more and reimbursing himself for his expenses from the stipend.

By the autumn of 1655[4] copies of the SC were scarce and enquiries were made of the printer about a second edition of 2000 copies, but in the following May[5] the funds allocated for the purpose from the vacant charge of Glenurchy were reported not to be forthcoming. Two years later[6] funds were still lacking, and the only news of the SC is that it was not being used in Skye, perhaps because Mr McQueen's version was preferred. By this time the first fifty psalms in metre were ready,[7] and Mr Robert Duncanson was ordered to superintend their printing to the number of 1500 copies. The Psalms, however, still required revision for 'syllabicatione'[8] and some corrections were also made in SC by Mr Dugald Campbell and Mr John Cameron in preparation for a joint edition of 1200 copies of each work, which issued from Glasgow in 1659 under the care of Mr Duncanson, and for which he received 100 marks.[9] This edition did not go off

---

[1] On this name see below, p. xl.   [2] 9 October 1652; II, 24.
[3] May 1653; II, 35.   [4] 31 October 1655; II, 93.
[5] 28 May 1656: II, 113.   [6] 27 May 1658; II, 169.
[7] II, 177. For a fuller summary see Duncan C. Mactavish's edition of *The Gaelic Psalms 1694* (1934), vii-xi.
[8] 27 October 1658; II, 188, and see below, p. xxxviii.
[9] 25 May 1659; II, 197.

with quite the same rapidity as the first and at the October
Synod[1] all the ministers were urged to press the Psalms and
Shorter Catechism upon all the literate members of their
congregations, and the Presbytery of Skye was specially
urged to send for their share of one hundred copies, first in
May 1659, again in October, and yet again in May 1660.[2]

## V  LANGUAGE OF THE SHORTER CATECHISM

The language of *CC* is early modern Irish with a few lapses
into Scottish usage which are commented upon in the notes.
It is also probable that some constructions correct but not
common in Irish occur in *CC* because they were common in
the contemporary Gaelic of Scotland. Thus O'Rahilly draws
attention particularly to the use of periphrastic verb-forms
with included pronoun object as a non-Irish feature in
Carswell, and it is equally prominent in *CC*.[3]

When we turn to *SC* the case is very much altered and
divergences from Irish usage are so frequent as to assume
the character of normality. Yet only thirty years had
elapsed between the publication of the two books; it would
be interesting indeed to know just what changes were made
in the second edition of *SC* and whether they were, as is
stated in the preface, made in order to clarify the meaning
by a more idiomatic and freer rendering, less slavishly
bound to the English original. Or did the vulgarisation of
the text also involve some concessions to the spoken language?
It may be unwise to speculate in case a copy of the first
edition should reappear to confound us, but it is at least
clear that there is a striking difference between the language
of *CC*, standard literary Gaelic, and the definitely Scottish
Gaelic which appears in the second edition of *SC*.

What the Irish features of *CC* were will perhaps appear
best from a comparison of that text with *SC*. In spelling
and vocabulary there is very little difference, but *-nd-* for
*-nn-* is dispensed with, the quality of a consonant after *-e-*
is more frequently indicated, the long forms *ino* and *ina*

[1] II, 208.  [2] II, 199, 203, 221.  [3] T. F. O'Rahilly, *Irish Dialects* 132.

disappear, *do chum* is shortened to *chum*, and such forms as
*árid, tríd, creitsinn* come to the surface.

Among the mutations there is an increase in the use of
lenition as against nasalisation, particularly in the group
preposition + singular article + noun. The nature of
nasalisation itself is modified so that the *-n* appears as well
as the modified consonant, e.g. *a ndtoile fein* 13b 'of their
own will'', *da ngcorpuibh* 37b 'to their bodies', *ina ndcreidamh*
97b 'in their faith', *na mbpeacadh* 250 'of the sins', and even
in *na nleabhar* 232 'of the books', and *na nluchd comhpartach*
96b 'as partakers'. From this it is but a step to spellings
which clearly imply the Scottish usage, though the tradition
is kept up by affixing the nasal to the following word, as *do
ni a mfritheoladh* 91b 'who administers them', *a mfas* 96b
'their growth', and thence to the modern spelling as in *cur
an taisge* 90b 'lay up', *ar an taisbenadh* 92b 'represented'.
We may also note *ann a Ncriosd* 87b, 94b, and the howler
*ris na gcreidmhachaibh* 92b 'to the believers'. But to a great
extent nasalisation simply does not appear, as after the
conjunction *go* 2a, 2b, 90b, the pronoun *ar* 'our' 23a, 35b,
46b, (but 42b), the preposition *an* 'in' 250, (but 232), while
on the other hand we find *ar dtalmhuin* 103b, 249.

In the definite article we find examples lacking *-n*, as 232,
250, and the peculiar *a Mbeasteadh* 95a 'the baptism'. In
the use and form of cases the following are noteworthy: gen.
sg. *Spioraid* (indeclinable in *CC*) 22b, 94b; *do throcair Dhia*
87b 'of the mercy of God'; gen. sg. *neamh* 250; dat. pl. *focla*
232; *ata ina mbuill* 95b 'are members'; the nom. of the in-
cluded object where it would otherwise be gen., as *chum a
Catachiosma so do tharraing* 232, *chum na leabhair so do
ghnathughadh* 232, *ag iarruidh gnathughadh do dhenamh* 54b,
but also the nom. for the gen. where no excuse exists, as *ata
ag iarruidh aithniughadh agus admhail* 46b, and *ata ag
toirmeasg adhradh do Dhia* 51b, while at the same time the old
construction survives in *chum eoluis shoisgeil Chriosd a
chraobhscaoiladh* 232. The verbnoun is treated as indeclinable
in *chum basughadh* 35b and *luchd briseadh* 56b. The voc. sg.
*a le(u)ghthora* 232 is curious, and seems to proceed from the
analogy of the *o*-stems where the voc. sg. is like the gen.

In the verb we find the preterite impersonal always lenited and an initial vowel without prefixed *h-* as *do chuireadh* 231, 13b, 15b, *do ghabhadh, do chesadh, do adhlacadh* 250; thinking of this form as a true passive led the translators to *cionnas do rinneadh se* 22a. Relative *do* or *a* has become general even before relative verb-forms as *do fhuair, do thiocfus* 43, *agas a fhoillsidheas* 49b, *a diarr* 50b 'which he required', and with modern *dh'* we have *do dhorduigh se fein* 58b 'which he appointed', *a dorduigh* 59a. Compare also *do thanig* 16b 'which came', *thig* 7b 'which comes', where CC does not employ *do* and has no lenition.

The preverbs also differ from CC, as *go do lean* 3, *go do bheannuigh se* 62b for CC's *gur*. The relative form of *le* is *leis an (do)* as *leis an bfuil* 31b, 33b, 34b, 55b, *leis an bfuilmaoid* 34b, *leis an bfuil sinn* 35b, *leis an daontuighe* 231, 233, *leis an dorduigh se* 7b, beside CC's *le n-* and *ler* (but see note on 65 b 6); a striking example is *leis an do thuit* 15b, *leis ar thuiteadar* 15a. *Ina bfuil* 92b, *an a bfuil* 94b follow the old pattern, and there is also *ann bfuil* 96b, and *ann dtug* 17a, but in the preterite we find *an do chruthuighadh é* 12a, *ann do chr.* 13a, b. Twice we have *ataid siad* 91b, 96b. In the copula there is *nior choir* 95b where the tense is present, and *leis a mbaill* 97a 'who desire' for CC's *lenab ail*. The future is not very common, the present being employed instead in *ni fhuilngionn* 56b 'he will not suffer', but the *f*-future is found in *gu nithfuid agus go nolfuid* 97b, and probably in *ge gu bfedfuid* (printed *-suid*) 56b, the other type being represented by *no gu naidmheochaid* 95b. The conditional is found in *go sinfidhe* 63b and *go denta* 90b. The range of verbal forms is, however, much restricted by the original and we cannot conclude that what does not appear in SC was no longer in use.

## VI   AUTHORSHIP OF THE TEXT

We have seen from the Synod records that the SC was translated by two or three ministers, members of the Synod, and as far as can be discovered no outside influence was

c *

applied to the results of their labours, unless indeed we consider it likely that Neill mc Ewen, who made the seventeen copies in the Irish character, was encouraged to correct the orthography and perhaps the language of his master-copy.

The Synod's confidence in its members' ability to write good Gaelic did not extend to verse composition, for in connexion with their version of the first fifty Psalms in metre it appears from the records that when a version was at last produced and approved it was subject to the stipulation that the 'syllabication' should first be corrected.[1] This term 'syllabication' is not as clear as we could wish; the *NED* assures us that it means the division of a word into syllables, but some of the examples cited suggest that the term is simply a learned synonym for 'spell', like 'homologate' for 'agree'. Had it meant that the metre was faulty it is difficult to see how the Synod could have regarded this as a minor correction to be made before printing, whereas spelling could reasonably be regarded in that light.

The version with the best syllabication had been that of Mr David Simpson and John mc Marquess 'an old man and able in the Irish language'. It is interesting to find the best version produced by one who was not a native speaker of Gaelic, but who had come into Argyll and learned the language while being supported by the Synod.[2] A majority of the members of the Synod would be native speakers of Gaelic, but this does not necessarily mean they were Gaelic scholars. Their education at school and university was directed rather to Latin, Greek, and Hebrew, than to their own language, and there was no one at the university likely to direct their attention to the importance and value of a close study of their mother tongue in the way in which Dr Cameron did in his lectures at Glasgow in the 1860's.[3] John McMarquess, as appears from a later minute in the Synod records, acted as tutor to expectants requiring improvement in the Gaelic tongue,[4] and it would seem that Mr Simpson had profited by his instruction and co-operation in producing his version of the Metrical Psalms. The Gaelic

[1] II, 177.      [2] I, 211, II, 23, 25, 46, 58, 105.
[3] *Reliquiae Celticae* II, 531-2.      [4] II, 212.

orthography may be an excellent system, and perfectly adapted to the nature of the language which it serves, but it would hardly occur in all its details to anyone not formally introduced to its conventions. No doubt the native speakers among the ministers were better as speakers than Mr Simpson, but in respect of the written language he had the advantage over them in having learnt it from outside and having given more attention to its details than had those to whom it came naturally.

Now it is clear from the description of the language of SC that it represents the spoken language of Scotland with some rather half-hearted attempt at keeping up the fiction of a standard literary language different from the spoken one. The same sort of language appears in the preface to the complete Metrical Psalms in 1694,[1] though in the text itself metrical considerations led to a preference for the older, more compact, constructions. It is also clear that it was the ministers who produced the SC and who must be considered responsible for its language. This being the case we seem to have reasonable grounds for believing that the translation of CC was not produced under similar conditions with SC, but by someone who possessed a much fuller knowledge of literary Gaelic than the ministers of the Synod possessed or felt it proper to display in a work for popular use.

The Synod minutes make no mention of CC either as being in existence or as being supplanted by SC in 1653, but then neither do they mention Carswell's book or the Irish New Testament (first edition 1602). Yet their SC echoes the Carswell version of the Lord's Prayer and Creed and gives a version of the Commandments which is Carswell modified by the Irish Prayer Book, and their schemes for a Bible translation are directed entirely to the Old Testament,[2] so that all these unmentioned books must have been known and used within their bounds. The length of CC was certainly intimidating, and even the SC, though intended for those of weaker capacity, was thought too long, for the Synod planned a condensed version in twenty or thirty articles as

[1] *The Gaelic Psalms 1694*, ed. Duncan C. Mactavish (Lochgilphead, 1934).     [2] II, 224, 235.

more suitable for the capacity of their flocks.[1] The Gaelic
version of *CC* was destined to a short life, and we may
suspect that it was not very popular. The translator might
have had more success had he taken up Craig's Catechism,
which in 1592 was authorised instead of the Little Catechism
for pre-Communion use. Even here the tendency to make
such works too long is evident, for the General Assembly
accepted Craig's book only when he had somewhat condensed
his first version.

We are led, then, to the conclusion that the translator
who turned *CC* into Gaelic was probably a professional
scholar, poet or historian, properly trained in the literary
language, though he occasionally allows his native usages
to slip out, someone moreover adequately equipped in
Latin, and probably more familiar with it than with English.
One such may possibly have been that same John McMarquess
in Kintyre whom we have already mentioned, another
Athairne MacEoghain, author of the second (and perhaps
the fifth) of the prefixed poems, and family bard of the Earl
of Argyll. Yet another would be his son Neill, to whom as
we have seen, the Synod entrusted the copying of its first
version of *SC*. Taking together the Synod minutes II, 15
where twelve bolls victual out of the vacancies in Kintyre
is granted to Neill mc Qeun in consideration of his pains in
translating the Catechism and his great necessity and
penury, and its confirmation in II, 141, this time under the
name Neill mc Ewen, when his widow petitions the Synod
to make the grant effective, it becomes clear that the entry
at II, 3, which records a translation by 'Neill mc Quein',
contains a garbled variant of his name. Two new translations
were presented on that occasion, one by Mr Angus Mac-
Queen, minister of North Uist, the other by Neill MacEwen.
The editor of the minutes has conjectured, not implausibly,
that Mr MacQueen's version survived, was preferred in the
Presbytery of Skye, and in part explains their reluctance to
take up their share of the copies of the Shorter Catechism.[2]
Neill MacEwen thus seems, in addition to transcribing the
Synod's text, to have produced one of his own. If he used

[1] II, 131.                        [2] II, 169, and note 1.

his best literary Gaelic in this translation it has left no trace upon the language of *SC* as we have it. We must conclude therefore that either he allowed himself a more popular style, in which case his work would blend imperceptibly with that of the Synod, or else that he maintained his professional standards and his version was not allowed to affect the Synod's at all. There is no doubt of his competence, however, or of his interest in work of this kind, and he deserves to be considered as one of the most probable translators of Calvin's Catechism also. It is unlikely that we shall ever know for certain, and it is quite possible that the translator's name has not been preserved in any other connexion.

The date of composition is equally uncertain. It may have been immediately before publication, and this is the most natural inference. Only two other dates seem at all relevant: it might fall before 1592 when the authorisation of Craig's Catechism offered the translator a smaller but still substantial alternative to *CC*. In that case *CC* 217 must be an interpolation, for otherwise the earliest possible date is 1608. Or is the surviving copy a relic not of a first but a second edition? Such speculations, entertaining though they are, do no more than unsettle the foundations of the few conclusions we have been able to reach.

## VII  PLAN OF THE EDITION

The present edition attempts to do for Calvin's Catechism what M'Lauchlan's reprint endeavoured to do for Carswell, namely, to reproduce the original verbatim, literatim, punctatim, line for line and page for page.[1] A rule in the margin marks the lines over which cancels have been pasted.

[1] Swash letters, long *s*, the numerous ligatures are not reproduced. Ornaments and the ornamented capitals on pp. 1 and 232 occur at the appropriate places but are not reproductions of the original; on pp. 35, 36, 55, 71, 108 and 110 the three-line capitals are ornamented in the original but it has not been possible to imitate this feature. It has, unfortunately, proved impracticable to justify the lines in this reprint as the spacing of the original varies so much. These exceptions made, the text is as exactly reproduced as possible.

The awkward accent, half way between acute and circumflex, that frequently occurs, has always been printed as acute. Some notes on points of interest are added, together with a glossary in which the original Latin equivalents are given as glosses as far as possible,[1] together with briefer explanations in English.

The prefixed poems are discussed and some proposals for their emendation put forward in Appendix I. The text of the *SC* from the edition of 1659 is reproduced in Appendix II, but without adhering to the line and page division of the original or to its use of different types. A supplementary glossary for words (but not merely different forms of words) found in the poems and *SC*, but which do not occur in *CC*, completes the edition.

The references in the notes and glossaries are to the numbered sections of *CC* and *SC*, with *a* and *b* denoting the question and answer; in *CC* the number of the line is also given. The poems are lettered A to E (as in Appx. I), and references are to the number of the quatrain, the lines in each being *a* to *d*.

[1] For the Latin text I have used *Ioannis Calvini Opera Selecta* ii, ed. Barth and Niesel (1952).

1. M E a faoside mo lochd.
    A Rí neimh le dúracht,
Agas le toileach teann om chroidhe.
    A Rí a nám na haithridhe.

2. Peaccach meise o m'aois óige.
    Eist ré m'faosid a Thrinoid.
As lionmhar re n'áireamh iad.
    A Rí as nár a romhed.

3. Robheg m'ulaigh don chóir.
    Fer bunaigh mee sa négcóir.
Rinnis gach ní nar dhligheas.
    Tu Rí neamhdha dfurtaigheas.

4. Toile na colla nir chiall damh.
    Nir choigleas riamh do dheunamh.
A riar fein lê do légeas.
    Srian ri riamh nir dhaingnigheas.

5. Chathrigheas sáinte fréimh gach vilc.
    Do chaithes m'aimsir re tuais cirt.
Drúis, agus cráos do thoghas,
    Dà chúis re m'aóis do ghnathigheas.

6. Thrégeas haitheanta vile.
    Thrégeas thordugh, agus t'úrrnuigh.
Thrégeas deirbhlean díleas Dé.
    Seirbhise neamhumhal do chleacht mé.

7. Ni bfuil feithm bheth ga n'tuiribh.
    As trén mé a bpeaccaidhibh.
Giodheadh do reir Rí neamhdha.
    As tréine céam do thrócair.

8. Tangas dar ndión ar dtalmhain
    A Mhic Rí neimh, agas naomh thalmhain.

                                    Dar

Dar saoradh le fuil do chneas,
  San cholann daonna do chuaigheas.
9. Tfuil do thóirteadh ar an gcránn.
  Do dheonaigh thu dar dídionn.
A sí an fhuil sin is dión dúinn,
  A Rí fuair dhúinn thathairsa.
10. Ni cubhvidh a Rí dhuibhse,
  Don'fhuil vasuil, oirdheirc sin,
Aón bhraón anaisge do dhul,
  Ar son peaccadh shiól Adhuibh.
11. As meise an peaccach aithreach,
  As tusa an t'athair trócaireach.
Ar ghrádh Mhic Dé mar do gheallas,
  Slánaigh mé gan dioghaltus.
12. An meud ata romham anois,
  Dom ré a reir a n'eolais,
Caitheam ina teagal, agus adghrádh,
  Agas adchreidimh crábhdha comhghlan.
13. Gurab é aoibhneas neamh, fadheoidh,
  Bheth maille re do naomhaibh a Thrínoid,
Gan leagadh séoil sa tslighidhe,
  Go ród Rí, agus ro mé,

M. E.

*Anadhaigh vaille an chuirp,* & *uabhair
an tsaoghail do sgriobh* Arne M<sup>c</sup>-
kéuín, *mar so sios.*

1. As mairg do ní uaille as óige.
  As jasachd deilbh a deirc ghlais.
A cruth seimh as suidh aoibhind.
  A ciabh bhuidh chaoimhinn chais.
2. Da ndiobhradh Diá dhuit a dhuine.

Dhaoi[ne]

Daoine meallta mhealladh siad.
Deúd mar an gcuip, agus taobh taisliom.
Duit fa raon is aislind jad.
3. Duille don bheatha do bhládha bréig.
Baoghal an chuirp cur ren jóc.
Na déun uaille fa cheand na cruinde.
Gearr go buain adhuille dhiot.
4. Da bfuithigh fos, ni fa diomuis.
Duille don bheatha nach buan seal.
Cuimhnigh re do ré dál an duine.
Gurab é námhtha anuile fher.
5. Cuimhnigh ar chnuasach na gráinoig
Guais do thionoil bheith mar bhíd.
Ni bfuil ach pian and do tanmuin
Na jarr bárr don talmhuin tríd.
6. Vbhall ar gach bior da mbioraibh.
Beiridhe dhon taobh da déid siad.
Ar udul don chóill fhádbhuig fhérchruind.
Fagfuith fa bhroind én phuill jad.
7. Bfuicfnithear leat los an tsaoghail.
Mar so a chuirp ag cosg do mhian.
Fa bheul na huaigh san tanam
Sgeul as truagh a choland chriath.
8. Gach fuarus d'ór, agus diondmhus.
Deachaigh do bhuaibh giod bhirt chlé.
Ni leugfuithear leat diobh a dhuine.
Achd brot líne don chruinde Cé.
9. Ainbfios an chuirp cuid da uabhar.
Eagal d'uinn adhul os aird.
Daor da sior mheas uaille na hoige.
Buán da aoibhneas móid as mairg.
AS MAIRG.

AR

## AN PHAIDEAR AME-
### adardhacht dhána.

1. A R Nathairne atá ar neamh
O sè mo ghean bheith gudghairm
Ag sin mo bheatha is mo bhrígh,
Go madh beandaighthe a Rí hainm.

2. Inte atá sonas is síth,
Gan donas gan díth go bráh
Go dtí do Ríghe is do reacht,
Go sgaoile do cheart ar chách.

3. Do thoil goma dénta dhúinné
Adtalmhuin gach dúil dar dhealbh,
Mar do níd aingil gan chré,
Thuas a bflaithes Dé go dearbh.

4. Beatha na hanma sa chuirp,
O tharrla dhuit bheith rer mbáidh,
Ar naran laoithamhuil gach laói,
Tabhair dhúinn gan dlaói gan dáil.

5. Na fiachasa dhlighir dhínn,
Maith dhúinn gan a ndíol do ghnáth
Maith dhúinn ar peachaidh go léir,
Amhail mhaithmaoid féin do chách.

6. O thrén ar namhad a Rí,
Dén coimheud is din dod tsliocht,
Bí anadhaigh ambuaidhridh línd,
Is na lég sind ar aniocht.

7. Edir anam, agas chorp,
Saor sind ó olc gach lá
Rígh, agas onóir, agus neart,
Ar gach líne ós leat atá.
¶ Ar Nathairne, &c.

1. N[A]

1. CReid díreach do Dhia na n'dúl.
2. C Agus cuir ar chúl vmhaladh do dhealbh
3. Na tabhair ainm Rígh na rioghadh,
Ma gébhthar dhiot sa ghniomh geall.
4. Domhnach Rí neimh na néul,
Deun led chroidhe choimheud sior.
5. Do Mhathar & Tathar gach uair,
Fa onoir uaide biod a raon.
6. Marbhadh & meirle na taobh.
7. Adhaltrus na aom adghar.
8. Na tòg fiadhnaise, ach go fior,
Se sin an ród far aon glan.
9. Na deun saint ar mhór no'r bheg.
10. Freamh gach uilc ad chôir no leg,
Sin dech aitheanta dhe dhuit,
Tuig jad go cóir & creid.

CREID.

## GEARAN AR TRVAILLIGH-
### theachd na colla

1. MAirg dara companach an cholann,
Commann fallsa, ni fuath lé.
*Guais tháll na gcionta bhi amchomhair,*
*Tiocfuith an tám bus vathan é.*
2. *Gach grádh riamh d'ar admhas dise,*
*Nir dhiól vrrtha ar fhuath na bpian;*
*Do thíll mo ghrádh na fhuath oram,*
*Lán dar fuath an cholann chriath,*
3. *Fuath ananma is ansacht na colla,*
*Commann fallsa mairg do ní;*
*Me da dtoile congbhuigh an colann,*

*Fogh-*

*Foghluidh mar sin oram í.*

4. *Ni ndíol ceithem an cholann mheabhlach,*
*Giodh mór an toile tugas dí;*
*Minic nar buán críoch a commainn,*
*Nir frioth acht fuar vmainn í.*

5. *Lór dom theagasg ó taim aimhghlic,*
*Re huchd an bhais giodh breith chruaith,*
*Na hvilc gon teinidhe gon teaghidh,*
*S'na cuirp ele dfeuchain vainn.*

6. *Re huchd an bháis as beirt chúntir,*
*An claochlodh truath a tig da ghné;*
*An corp re athadh na huaire,*
*Is olc a n'achuince váill é.*

7. *Na suilibh a naimsir a n'éuga,*
*Si adhbhar béuga mar bhias iad,*
*Gar bheg dhuínn on rígh mar rabhadh,*
*Do chitham cúl ar adhaidh iad*

8. *Do chitham na béil deargtha duthadh,*
*Isan déug chailc na cnámtha gorma;*
*Mo thoile ni bfuitheam o n'uathmar,*
*S'nach cuireadh sin vathan oram.*

9. *Ma mhian fein, & aimhleas manma,*
*Eagal duínne dhul os aírd;*
*Fuair an cholann cuid na dese,*
*Ro mháll do thuig misi mairg.*

DEVTERONOMIE. Chap. 6. verse: 6.7.

☞ *Biodh na briathribh sin d'aithnimse dhuit a*
*niugh, ina do chroidhe. Agus aithris iad dhod*
*chloinn go díchallach; agas labhair vrrtha, ag suith*
*ad'thigh fén duit, agas ag imtheacht sa tslighidh*
*dhuit, agas an tan laoigheas tu, & do eirigheas tu.*

# ADTIMCHIOL

## AN CHREIDIMH

### COMHAGHALLVIDHEDAR

*AN MAIGHISER, AGAS AN*
FOGHLVINTE: AGHON,

*Minisder an Tsoisgeil, agas*
an Leanamh.

---

### DOMHNACH. I.

1. *REVD IS crioch aride no phriondsipalta do bheathaidh an duine?*

Atà na daoine féin abheith eolach ar andia sin ler chruthuigheadh iad.

2. *Créd an tadbhar fa nâbrann tu so?*

Ar an adbhur gur chruthaidh Dia fánadhbhursin, & gur shuithidh san saoghalsa sind do chum go glórfluighthe ionnainn é, & go demhin is maith an resún, sinne, do chaithamh ar n'uile bheathadh, (neoch d'an tossach é féin) do chum ahglóiresin.

A        3. *Achd*

D

3. *Achd créd is árd mhaith no is sonnas do n'duine?*

Ata sin fein.

4. *Créd é an t'adhbhur fa saoilinn tú gurab é sin an maith is mo?*

Bhrigh gurab neamh shona go mór ar staidne ina fheagmhuis sin, ina staid na nainmhidhidh brúdeamhla neamerésunta.

5. *Vime sin is follas go lór as sin nach bhféd én nj tégmhail don duine is mo is nemh shonna no gan dteachd adtír go taiteannach le DIA?*

Is mur sin ata.

6. *Achd créd is fíor eolas Dé go ceart and?*

Ata mur a n'aithnighthar é amhluidh as go dti-ubhthrar a onoir dhlestannach fén dó.

7. *Achd créd é is modh onorvighthe go hi-omchubhaidh dho?*

Ma chuirthear ar nuile mhuinighine andson, ma ni sinn dhicheal and a serbhis thabhairt dó ina-bhur nuile bheathaidh ag geilludhadh dha thoil sin: ma ghaórmimnj air comhthric, agus theandas én riochtannas sind ag iarruidhe slainte andsin, agus gach én mhaith ar bhféd ar mian bheith: fadheo-idh ma aithnighim, ma aidmhighim le croidhe, agus le beul eision ina aonar mur aon vghdar an'uile mhaithís.    Domhnach. 2.

8. *Achd do chum résunaigh, agus iomfhos-glaide na neithesa ni bhus saibhir créd is cédche-and insa randadareochtsa do rindis?*

Ata sind do chur air n'uilé mhuinighinn, & dhóchas in ndhia.

9 *Agas*

9. *Agas créd é an modh ar an bhfed sin bheit amhluidh?*

Féduidh mur naithnighim, & mur dtuigim eision abheith vile chumhachtach, & maidh go foirfe

10. *Ané nac lór so?*

Ni headh.

11. *Créd é an tadhbhar?*

Ata thrid nach fiúth sinde eision do nochtadh achumhacht inar gcuidiughadh, ina méd a mhaithis fhoilsiughadh inar slanughadh.

12. *Fan'adhbhar sin Créd a rigmaoid aleas abharr ar soin?*

Rigmaoid, umuro, gach aon againd a shiuthughadh ina intinde fèin gur ghradhuigh seision é, & gurab dtoil leis bheith ina athair dó, &, na ughdar slainte.

13. *Cia náite as biond sin follus dûinn?*

As fhocalsin, umuro, mur a nochtand sé athrócair fén duinn agcriosd, & mur a bhfuil se dénamh fiaghnuise ar aghrádh fein d'ar draobh.

14. *Vime sin is é fundameint, agus tossach na muinigin is jonchurtha jn n'Dia é féjn aithniughadh?*

Is é go demhin.

15. *Anois budh mhian leam suím an'eolais so a chloisdin vait?*

Ata shuím ar na comhchondmajl jn'admhajl an chreidimh no ann'a foírm na h'admhail ata aig na huile chriosduidhibh chomhchoitchiond etorra fén: gaoridhe daoine go coitchionna dhi Symbôl no caismeart na n'Apstal, neoch aghabhadh o thos-

A 2                            sach

ssach na heaglajsi aghnáth measg na n'uile dhaoine
diagha, & neoch aghabhadh o bhéul na n'Apstal no
cojmhthionoladh go firrinneach as an scriobhadh-

16. *Aithris damh é?* (son.

CReidim a n'Día Athair na nuile chumhachd,
chruithaighthéoir nejmhe & talmhan. Agus
a Níosa Criosd a éunmhacsan ar Dteghearnaine:
noch do gabhadh ón Spiorad náomh, rugadh lé
Mujre oigh, do fhulajng an fpháis fa *Fpuinge
Fphioláid*, do crochadh, do céusadh, fúair bas &
do hadhlaictheadh, do chuaídh sios go hifreand,
do éirghidh ó bhás a gciond an treas lá, do chu-
áidh súas ar neamh, & atá anòis na shuidhe ar deis
Dé Athair na nuile chumhachd: As sin thiocfas do
bhreith breith ar bhéoghaibh, agas ar mha-
rbhaibh. Creidim and sa Spiorad náomh, a Ne-
aglais nàomhtha chomhchoitchionn, cumand na
náomh, maitheamh na bpeacthadh, eiséirghe cho-
dla na marbh, & an bheatha mharthanach, Amen.

17. *Do cum gu dhtuigfuighthe gach én chuid go
huilidhe ca-med do chotdannâibh anna roindeamar
a n'aidmhailsa?*

Agceathra chotannujbh aride no phriondsapalt.

18. *Aithris damh iád?* Dom. 3.

Beanaidh an chéd chuid re Dia a Thair. Trach-
daidh an dara cuid adtiomchioll a mhic josa Cri-
osd neoch fós a chondmhas uile shuim saoruidh
an chinnjdh dhaónna. An treas cuid adtiomchi-
ollan Spioraid naómhtha. An ceathraimh cuid ad-
thimchioll na h'eaglais, & tioghluiceadh DE ar
no dórtadh urtha.

19 *An*

19. *An mhed nach fhuil and acht aon Dia,*
*créud fa gcomhiomhraigheand tu dhamh and so*
*an tathair, an mac, & an spiorad naoimh?*

Ar son gurab jon amhairc dhúinn an'én substaint
no anáduir na dhjadhachta; an t'athair amhail tús
& tosach, no amhail ced adhbhajr na nuile ní: jna
dhjajdh sin an mac aghljocas siorujdheson, fád-
heoidh an spiorad naomh, amhajl anert, & abhridh-
son ata ar na dhórtadh & ar na chraobhscaoileadh
as an'uile ní, gidheadh ata ag comhnaidh & ag an-
mhuin and fén do ghnáth.

20. *Ata tu ag ciallughadh & ag foillsiugha-*
*dh as sin gan égcnibheas ar bioth do bheit adtri per-*
*sannaib edirdhaluighthe dobheth san naon diagh-*
*acht, gidheadh gan Dia do bheth rointe uime sin?*

Ata se mur sin féin.

21. *Aithris a'nois an céd chuid?*

Credim and an-dia Athair na nuile chumhacht
cruthaightheoir nimhe & talmhan.

22. *Créd fa ngoireand tu Athair dhe?*

Goirim sin De, ar tús ag amharc ar iosa Criosd,
neoch fós is è aghlioceason, neoch do choimhpre-
adh úaidhe roimh gach tús uile aimsir, & ar mbh-
eth ar na fhaoigheadh ar an domhansa dhó do fho-
illsigheadh gurab é a mhacson: gidheadh cruind-
eochaidh sind as so, ó sé Diá Atair Iosa Criosd,
go bfuil se ina Athair dhuinne maráon.

23. *Cia an seadh le bhfuil tu ag tabhairt a-*
*inm vile chumhachtaigh dho?*

Is e seadh as a dthabhruim sin dó, ni he ar an
gcorsa go bfuil cumhachta aige, nach cleachtand

se,

se, ach go bfuil anuile ní aige fa láimh, & nert &
jmpeirdhacht, go bfuil se, aguibhernoracht an do-
majn le phrovidens, & le ré fhaicsin fen go bfuil
se acomhshuidhiughadh na nuile do rér a mhiana
& a thoile fen, & ag riaghladh na nuile da dhtea-
gmhand amhail do chithear dó féin.

24 *Maseadh ni bfuil tu a cuma no ag deilbh
cumhachta Dé do bheth diomhaoin, acht ata tu ag
brethnuhgadh a bheth ina lethed sin aga bhfuil al-
ham do ghnath re hoibruighadh amhail nach dean-
taoi én ní ach tréson & le dheerit?*

Is amhluidh sin ata.

DOMH. 4.

25. C*Reud fa gcuirend tu les cruthaig-
hteoir nimhe & talmhan?*

Ar son os tríd a oibrighibh do fhoillsigh se e fein
duinn is jniartha dhuinne maraon jonta e: oir ni
fhuil ar naigneadh & ar dtuigse aibel do gabhail &
dothuigse ashubstainte dhiadhason: uime sin ata an
domhan fen ar na chur far gcomhair amhail scath-
ain egin ina bhfedmaois amharc ar son an mhed is
tarbhach & infheadhma dhuíne a aithne.

26. *Tre neamh & thallamh nach dtuigeand tu
do bhair an lion ata do chreatuiribh uile jonta?*

Tuigjm cheana & ataid arna gcomhchongmh-
ail faoi an da ainmse vile an mhed go bfuilid ne-
amhdha vile no talmhaidhe.

27. *Achd creud fa ngoircand tu do Dhia cruth-
aighteeoir a mhain an mhed gurab feárr go mór na
créatuir do choimhed & do chomhanacul ina staid
fein ino én vair amháin a gcruthughadh?*

Ni

Ni nochtar les an mbeag chuidse amhain dia do
chruthughadh en vair a oibrighe; amhlaidh sin
jondas gur thelg se agcuram dhe o sin amach acht
is mo is jonghabhtha dhújnne ar an gcorsa amhail
do rindeadh an domhan ar tús les gur ab amhlaidh
sin anois ata se arna chomhchojmhed lis jondas
nach seasand an talamh & an'uile ní ar chor ele, acht
an mhed le neartsan & mur budhe le laimh chonda-
imhthear suas jad: tuilleadh ele an med go bfuilid
an'uile mursin aige fa lajmh; leanfaidh fos & crio-
chnochar dhe sin gurab eissan ardriaghlaightheoir
nimhe & talmhan e, is intuicte gurab e an taón ata le
mhaitheas neart & ghliocas ag riaghladh vile chu-
rsa & ordaighthe na naduire is vghdar maraon na
fearthana & an tarta an chloichshneachta & na nd-
oineand ele & na soinend, neoc do ní an talamh to-
rrach, & do ní é arís ag tarraing a laímhe tar
ahais aimrid o dtigid slainte & easlainte araón
neoch fós fadheoidh, is fá chumhachtaibh, & fá
ghuibhernoracht, & fhlaitheas ataid na huile, &
dá n'umblaighidh tré smédeagh.

28. *Achd adtimchiol na ndaoine aingidhe,*
*& na ndiabhol creúd breathnaigheand an'aibheo-*
*ram ambhethson maráon fo mhaighthe dhoson?*

Gen go bfuil se ga ngujbhernoracht le spio-
raid fén gidheadh ata sé aga gcosg, & aga ri-
aghladh mar budheadh le srian jondas nach bfh-
edaid jad fén do ghluasacht acht an mhéd legeas
se dhoibh: Tuilleadh ele do ni sé ina lucht freasdail
a thoile jad, jondas, go dtabhair ortha da n'ain-
dheoin agus tar agcomhairle fén a'ní do chio-
　　　　　　　　　　　　　　　　　　thear

thear dhósan do chriochnughadh.

29. *Creud an tarbhtha ata ag teacht chug-*
*adsa dhfios anechse?*

Ata tarbhtba ro mhòr: oir do b'olc ar gcor,
& ar gcorughadh da mbheth ní ar bioth ceadaige-
ach dona diabhluibh no do na daoinibh aingidhe a
n'aghaidh, & seach, toil Dé & ni mo do bhiadh ai-
gneadhe sámhach feast againd ag smuaineadh sind
fén do bheth arar gcur fa chomhair an'anmja-
nasan achd andsin, fadheoidh, atamaid a gabhajl
comhfhosa go sámhach ar mbheth dhuínn feas-
ach srian do bheth arna chur ríu do rér toile
De & a m'bheth mar budheadh arna gcomhcon-
gmhail a gcumhgach jondas nach bf-hédaid ni
ar bioth do dhénamh achd le cheadson: agas go
spesialta o do gheall sé bheth fén ina dhideano-
ir, & ina phriondsa slanaighe dhúinn.

Domh. 5.

30. T*Igmid anois gus an dara cuid?*
　　Is se sin go gcred sind an'josa cri-
osd a aon mhacson ardtigearnane.

31. *Creud chomhchondmhas anchuidse go ge-*
*neralta.*

Congmhaidh gurab é mac Dé is slánaighth-
eoir dhuínn, & ata sé ag fosgladh maraón an mo-
dha ler cheandaigh se sind on bhás ler chosain, &
ler sholathair sè an bheatha dhuínn.

32. *Creud chomharridhas ainm íosa le ngo-*
*ireand tu é?*

Slánajghtheoir; aghon, tug an Taingeal an tai-
nmse ar mac n'Dé ar jaratus dé fén.

33 *Ane*

33. *Ané gurab mho a luach so ino gurab dáoine do bheradh aire?*

Is mó choidhce: oir an mhéd garab amhla-jdh do bail le DIA aghoirm do be'gin maráon abheth jnalethedsin ar gach aon mhodh.

34. *Agas creud jna dhiaidh sin is fiú a-inm Chriosd?*

Nochtar les an'epithetse a oific: oir is se se-adh dhó gur hongadh é on Atair jna rígh j-na Shagart, & jna Phaith.

35. *Ciondas is aithnidh dhuitsin?*

Is aithnidh dhamh é an mhéd gurab gus na trí hoificibhse ata an Scrioptur agnathughadh ongtha: arís ata se ag tabhairt na dhtrise adubh-rámar go minic do Chriosd.

36. *Achd creud an gné ola ler hongadh é?*

Nir le hola fhaicseanigh mhecsamhla do bhi arna cur do coisreacadh na sean rioghradh sag-art, & phaitheadh achd le hola do bhfearr: a-ghon, le tioghlacaibh an spiorad naomh neoch is firinde do n'ongadh ata muigh.

37. *Achd creud an rioghachtsa ar a bhfu-il tu a comhluadh?*

Rioghacht spioratalta neoch ata arna comh-chongmhail le focal, & le spiorad Dé neoch do bher jondracus, & beatha maille leó.

38. *Agas creúd éa shagartacht?*

Is oific, & is vrraime é fén do thaisbeana-dh abhfjadhnaise Dé do chosnadh, & dhfaghail grasa, & fobhair d'uinn, & do shiothchanughadh a ferge le hofrail na hiodhbarta budh toileamhail les.

B                    DOMH.

## Domhnac. 6.

39. A *Nois cia an seadh le ngoireand tu*
    *Phait do Chriosd?*

Arson an tan tanaic se anuás isin domhan do
adjmh se é fén do bheth ina theachtair, & ina
reachtair, a Athar a measg daoine, & a'ní sin
do bheth do chum na críche úd dés toil an A-
thair d'foillseochadh dó, go comhlán, go gcui-
rfeadh se dereadh ar gach vile Phajtheadarachta.

40. *Achd an bhfuil tú ag airiughad tarba ar-*
*bioth dibhsin?*

Atajm: ojr ni bheanjd na nethese ujle re ní ele,
acht re'r dtarbhajne, & re'r majth: oir do thighlaj
ceadh na nethese do Crjosd o Athajr fén, da gco-
maojncohadh, & da gcomhpàrtughadh rinde,
jondas go m'bjmjs uile ag tarraing as a lionmhu-
reachtson.

41. *Cuir agcéll a'nise dhamh beagan ni'is soil-*
*lere na marsin?*

Do lionadh e les an Spjorad naomh, & tugadh
dó jna mormheallajbh sajbhreas fojrfe a uile thio-
ghlajceadhson, da dtabhajrt, & da dtjoghlacadh
dhujnn, aghon da gach aon fo leth do re'r an mhjo-
sujr, js aithnidh do na'thair do theact rinde, &
do bheth jomchubhaidh dhuinn, jondas go bfuj-
lmid ag tarraing as an tsaibhreassin (amhail as
en tobar) gach uile mhaith Spioradalta ata againd.

42. *Creud an tarbtha ata a rioghacht do thabhairt*
*chugaind?*

Ata, umaro, dés ar dtabhartha le dheaghmhai-
theas do chum saorse chonsiasa do theacht adtír

go

go diadha naomhtha, & dés ar gcúmdaigh, & ar
gcludaigh le shaibhreasaibh Spioradaltason, ata cu-
mhachta fos d'édeagh umaind neoch fhoghnas, &
is lór dúinn do bhreth buadha, & uachtaranachta
ar gnathnaímhdibh ar n'anmand ar an bpeacadh
ar an feoil ar Shatan, & ar an saoghal.

43. *Acht cia d'an dtarbhach a shagartacht.*

Cuige so, ar son gurab ar an gcorsa ata se ina
aidne dhúinn neoch ata ag denamh ar siothchana, &
ar rétigh ris an athair: ina dhiaidh sin gurab thríd-
son ata entreas, & dul isteah fhoscaoilte againd
gosoich an'athair, jondas go dtíseam fén ina fhi-
adhnaise le dòchus, & go bhfuraileam sind fèn, &
ar n'uile ní ina n'iodhairt air, & mar sin ata se ag'-
ar ndénamh inar gcomhlucht parta, & inar gcom-
panacaibh ar ashagartacht fen ar chor égin.

44. *Ata a phaithedoracht gan ragha?*

An tan tugadh do mhac Dé dréacht, & tio-
ghlacadh abheth jna mhaighistir ar adhaojnibh
fén, is é is crioch dó so esean da shoillseochadh
le fior eolus a athair, da dteagasg isin fhírinde, &
da ndênamh jna ndescioblaibh teaghlaig Dé.

45. *Maseadh tegid na huile dar labhrais go*
*soich so go gcomchonghmand ainm Criosd and fén*
*natrí hoificeadha tug an tathair da mhac, do chum*
*go ndoirteand sé ambhriodh, & a dtoradh ar a dha-*
*oinibh fén?*          Tegaid mar sin.

DOMH. 7.

46. C*Reud fa ngoireand tu do mhac Dé*
      *aonghen an mhéd gurab fíu, & gurab*
*airidhe le Dia sind vile ar an gairmse maraón?*

Ni do thaobh naduíre atá aghaind gurab cland
do DHIA sind, achd do thaobh macacht ochta,
& gras d'èn chuid, an mhed gurab fiú les ar
mhbeth aige isin áitsin, achd an tighearna josa
neoch do coimpreadh, & do gheneadh do shub-
staint an Athair, & ata d'en naduire ris an Ahtair,
is rolaghamhail ghoirthear aon mhac Dè de, an
mhed gurab e ina aonar ata mar sin do thaobh-
naduíre.

47. *Maseadh ata tú ag tuigse gurab leason-*
*an onoir airidhse ata dfiachaibh aige amuigh do*
*rer lagha na naduire: achd gurab and do choma-*
*oinaigheas se rinde í: an mhéd gurab sinde a bhoill?*

Ataim cheana: & is le féchain an chomaoin-
ghe sin aderthar riosan an'aít égin an phrímh-
ghen amesg mórain bráthair.

48. *Ciondas thuigeas tú gurab é ar dtigh-*
*earnaine é?*

Ar son amhail do hordhaigheadh é le A-
thair d'ar mbethne ajge fa impeirdhacht fén, do
chum go bhfrithoileadh, & go bhfreastaileadh sé
rioghacht Dé ar Neamh, & ar talamh, & go
mbjadh sé jna cheánd na n'daoine gcredeamh-
nacha, & na n'Aingeal.

49. *Creud é seadh a'neith ata ag leanmhuin?*

Ata sé foillsiughadh, & ag lergheadh an mh-
odha ar ar hongadh an mac le Athair, jondas go
m'biadh se jna shlanaightheoir dhuinne: umaro,
ar gabhail dó ar bhfeolaidhne ujme, gur chri-
ochnaighe se jnte na neche sin uile do binfea-
dhma dar slanughadhne amhail ataid arna n'ai-
thris and so.                          50. *Creud*

50. *Creud is seadh dhuit les an dá shenten-*
*sasa a choimpert on Spiorad Naomh, & a bhre-*
*th le Murie Oígh?*

Gur fhoirmeadh é ambroind na hóige da sub-
staintse, do chum go mbíadh sé ina shiol fíri Dha-
vidh, amhail do re raigheadh le Phaitheadorhacht
na bphaitheadh, & gidheadh, gur hoibrigheadh
sin le neart, & le brídh jongántaigh shécrede
an Spiorad Naomh, gan chomand, no chomh-
chaidreamh fir.

51. *Maseadh ané gur bhinfeadhma é do*
*chur ar bfeolaidhne vimé?*

Do bseadh ar gach aon chor: oír do b'jom-
chubhaidh, & dó b'égin an esumhla do rinde-
adh les an'duine an'aghaidh Dé, do ghlanadh,
& do shiothchanachadh anadúir an'duine mhar-
áon, & nj mó ar chor ele do fhédfadh sé a
bheth ina aidhne dhuinn: do dhenamh, & do chri-
ochnughadh réte Dé, & daoine.

52. *Ader tu maseadh gur b'égin Criost do bheth*
*ina dhuine, do chum go gcoimlionadh sé (mar udh-*
*eadh inar bpearsainde uile chotcha ar slanaigene.*

Is amhlaidh sin thuigim: oir is egin dhúinne
gach en ní ata d'easbhaidh oraind inar bhfochair
fen do ghabail aníasacht uaidhson a'ní nach budh
fhedir a dhenam ar chor ele.

53. *Creud far chorichnaigheadh sin les an*
*Spiorad naomh, agas nach táosca is le modh gna*
*taidh geinalaig?*

Ar son go bfuil an síol daona uile thruaillighe
do budh jomchubhaidh oibriughadh an Spiorad
                                        Noomh

Noomh do dul eatorra anghenemhain mhic Dê
jondas nachsailedhchaighte éles an tsalcarsa ach
gombhiadh gloine ro fhoirfe aige.

54. *Masead atamaid ag foghlum as so gurab*
*égin a'neoch ata ag naomhthadh d'haoine ele abh:*
*eth fen saor o n'uile sal, & gur b'égin dó ghloine*
*(amhuil aderaind) tosaigh do bheth aige o bhroind*
*amhathar do chum go m'biadh sé uile naomhtha do*
*Dhia gan abheth arna shalchadh le sal arbioth an*
*chinigh dhaonan?*

Is amlaidh sin fen thuigim.      8. Domh.

55. *Creud fa lémeand tu thairis go lúath ó aim-*
*sir bhrethe Croíst do chum abháis, agfágbhail eache*
*tra a'uile bheathadh addhiaidh.*

Ar son nach fuilid nethe ar bioth arna lamhu-
ghadh and so, ach nethe bheanas comhairidhe
rer slaunghadne, jondas go gcomhchongmhand
siad ar chor egin jonta fen a shubstainte.

56. *Creud nach abair tu gon timchiol d'en fho*
*cal gur ég sé, acht ata tú acur les sin maraon anma*
*an ghuibhearnoir fhar fnlaing sé an pháis?*

Ata sin ag fearadh, nj he amhajn do dhaing-
niughadh na heachtra, ach fos do chum go dtujg-
mis a bháson do bheth abhfochair achele, & dha-
mnadh.

57. *Cuir sios, & minigh so in is soillere ina*
*mur sin?*

Do fuajr se bás dfulang, & do dhiol na péne
do dlighead dhínne & ar an gcorsa dhar sooradh
uaithe, & ar mbeth dhúinne (amhail atamaid
uile jnar bhpeacahaibh) ciontach, & fooi bhre-
amhnas

amhnas Dé do chum go ndeacadh se jnar n'ait-
ne do bail les é fen do thais-beanadh a bhfjadh-
naise breatheamhain Thalmaidhe, & adhamnadh le
bheulson d'ar Mbethne fuascoojlte, & dar legean
fa scaoil abhfjadnaishe nimchathrach bretheamh-
nais Dé.

58. *Acht do ardlabhair & tug Pilatus amhail
cert a bheth nemhchiontach, & uime sin nir damh-
ain sê e mar chiontach, & fear dheanta uilc?*

Is jntuicte an taon oile: oir is se adbhar as ad-
tug an breatheamh fjadhnaise a nemhchiontaighe
amach do chum gomadh lan follas nach do chi-
onta mhituillteanasa fen, acht ar son ar lochtne do
buaileadh e, & gidheadh do rer anosa ghnath-
aighe do dhamhnadh e isin am sin fen le ragha,
& le sentens an bhretheamhain chedna do chum
gomadh follus a dhul fan mbhreatheamhnas, do-
bhamairne do thuilleadh, amhaill ar n'urra do
chum go saoradh, & go dteas argadh se sind
on phecadh, & on mhallchadh.

59. *Maith adubhradh: oir damadh peacach
é ni budh rádh dhiongmhalta e do diol pene, & pe-
andaide peacaidh dhuine ele, gideadh do chum go
rachadh a damnadhson dhuinne go fior fhuasgladh
do b'égin a aireamh Ameasg lochta deanta uilc.*

Is amlaidh sin thuigimse.       9. Domh.

60.  AN *mhéd do chèsdadh é; an mó an
spés, & an tabhacht, ata aige ina
gomadh gné le bháis choitchiond do ghebhadh sé?*

Is mó choidhche: amhail ata Pól maraon ag
tabhairt rabhaidh uaidhe, ag scriobhadh gur ch-
                                        rochadh

rochadh é agcránd; do chum ar gcursaidhne
do ghabhail ar fén dar bhfuasghladh uaidhe: oir
do bhi an gné bháis úd arna damnadh le mal-
lachadh.

61. *C'reud? ane nach gcuirthear a scandail
ar mac Dé an tan aderear go roibhe sé faoi mh-
allachadh; & fos abhfiadhnaise Dé?*

Ni cuirthear feast. Oir agabail an mhallaighe
sin ar fén do chuir as, & do nemhf-nigh sé é,
& nir scuir sé isin nam sin fen da bheth bean-
daighe do chum go lan lionadh se sinde le bhean-
daceadh fén.

62. *Lean romhad?*

An mhèd gur dioghaltus an bás do cuireadh ar
an duine ar scàth peacadh do f-huilaing, & do
iomachair Mac Dé é, & le fulaing rug buaidh,
& vachtarancht air, & do chum gomadh fe-
arde do fhoillseochadh sé go bfhuair sé bás fi-
rindeach do bail les, & do chondcus dó a chur
abfiort a modh coitcheand daoine ele.

63. *Achd ni faicfuithar tarbha arbioth do
theacht chugaind Chriosd do bhreth na buadhasa,
an med nach loigheide atamaid ag dul d'ég?*

Ni bfhuil sin ag bacadh anadhbhair: oir ni
ní ele an bás anois do na daojnibh credeamh-
nacha, acht dnl tairis gus'an mbeathaidh is fearr.

64. *Ata ag leanmhain de so nach ionbhethe
uaimhneach re an bhás ni is mó inar um eaglach
é: achd gurab mhó is ion leanta dhuínd ar gce-
andfeadhna Criosd le hindtind nemhvamhnaigh,
neoch amhail nar chlaoidheadh, & nar milleadh*

*trés*

*trés an mbás is amhlaidh sin mar an gcedna nach*
*fuileongaidh sé sindé do chlaoi les?*

Is amhlaidh sin fén is indeanta dhuín.

DOM. 10.

65. A *Ní do cuircaidh les adtimchiol a-*
*dul siós anifreand creud an seadh*
*ata aige?*

Gur fhuilaing sé ni he amhain an bás coit-
cheand deallughadh anamna ris angcorp, achd
gur fhulaing sé maraon crágh cumhgach, &
doilgheas an bhais amhail ader *Peadar*: & les
an fhocalsa atam ag tuígse na gcumhgach vamh-
nach les gcumhgaigheadh, & comhchrepadh
a anam.

66. *Indis damh adhbhar anechse, & an modh*
*arar fulaing Criosd an bás?*

Bhrigh, arna thaisbeanadh fén dhó abhfia-
dhnaise Chathrach bhreatheamhnaise Dé do
dhénamh dioghluidheacht ar scáath peacach do
bégin a choinsias do dhochrughadh les angcum-
gachsa amhail do bhiadh sé ar na thrégeand O
DHIA, & ni is mo, amhail do bhiadh se abhferg
ris is na cumhgachaibhse do bi se an tan do ar-
déigh se do chum Athar mo DHIA fein, mo DH-
IA fein creud far thrégis mé.

67. *Ané go raibh an t'athair a bhferge ris?*

Ni raibhe choidhche ach do imir sé an gh-
airbhese jna aghaidh, & an aimhdeanas jondas go
gcoimhlionta aní adubhradh roimhe le *Hesaias*
gur buaileadh é le laimh Dé, ar son ar bpeaca-
dhne, & gur loiteadh é ar son ar nasiondhracais.

C                    68 *Acht*

E

68. *Achd ar mbheth dhó jna dhia ciondas*
*do fhédfadh sé abheth arna chriothnughadh, &*
*arna garbhghlacadh le lethed sin déagla, amha-*
*il do bheradh Dia cul ris?*

Is mar so is jntuicte é gurab do rer adhaon-
achta tugadh do chum an'égentaise é, & jondas
go n'deantaoi sin, do bhi adhiadhacht isin ám
sin fein abfolach, aghon, ni raibhe si ag noch-
tadh a chumhacht fein.

69. *Achd ciondas aris fhédas sin abheth,*
*Cbriosd neoch budh shlainte don domhain do bheth*
*fa ndamnadhsa?*

Ni deachaidh sé amhlaidh fhaoi, jondas go
n'anfadh sé faoi: oir is amhlaidh sin do ghar-
bhghlacadh é les na huamhnaibh sin adubhradh,
jondas nar claoigheadh é leo: acht is mó ar mb-
eth dho a cruaidh charuidheacht, & a cruai-
dhghlec re neart ifreand, do chlaoi, do bhris,
& do soledair é.

70. *Atamaid ag tionol as so an t'eadardh-*
*ealughadh ata edir an phian chinsiasa do fhuil-*
*aing Criosd, & an phian le bpiantar na peaccaigh*
*ar abfuil lámh fheargach Dé ag jmirt dioghaltais:*
*oir aní do bhi dhosan rê seal ata sé dóibhsan Su-*
*thain, & aní do bi dhosan ar scath bhear dha*
*bhrodadh ata sé dhoibhsan jna chlaoidheamh mar-*
*bhthach (amhail aderaind) jna chlaoidheamh do*
*chiorrfaidh a gcroidheadh?*

Is amhlaidh sin ata: oir ar mbeth do Mhac
De arna thimchiolachadh isna cumhgacaibhse
nir, scuir sé do dhènamh dochais as athair, ach

peacaigh

peacaigh arna ndamnadh le cert bhreatheamh-
nas DE, tuitfaidh aneamhdhochus, béc faid ina
agaidh, & lingfaidh amach dho thabhairt scan-
daile fhollais dó.

DOMHNACH. 11.

71. N*Ach fédmaid atarraing, & a fhás-*
*gadh as so créud an toradh ataid na*
*daoine credeamhnacha dfhaguil do bhas Chriosd?*

Fedmaid cheana, & ar tús do chiamaid go
demhin gurab jodhbairt é lerghlan sé ar bpe-
acaidh abfiadhnaise DE, & marsin désferge Dé
rind do rethughudh rug sind abfhobhair, & an-
grása maille ris, ina dhiaidh so gur nighe afhuil (le
glantar ar nanmanda) sind o nuile shalchar; fadh-
eoidh gur cuireadh ar gcul cuimhne ar n'uile
pheacadh, jondas nach dtigid feast abfiadhnaise
Dé, & mar sin go raibhe an lamhscriobtha le
roibhamar ceangailte arna chur as.

72. *Ané do thuilleadh nach dtabhair sé ma-*
*óin do bhárr tarbha chugand?*

Do bher cheana. Oir le dheaghthioglacadh-
son (ma sind go demhin boillfhrifi Chriost)
ata ar sean duine, aghaon an peacadh agachea-
sadh, ata corpan pheacaidh aga chur aneamhfi-
ni, jondas nach bjaidh uachtaranacht ni ismó ag
anmhianaibh na feola jondaind.

73. *Eríg ar haghaidh isna helib?*

Ata ag leanmhain gur érighsè fén an treas la
o mharbhaibh do chum go nochfadh sé é fén
do breth buadha ar an bpeacadh, & ar anmbas:
oir le esérige do shluig siós an bhas do bhris

O chéle cuibhrighe annaigh, bhearsoira, & tug go nemhfní a uile chumacht.

74. *Ca méd toraidh ata ag teacht chugaind trés an esérigse?*

Atri: oir trithese ata firentacht arna chosnadh dhuínn ata si jna comharrdha, & ina geall dearbhtha arar neamhthrnaillaidheacht, & atamaid anois fén arar ndusgadh suas le brídh a esérgheson go naoidheacht beathadh, do chum le teacht adtir go glan naomhtha go mbimisumhal dathoil.

DOMH. 12.

75. L *Eanhmaid na fuighil?*
Do chuaidh se suas ar neamh.

76. *Acht an amhail do chuaidh sé suas arneamh, jondas nach bfhuil se ni is mó ar talamh?*

Is amhlaidh. Oir dés dó na n'uile do hearbadh ris, & do chureadh air O n'aithair, & fos do bha infeadhma dar slánughadhne, do chriochnughadh, ni raibh fédhm ar bioth bheth ar an talamhsa nj budh sia.

77. *Creud an maith do ghéhheam don dul suasa?*

Do ghebham maith, & toradh dupalta: oir an méd gurab jnar lethne, & arar son do chuaidh Chriosd isdeach ar neamh, amail is arar scath tanaic se anuas ar talmhain, do rinde sé éntreas fhosgailte dhuínne maraon gosoich an'ait sin, do chum go mbiadh an doras sin anois fosaoilte dhuinne, neoc do bhi rhoimhe jata trid an bpeachadh arís ata sé do lathair aga thaisbeanadh fén abfiadhnaise DE ar ar soindne ina theachtaire,

achtaire, ina aidne, & ina phatrun.

78. *Achd a'ndeachaidh Criosd amhlaidh va-*
*ind aga bhreth fén suas ar neamh. jondas gur scu-*
*ir sé anois da bheth maille rind?*

Ni deachaidh choidhche, oir go contrartha
do gheall sé abheth fein maille rind go dereadh
an tsáoghail.

79. *Achd an med go bfuil sé ag aitreabh*
*maille rind in a dtimchiol alátharrdacht corpor-*
*ridha is jontuicte é?*

Ni headh : oir is ní ele labhairt adtimchiol an
chuirprugadh suas ar neamh, & ris ar gabhadh
suas ar neamh, & na gcumhachta ata arna ger-
aobhscaoileadh in gach vile aít.

80. *Creud an seadh n'abair tu a bheth jna*
*shuidhehr des Dé athar?*

Is é seadh na bfocalsa an t'athair do thabhairt
vachtaranacht nimhe, & talmhain dó, do chum
go nguibhernoraigheadh sé an'uile

81. *Achd creud shigneobhas duit an deslamh,*
*& créud an suidheso?*

Is cosamhlach é arnabhreth, & arnaghabheil
an'iasacht O Phriondsadhaibh talmhaidhe, neo-
ch danab gnàth na daoine da dtaobhand siad
an'aít do shuidhiughadh ar an'deaslaim.

82. *Maseadh ni fhuil tu ag tuigse nech ele,*
*achta nech ader* Pol *gur hordaigheadh* CRIOSD
*jna cheand na Heaglaise gur tógbhadh suas an-*
*airde é os ciond gach vile vachtaranachta, &*
*Phriondsipaltachta, & go bfuair sé ainm os cio-*
*nd gachvile anma?*

Is

E *

Is amhlaidh ata, & ader tu.

DOMHNAC. 13.

83. G*Luaiseam thairis gus na nechibh ele?*
As sin thiocfas do bhreth bre-
the ar bheodhiabh, ar mharbhaibh: na focail da
seadh, go dtiocfa sé go follas dobharr nimhe
do bhreth breatheamhnais ar an gcruinde, amh-
ail do condarcus go follus é ag dull suas.

84. *An mhédh nach biáidh lá an bhreathe-*
*amhnais ré ndereadh an tsaoghail ciondas ader-*
*tú go mbia cuid égin do na daoinibh béo ino ar*
*marthain and sin, ar bfaicsin go bfuil cumtha or-*
*daighthe dona daoinibh én'uair dul d'ég?*
Ata Pól ag fuasgladh na ceisthese an tan ader
sé an lion bheas béo, no ar marthain d'athnua-
dhughadh le luath chlaochlodh, do chum jar du-
la neamhbrídh, & as do chruaillaidheacht na
feola, go gcuirfadh siad úmpa a'neamhthruaill
aidheacht.

85. *Maseadh ata tú ag tuigse an chlaoch-*
*loidhse do bheth dhoibh a riocht, & ar son báis,*
*an mhed go mbhiáidh sé ina chur as, jno arg-*
*cul na céd nadúire, & ina thosach na naduíre*
*naoidhe ele?*
Is amhlaidh sin chuigim.

16. *Abfuilied ar gcoinsiasane a gabail comh-*
*fhurtacht no garrdighe as sin, eghon mbiaidh* CRI-
OSD *én vair jna bhretheamh an domhain?*
Ataid go demhin agabhail gairdighe ro oi
irdherc gan choimeas: oir ata dherbhfios againd
nach dtiocfa sé, ach do chum ar slanaighne.

87 *Maseadh*

87. *Maseadh ni hion bhethe dhuínne naimh-*
*neach ar ciond an bhreatheamhnais, jondas go gcui-*
*reand sé eagla oraind?*
ni hion bheith choidhche, an mheud nach seas-
am, acht abfiadhnaisi Cathrach bhreitheamhnais
an bhretheamh sin, atana aidhne, & ina Phat-
run duínn, & do ghabh chuige sind ina fhirin-
de, & ina anacul fein.

DOMH. 14.

88. T*Eagam anois go soich an treas cuid?*
Ata an chuid sin adtimchiol an
chredimh isin Spiorad naomh.

89. *Agas creud ata sí do thabhairt chugaind?*
Is ris so bheanas sí, jondas go dtuigeam, &
go mbiadh afhios againd, amhail do cheandaigh,
do shaor, & do theasairc DIA sínd trés an Mac,
gurab amhlaidh sin ata se agar ndénamh comh-
aibel comhchumhachdach, & atamaid do gha-
bhail an tsaortha, & an tslanaighese trés an
Spiorad.

90 *Ciondas?*
Amhail ata glanadh againd abfuil Chriost: is
amhlaidh sin is égin trés an Spiorad naomh ar
ghcosnsiasne do bheth ar na gcumailt lé, & ab-
ethse ar na crathadh orra, jondas go nglantaoi jád.

91. *Ata vaidhe so, & duireasbhiudh air,*
*miníghthe nj is soillere jna so?*
Tuigim gurab é Spiorad Dé, angcén aitre-
obhchas se jnar gcroidhne do ni & do bher or-
aind, jondas go mothuigheam brídh Chriord:
oír is le soillseochadh an Spiorad naomh, do
nithear

nithear, jondas go gcomhthuigeam tioghlaice
Chriosd is le bhrostughadh comhairle, & per-
suasion do nithear, jondas go nardshelaighthear
jad inar gcroidhibh fadheoidh is esean amhain
do bher dhoibh jonad jondaaind, ata agar n'a-
thbhreth, & do ní gurab creatúre nuaidhe sind:
vime sin na huile shurailtear tairgthear, & do
bhearthar dhuínn agcriosd, is le neart an Spi-
orad naomh ghabhmaid iad.

DOMHNAC. .15.

92. G*Luaiseam romhaind?*
       Ata an ceathrugh cuid ag lea-
nmhuin ina n'admhamaid go gcredmid én eag-
lais naomhtha do bheth and.

93. *Cr'eud is aiglais and?*
Corp agas comand na ndaoine credeamhnacha,
neoch do roimhórdeigh Dia gus anmbeathaidh
shuthain.

94. *Ané go bfuil an ceandsa égeantach re
credeamhajn maraon.*
Ata cheana muna báil lind bás chriosd do
dhenamh diomhaoin, & gan spes do bheth do
gach sí do labhradh go ntrasta; oir is é so br-
ídh na n'uile go bfuil eaglais and.

95. *Maseadh ata tù tuigse gur lamhaigh-
eadh cheana ughdair, no adbair an tslánaighe, &
gur nochtadh afhuudament ar mbhetduit a cur
sios gur le toilteanas, & le haidhneas: Criosd do
ghabhadh sind a'ngrás le Déa, & gurab le bridh
an Spiorad Naomh dhaingnithear an grásasa jo-
ndaind: actanois go bfuil an'uile bhriodh so ar*
                                                *na*

*na bfosgladh, do chum gomadh demhnighthe da ri-*
*ribh do bhiadh an creidimh ar na fhoillseochadh?*

Atam, & is amhlaidh sin ata an tadhbhar.

96. *Achd, creud an seadh le nainmhaighe-*
*and tu an eaglais do bheth naomhtha?*

An med, umaro, do thogh DIA ata sé aga
bfhirènughadh, & aga nathchuma, no aga nath
fhoirmeadh anaomhdhacht, & anemhchiontai-
ghe beathadh, jondas go ndealraigheadh agh-
lóir fén jonta; & is é so aní is ail le Pól ag
tabhairt raibhthe vaidhe, gur naomh CRIOSD a-
n'eaglais do cheanaigh, & do theasraic se, do
chum go mbhiadh sí glóireamhail, & glan ó
gach vile shalchar.

97. *Creud is seadh depithet no dfocal na he-*
*aglaíse Catholica no coitchiond?*

Teagaisgthear sind les sin, amail ata én che-
and no n'uile chredeamhnacha and, gurab amh-
laidh sin is égin do n'uile comhfhas anen chorp,
do chum go mbiadh én Eaglais tríd an gcru-
inde vile, ar na craobhscaoileadh gan mbharr.

98. *Achd, creud an tabhacht ata and súd*
*do cuireadh les go haithghearr adtimchiol coma-*
*oinighe na naomh?*

Is vime do cuireadh so siós d'soill siughadh
ní is soillere na haonachta, & an comaoinighe a-
ta edir ballaibh na Heáglaise: cuirthear agcéill
maraon gach tioghlacadh da dtug DIA da Eag-
lais, go mbeanadh siád re maith choitchind na
n'uile, an mhéd go bfuil vile ata comaoineach-
adh comaontadhach comgheallach.

D              DOMH.

## Domhnac. 16.

99. A Chd an bfhuil a naomhtachtasa ata
tu do thabhairt do Neaglais a-
nois forfe?

Ni fhuil fos umaro, an gcén bhias í a cathu-
ghadh is in domhansa: oír ata sí do ghnáth an-
mhfhand vireasbhuidh, & ni glantar vile í fe-
ast ó fhuighlibh lochta, jno go raibhe sí ag lan
leanmhuin re ceand Criost, ó naomhthair í.

100. *Ané fós nach bfhédir an'eaglaise d'ai-
thne ar chor ele acht an vair credthear i le dochus?*

Ata Eaglais De faicseanach and go demhin,
neoch do chuir sé fein siós dúinn le dearbh cho-
mhairdhaibh, & le notaibh, acht is ar comh-
thionol na ndaoine gcredeamhnacha ticthear and
so go hairidhe, neoch do thogh sé le chomhai-
rle dhiamhair fén do chum slanaighe, & ni fha-
icthear an Eaglaise do ghnáth le súilibh, & ni
mó aithneochar le comhairdhaibh í.

101. *Creud leanas jna dhiáidh so?*
Credim maitheamhnas na bpeacadh.

102. *Creud an seadh ata dhuit abfhocal an
mhaitheamhnais?*

Go bfuil Dia da shaor mhaitheamhnas fein
ag luidheachtughadh, & ag maitheamh abpea-
cadh dona daoinibh credeamnacha, suil goirthar
ambreatheamhnas jád, no suile bhearthar, &
ghabhthar dioghaltas dhibh.

103. *Ata ag leanmhuin dhe so, nach ler ndi-
oghluidheact fén atamaid agtuilleadh maitheamh-
nais na bpeacadh, atamaid dfaghail on tighearna?*

Ata

Ata go firindeach: oír is é CRIOSD ina ao-
nar (ag joc an dioghaltais) do rinde dioluidh-
eacht: an mhéd bheanas rinde, ni fuil coimhle-
asughadh arh biorh againd do bhermais do Dhía,
achd is da fhior Phailteas fein atamaid ag fa-
ghail an tioghlacaidh shaoirse.

104. *Creud fa bfaoigheand tu maitheamhnas
na bpeacadh ris aneaglais?*

Ar son nach fajgheand dujne ar bioth é muna
raibhe sé ar tús ar na chomhaonughadh; aghon
arna cómhthilughadh, & arna comhshnaidhm-
eadh ré Phobal Dé, & muna coímedaidh sé
anaonachtsa go marthanach go dereadh abhe-
athadh re corp Chriosd, & ar an modh sin sé
dfoillsiughadh abheth fén jna bhall fírindeach
do n'eaglais.

105. *Ata tu ag suidhinghadh ar angcorsa
nach fhuil ach damnadh suthain, & scrios leth
amuigh do neaglais?*

Atam choidhche: oír ge bé ar bioth jad do
deallughadh ré corp Chriosd, & ata ngear-
radh as an aonachtsa le saobh chredeam, ata gach
vile dhochas slanaigh arnagearradh uathadh an
gcion anas siad jnalethed sin do dheallughadh.

DOMHNAC. 17.

106. **A** *Ithris abhfuil d'fuigheall?*
Credim esérghe na feola, &
an bheatha shuthain.

107. *Creud an tadhbhear as a gcuirthear an
ceandsa an admhail an credimh?*

Iondas, go dtabharthaoi rabhadh dhuinn na-

D 2⠀⠀⠀⠀⠀⠀⠀ch

ch jsin talmhainse ata ar naoibhneas, & ar nar-
dshonas neach is dupalta toradh, & tarbha afh-
ios: ar tús ata maid ar ar dteagasg as sin gurab
amhail deoradha isin atreobhtha dhúnn an domh-
ansa, jondas gombimis do ghnath ag smuaine-
adh adtjomchiol jmjrge, & gan sinde do legean
dar gcroidhibh ambeth ar na n'imfhilleadh le
himneadhaibh talmhaidhe: jna dhiaidh so ge bé
ar bioth cor ar a bfuil an'ainmhfhios dúinn fós,
& abfolach ar súilibh toradh an ghrása do cho-
mhthoirbheradh dhuínn agcriosd, gan sin ar an-
adhbhar sin do cháll ar mesnighe, ach sind dfh-
uilang go foighidneach go soich lá an fhoillsighe.

108. *Achd Cia bhus ordughadh de n'esérghese?*

An lion do bhadar marbh roimhe sin aith-
ghébhaid arís a gcuirp fein: aghon, na cuirp ché-
na do imechradar, achd ar mbeth dhoibh qua-
liteadh no cájleadh nuaidhe aca: aghon, gan a
mbeth ni sía faoi bhás no thruailaidheacht, acht
an lion bhias béo and sin tóigheobhaidh Dia a-
nairde ják go miórbhuileach le luath chlaochlodh.

109. *Achd ambí si coitchiond dona daoimbh
diadha, & dona daoinibh aingidhe maraon?*

Ata an én eserghe vile aca, acht biaidh asta-
id, no agcor contrairdha: oír aithéreochaidh e-
le dibh go slánughadh, & sonas, an ele go bas,
& truaidhe imalaighe.

110. *Creud maseadh fa gcomhluaidhthear
and so an bheatha shuthain de'nchuid, & gan i-
omrádh ar ifreand?*

Ar son nach faghar ní ar bioth and so, ach
                                            ní

ní bheanas ré comhfhurtacht na nananmand Di-
adha: ar an adhbhar sin aithristear, amhain na
tioghlaicte, & na tuillidh do roimhullmhaigh
Día da sheruontaibh fén: & ar sin nj cuirthear
les an crandchar, & an míamhantar, ata ag fe-
theamh ar na daoinibh aingidhe, neoch is aith-
nidh dúinn a mbeth amuigh ina nallmharacha-
ibh O ríoghacht Dé.

DOMH. 18.

111. O *Thuigmid an fundament ar an'-*
*dleaghar an credeamh do shuid-*
*iughadh, is ullamh, & is urasa definition an chre-*
*dimh fhirindigh do tharraing as sin?*

Is amhlaidh sin ata: & is amhlaidh is cead-
aigheach adehfiniughadh, jondas go nabram gu-
rab fios, & eohlus dérbhtha daingean deagh th-
oile aithreamhla Dé oraind é: amhail fiadhnai-
seas é trés an Soisgel abheth fén ino athair, &
jna shlanaightheoir dhuinn tré deaghthuilltea-
nas CHRIOSD.

112. *In vainn fén do choimpir, & do gen sind*
*an credeamhsa, no o Día atamaid da fhaghail?*

Ata an scriorhtur ag teagasg gurab tioghlacadh
oirrdherc Dé é, & ata experiens, no fiondacht-
ain fén agdearbhadh anech sin.

113. *Creud an experiens ader tú riom?*

Ar son, umaro, gurab aimghére ar naigneadh
jno dho fhédadh sé gliocas spiortalta Dé do
ghabhail, & tuigse, neoc fhoillsighthar dhuinn
tré chredeamh: & gurab vllmha thende ar gc-
roidheadha go neamh dhó chus jno go hand

do

dóchus do dheánamh jondaind fén, & agcrea-
tuirebh ele go haimideach, ino do ghabhail fho-
sa da ndheóin an Dia, achd is é an Spiorad na-
omh le shoillseochadh fein ata ag'ar ndénamh ai-
bél do thuigse na netheadh, do rachadh ar modh
ele go fhada tar no ósciond ar dtuigse, & isé ata
ag'ar bfhoirmthadh, & ag'ar gcoimhdhénamh
go dearbh dhochus daingean ag sélughadh geal-
ta an tslanaighe jnar gcroidhibh.

114. *Creud do mhaith ergheas duinn as an
gcredeamhsa ar mhreth dhuinn én vair air?*

Ata sé ag'ar bfeírenughadh abfiadhnaise Dé,
& ata sé ag'ar ndeanamh jnar noighreadhaibh ar
an mbeadhaidh shuthain les an bfhírenughadhsa.

115. *Creud ané nach firenaighthar daoine le
téacht adtir go diadha naomhtha nemhchiontacb
an tan do ni'd stuidér, & dicheal ina ndearbh-
adh fén do Día?*

Da bfaghthaoi a chomfhoirfe do neoch ar
bioth do fhédfuighe abhreathnughadh a bheth
ina fhírénach go tuilteanach, acht ar bfhaicsin
go bfhuilmid inar bpeacachaibh ciontach ar a
lán do modhaibh abfiadhnaise Dé, ɪs jniarrtha
dhuinn diongmhaltacht do thaobh ele do fhéd-
fadh ar siothchanchadh riosan.

Domh. 19.

116. A Chd ané go bfuilid vile oibrighe
 *dhaoine comhshalach, & ni is mó
gan mhaoin do shuím no do luach, jondas nachfédaid
grás no fobhar do thuilleadh: absiadhnaise Dé?*

Ataid, & ar tús gach vile obair shuidheas va-
ind,

ind, jondas go nabarthaoi ar ngniomhne ris go
hairidhe, ni tualaingid maoin, achd neamhtha-
itneamh le DIA, & ambeth arna dtelgean va-
idhe tar a'nais.

117. *Ader tu maseadh res anám an aithbh-
erthear, & an aithfhoirmthear sind le Spiorad
Dé, nach dtualaingeam maoin, acht peacnghadh
amail nach dtabhair an droch craobh, aohd dr-
och mheas, & toradh vaithe?*

Is amhlaidh sin ata ar gach aon chor: oir da
bhréaghacht brat ar bioth, & scáile da mbía aca
a súilibh daoine, gidheadh ataid olc an gcén
bhusolc an croidhe ar a bfuil DIA os an'vile
ag amharc.

118 *Ata tu ag tionol as so nach bfhédmid
dul ré ndia le tuilteanas no a dheaghmhaitheas
do ghreandnghadh: ach gurab mhó gach ní da
n'aidherhheam, & gabhmaid do laimh, nach de-
andaois maóin acht afheargson dfadodh, & do las
adh nj is mo, & ni is mó jnar n'aghaidh?*

Is mar sin thuigim ar an adhbhar sin da shá-
or thrócaire fén gan fhechain inar noibrigh-
ibhne ata se ag'ar ngabhail, & ag'ar ngrádhugh-
adh agchriost agabhail a fíréntachtason do bheth
inar bfhíréntachtne, amhail do budh lind fén í,
gan ar bpeacaidh dagra oraind no do chomhai-
reamh dhuínn.

119. *Ciondas maseadh ader tú ar bfhirénu-
ghadh le credeamh?*

Aderim sin ata, an tan do ghebham gealltha an
thosgél le dóchus daingean an chroidhe atamaid

ar

ar chor égin ag breth ar an bfhíréntachtsa aderim.

120. *Is é so maseadh is ail leat, amhail ta-*
*irgthear, & furailtear an fhiréntachtsa O Dhia*
*trés an Soisgel gurab amhlaidh sin is jnghabh-*
*tha dhuínne í?*

Is amhlaidh sin fein do b'ail liom.

DOMHNACH. 20.

121. A*Cht ó nám jnar ghabh Día sind*
*go grádhach, ané nac toileamhail*
*les, & nach é beatha na noibrigheadh do niam aige,*
*ar mbeth don Spiorad Naomh aga ndirgheadh?*

Is toileamhail les jád, & tigid ris an mhéd
gurab diongmhalta les an gabhail chuige go
sáor, & nj le tuillteanus an diongmhaltachta fén.

122. *Acht an'uair tigid amach on Spiorad*
*naomh, ané nach féddaid fobhar do thuilleadh?*

Ge tigdis amach uaidhe, gjdheadh ata méd e-
gin do shalchar ó anmhfainde na féola arna mh-
easgadh jonta le salchar, & le dtrnaillthear jád.

123. *Cia vaidhe, & ciondas do ujthear, io-*
*ndas go dtaitnaid le Dia, & gurab é ambeatha*
*aige?*

Is é an credeamh amhain, a'neoc fhédas fo-
bhar do chosnamh dhoibh, an tan leagas sind ar
gcudtrom ar an dóchasa, nach dtigdis go cún-
tus an'ardlagha; an mhéd nach randsaigheadh
Día jád do rér tinde, & cruas a rjaghla: acht ar
bhfholach alochta. dó, & ar gtomhjothlacadh
a shalchair le gloine Chriosd go mbédis aige
lsin aítsin, & go measand sé jád, amail do bhé-
dis forrfe, ceart go huilidhe.

124 *Acht*

124 *Acht adtionoileam dhe sin Criosdaidhe*
*d'firenachadh le hoibrighibh dés a bheth ar na*
*ghairm ó Dhia, jno fhaghail le tuillteanas a oi-*
*brighthe, jondas gomadh jonmhuin le Día é, ne-*
*och is é a aojmhaineas, an bheatha shuthain dúinn?*

Ni tionoileam choidhche: ach gomadh mó
choindeobham againd a'ní ata scriobhtha; nach
bhfédfuighe duine truaillidhe dhfírénachadh abh-
fiadhnaise Dé: vime sin is jonghérghuidhe dh-
vínn gan é do dhul ambreatheamhnas maille rind.

125. *Gidheadh ni breathnocham ar ashon*
*sin oibrighthe maithe na ndaoine gcredeamhnacha*
*do bheth neamhtharbhach?*

Ni breathnocham cheana: oír ni diomhaoín-
each ata DIA a gealleadh tuillmhidh, & tuaras-
dail doibh isin mbeathaidhse, & isin mbeathaidh
ata ag teacht, gidheadh is ó shaór ghrádh DE (a-
mhail as tobar) ata an tuarastalsa ag brúchtadh,
& ag sileadh an méd; umro; go bfuil se ar tús
ag'ar ngabhail jnar gcloind dó fén: ina dhiadh
so ar gcomhiodhlacadh, & ar gcur cuimhne ar
lochtne ar gcúl, ata se ag leanmhuin, & agrádh-
ughadh na n'oibrightheadh tig vainde le fobhar.

126. *Acht ané go bhfédir an fhiréntachtsa,*
*amhail dó scaradh ré deaghoibrighibh, jondas go*
*mbíadh sise ag neoch bheas jna bfheigmhaisan?*

Ni fhéd so a bheth: oír an vair do ghébh-
am CRIOSD maille re credeamh, amhail thair-
gheas, & fhuraileas sé é fén duínn ata se do gh-
éalladh duínn ni he amhain saórtha, & fúasgl-
aidh on bhâs, & ar síothchanachadh re Día,

E                    acht

acht maille ris sin grás agas neart an Spiorad
naomh le ndiongantar ar n'aithbhreth go naoi-
dheacht beathadh: is égin na nethese do chur a-
bhfochair achéle mnna b'ail lind CRIOSD do
tharraing O chéle.

127. *Leanaidh Dhe sin gurab é an credea-*
*mh an fhreámh, & an bun as adtigid, & abh-*
*fásaid an'uile dheagh'oibrigthe, ata an oireadsa*
*maseadh vaide, & do bfada les ar ngairm tar*
*ar n'ais O stuiderson?*

Is amhlaidh sin ata ar gach én chor, & js ar
sin ata vile theagasg an tsoisgel arna comhcho-
ngmhail isin da chuidse, aghon, agcredimh, &

an'aithridhe.        DOMHNAC. 21.

128. C*Reud í an aithridhe?*
     Michédfaidh, & neamhthoil, &
fuath peacaidh, agas gáol jondracais ag teacht
O eagla Dé neoch threoraigheas leo go soich
ar n'áicheodh fén, & marbhadh ar bhféola io-
ndas go dtoirbheram sind fén dar riaghladh le
Spiorad Dé, & go gchomhullmhaigheam vile
ghniomhatrdha ar mbeathadh go humhlacht a-
thoileson.

129. *Ach do b'e so an dara cuid do bi is*
*in randadoracht do chuireamar síos ar tús an tan*
*do bhadhais ag nochtadh modha onoraigh Dé go*
*hiomchuibhaidh?*

Is fior gurabé, & do chuireadh les maraon
gurab é so an riaghail fhírindeach laghamail d'-
adhradh Dé, sind do fhreagra, & d'umhlugh-
adh da thoil.

                    130 *Ciondas*

*130. Ciondas sin?*

Ar son gurab é so fadheoidh an t'adhradh thaiteonas, & tig ris, ni he antí do chithear dhvinue do chomhchuma, acht antí do chuir sé romhaind, & do roimhscriobh sé le deaghthoil diúnn.

# ADTIMCHIOL

## AN LAGHA.

131. A *Chd creud an riaghail do theacht adtir, & do chaitheamh na beathadh tug sé dhuinn?*

Alagh fén.

*132. Creud ata sé do chomhchongmhail?*

Ata sé a coimhsheasamh andá chuid: aga bfuil ag an céd chujd ceathre aitheanta, & ag andara cuid a sé, jondas go bfuil an lagh ag seasamh ar gach én chor an'dech n'aitheantaibh.

*133. Cia is ughdar don rondadorachtsa?*

Dja fén neoch do thoirbhir scriobhtha é an'da thabhail do Mhaoise, & do fiadhnaisigh go menic abhéth arna thabhairt go dech bhfoclaibh.

*134. Creud argument na céd thaibhle?*

Ata si ag labhairt adtimchiol dlighidh na serbhise diadha do Dhia.

*135. Agas an dara?*

Ciondas is jndéanta, & is jnbheanta dhúinn re ndaoinibh, & creud dhligheas sind doibh.

E 2      Domh.

DOMHNAC. 22.

136. A Ithris an céd aithne no an céd ch-
eand don lagh?

EIST a'israel, js mese jehouah do dhiadh-
sa, neoch do threoraigh amach thusa a-
talamh na heghiphte, ateaghas na ser-
bhontadh: Na biodh aon dona déibh ele agad
um fhiadhnaisese.

137. *Anois cuir síos seadh na bhfocal?*

Ar tús ata sé agnathughadh mhec samhla
tiondscanta égin gus an lagh go lér: óir an tan
ainmeochas sé é fén jna Iehouah; ata sé agabh-
ail córa, & ughdarais chuige fén do chur aíth-
ne amach: jna dhiaidh sin do chosnamh fobh-
air dá lagh fén jnar bhfochairne ata sé acur les
gurab é fén ar ndíane: oír is ojread js fíu na
focailse, & go ngoireand sé ar slanaighthoirne
dhe fén, & os airidhe les sind ar an deaghthio-
ghlacadhsa js cneasda dhúinne fa gcuairt sind fén
do thabairt jnar bpobal umhal freagarach dhósan.

138. *Acht anj ata arna cur les go prap jna
dhiaidh so adtimchiol saortha, & briste cuinge na
daoirse Egyphtigh do bhi arna briseadh, nach ris
an bpobal Israelta, & go demhin riosan amh-
ain bheanas é go hairidhe?*

Admhuim gúrabeadh; an méd bheanas ris an
gcorp; acht ata gné ele shaortha and, neoch fhe-
arus argach aon duine go coimhchert: oir do
shaor, & do theasairc sé sínd ó dhaoirse Spio-
radalta peacaidh, & ó fhoirégin, & fhoirneart
an **ôiabbaill.**

139 *Creud*

139. *Creud far chuimhnigh sé a'ni sin an tan do bail les a luadh adtosach a lagha?*

Do chum go dtugadh sé comhrabhadh dhuínn go mbimis ciontach a neamhbuidhchus ro adhbhal; muna toirbheram sind fein go ler do chum a umhlason.

140. *Acht creud jarris sé isin chéd cheandsa?*

Iarradh sé sind do thabhairt a onora fein dó, jna aonar go daingean, & gan sind do thabhairt párta ar bioth di do thaob ele.

141. *Cia a onoir airidheson bhus neamhcheadaigheach do thabhairt do thaobh ele?*

Adghradh no feacadh do dhénamh ris ar ndóchus do chur, & do chomhshuidhjughadh ánd: esean d'eadarghuidhe: gach vile ní fadheoidh jomchubhaidh re mhorghalachtson do thabairt dó.

142. *Creud far cnireadh an bheagchuidse les vmfhiadhnaishese?*

Ar son nach fhuil ní ar bioth comhfholaigheach, jondas go bfhed sé abheth a'n'ainmhfiós dó, & gurab é fein fear feasa, & bretheamh asmvaineadh folaigheach; ata sé acur agcell go bfuil sé ag jarraidh ni he amhain onora na hadmhala amuigh, acht maille ris sin fiór dhiadhacht an chroidhe.

### Domh. 23.

143. ERgéam thairis gus an dara céand?

Na déna grafaint dhuit, jno jomhaigh na netheadh, ata fuas ar neamh, no adtalmhain shiós, no n'uisgeadhaibh faoi thalmhain, na haghair dhoibh, & na géll doibh.

144 *Ano*

F *

144. *Ané go bfuil sé a cronughadh go huili-*
*dhe gan iomhaigheadh ar bioth dophaite adh no*
*do ghearradh?*

Ni fhuil, acht ata sé a cronughadh dhá neth
and so amhain, aghon, gan sind do dhénamh fe-
acaidh ríu.

145. *Creud as nách ceadaigheach Día do no-*
*chtadh le fioghair fhaicseanaigh?*

Ar son nach fhuil maon do chosmhaileas ed-
jr an tí is Spiorad shuthain neamhchongmhal-
aigh, & an fhioghair is truaillighe marbh.

146. *Maseadh ata tú ag breathnughàdh go*
*bfuil an égcoir aga dhenamh ar amhorghalachtson,*
*an tan do bhearar aidherbe ar a thaisbenaidh ar*
*an gcorsa?*

Is amhlaidh sin atam ag bhreathnughadh?

147. *Creud an ghné féacaidh no agartha a-*
*ta and so ar na damnadh?*

An tan jompoidheam sind fein do dhénamh
urnaidhe re deilbh no re hiomaigh & thelgeam
sind fein siós jna fiaghnaise, no do bhéram on-
or di le lubadh na nglún no le comardhaibh e-
le, amhail do thaisbeanadh Día é fein dúinn leosan.

148. *Maseadh ni he gach aon ghné phaite-*
*oracht no gearrtoiracht ar biodh is jontuicte do bh-*
*eth arna damnadh les na foclaibhse go huilidhe,*
*acht atamaid arar gcronughadh amhain jomhai-*
*gheadh do dhénamh gus an gcriese, jondas go ni-*
*arram no go nonoraigheam Día jonta no (a'ní*
*is jonand go) ngélleam doibh an'onoir Dé no go-*
*míchleachtam jad ar chor ar bioth go superstiti-*

*on*

*on no go hiotholacht.*

Is fior sin.

149. *Anois creud an chrioch gus an legfe-
am an ceandsa?*

Amhail do chuir se agcéll isin cheand os ci-
ond gurab é fein an t'aon neoch; da madh é-
gin gélladh. & aghradh is amhlaidh sin anois
ata sé ag nochtadh cia an fhoirm dhíreach agh-
artha do chum go mberadh sé sinde ó gach vi-
le shuperstition no saobhchredeamh, & ó gach
vile mhacnasmeanman, no briongloidibh lo-
chtaigh féolamhlá ele.

DOMH. 24.

150. E*Rgeam romaind?*
Ata se acur bagair les: oir is me-
se IEHOVA do Dhíasa ata laidir edmhar is mé a-
ta acontughadh aingidheachta na n'aithreach ar
an gcloind go soich an treas, & an ceathrugh-
adh na hoghaibh, & na hiaroghaibh don mhui-
ntear aga bfuil imfuath.

151. *Creud as an bfhuil sé ag luadh a Spi-
onadh fein?*

Ata sé a comharrughadh les sin go bhfuil ní
is lór do chumhachtaibh aige do sheasamh a
ghloire fein.

152. *Creud ata se do chomharrughadh le fh-
ocal an'éda?*

Ata nach fédand sé fear comhchothruim no
comhchomaind d'fhulang do bheth aige: oír a-
nhail do thioghlaic sé é fein dúinn da mhaith-
as neamhchriochnaighthe js amhlaidh sin is ail
le

les gurab les fein sinde go huilidhe, & js é so
gloine, & geanmnaidhacht ar n'anmand; a mb-
eth glan coisreaca dhosan, & ag leanmhuin ris,
amhail aderear arís asalchadh le hadhaltras, an
tan tegdis ar seachran uaidhe, & do bhérdis cúl
ris go hiodholacht diabhlaigh.

153. *Cia an seadh le ndubhradh so a bheth*
*ag dioghailt ajngidheachta na naithreach ar ag*
*gcloind?*

Do chur barr eagla jondaind, ata sé ag bag-
ar go ngébhand, & go ndênand sé dioghaltus
(ni he amhain) arna daoinibh fein do ní an lo-
cht, acht maille ris sin go mbed asliocht mal-
laighe maraon.

154. *Acht an dtig so go haontadhach ré cert*
*Dé dioghaltus do dhénamh ar duine arbiodh ar*
*scáth lochta dhuine ele.*

Da smuainmis creud é staid, & cor an cinigh
dhaona; biaidh an chest fuascailte: oír atamaid
vile do rér naduíre fa mhallachadh, & ni fhuil
againd cuís do chur ghearain ar Día, an tan fh-
ágbhus sè sínd isin crandcharsa: acht anois a-
mhail ata sé ag nochtadh aghradha arna daoin-
ibh díadha, ag beandachadh asleachta: js amh-
laidh sin ata sé ag imirt dioghaltais arna daoi-
nibh aingidhe ag díthughadh a gcloinde fan
mbheandachadhsa.

155. *Lean romhad?*

Do chum go dtairnge sè sind le mhaitheas gra-
dhach chuige fein ata sè agealladh go ngnathai-
dheand sé trocaire gus an mhíle genealach ar

an

an'vile aga bhfuil aghradh; agas ata a coimhed
a aitheantadh.

156. *An bhfuil sé ag tuigse go mbiaidh ne-*
*mhcbiontaighe dhuine dhiadha jna shlanughadh*
*da uile shliocht gidh aingidhe iad?*

Ni bfuil choidhche, acht ar an gcorsa: go n-
doirteand sé amhaitheas fein go soich sin arna
daoinib díadha, jondas go dtabhair sé é fein lan
do mhaitheas da sliocht maraon ar a scáthson;
nj he amhain acur a necheadh ar an'aghaidh, &
ar bpiseach an mhéd bheanas risan mbeathaidh-
se do lathair, ach maille ris sin ag uaomhadh
an'anmand, jondas gurab fhèdir an'áireamh j-
na thréd fein.

157. *Acht ni fhaicthear so do bheth do*
*ghnáth?*

Admhuim: oír ata sé a congmhail anechse
saor aige fein, aghon go bfhéd sé é fein do
thaisbeanadh go trocaireach an vair is ail les,
do chloind na daoine aingidhe, is amhlaidh sin
nir cheanhgail sé aghrás comhór le cloind na
ndaoine ndíadha, jondas, nach bhfédadh sé an
lion dibh is ail les do thelgean vaidhe do rér
amhian, & álgais fein, gidheadh ata sé aga them-
peradh, & aga shuidhiughadh so ar mhodh, jon-
das gurab fhollus gan an gealladh do bheth me-
allta no brégach.

158. *Creud fa bhfuil se and so ag ainmiu-*
*ghadh na gcéd ngenealach, & gan é a ndamna-*
*idh na péne ag jomradh, acht trí, no ceathair*
*d'enchuid?*

F          Dha

Dha chur agcéll gurob mo ata sé fein teand
vllamh go daonacht, & go sémhuidheacht, jno
go gairbhe, & go cruas, amhail ata sé ag ragha;
abheth fein sochoireach ro vrasa do thabhairt-
mhaitheamhnais vaidhe, ach lesg ro mhall do
chum ferge.

Domh. 25.

159. TEgeam anois gus an treas aithne?
Na tabhair ainm Iehovah
do Dhía go diomhaoineach.

160. *Creud is seadh dona foclaibhse?*
Ata se a cronughadh sind do mhichleachtadh
anma De ni he amhain le hethach, ach fós le
lughadh gan fhedhm.

161. *Maseadh an bhfuil gnáthughadh ar bioth
laghamhaill ad tabhairt anma Dé mar mhionda.*
Ata cheana: an tan do bhearar é a hadhbhar
cneasda, aghon, do dhaingniughadh, & do she-
asamh na fírrinde: ina dhiaidh so an tan bhías an
tsuímse ag an ghnomhughadh; jondas gurab
cneasda miond do thahhairt do chum ghradha,
& tsiothchana jásachtaighe coinghiollaighe do
chumhdach a measg daoine.

162. *Ané nach faide téd si jno do bhaca-
dh mhíond le bprofánar, & le salchar ainm Dé,
no le loigheadaighthear a onoir?*
Ar gcur én ghné lughaidh siós, ata sé ag ta-
bhairt rabhaidh generalta dhuinn, gan ainm De
dothabhairt feasta go follus lind, ach le heagla,
& le humhla, & gus an gcríchsin, jondas go-
madh ler go glóireamhail é: oír an mhéd go
bhfuil

bhfuil ainmson naomhtha dlighear dhínne a bh-
eth arar bhfaicil ar gach én mhodh suil dhearn-
am tarcaisne air, no suil do bhéram adhbhar tar-
caisne do dhaoinibh ele.

163. *Ciondas do nithear so?*

Mase nach smuaineam, & nach laibheoram
jna thimchiol fein, na adtimchiol a oibrigheadh
ar mhodh ele, ach do chum aghlóireson.

164. *Creud leanas*

Bagar, le n'abair sé nach biáidh an tí ghná-
thuigheas a ainm go diomhaoin nemhchiontach.

165. *An mhéd go bhfuil sé ag labhairt a
n'áit ele go ndenadh sé dioghaltus ar lucht briste
a lagha, creud chondajmhthear do bharr and so?*

Do b'ail les achur agcèll les sin méd spése
ghloire anma fein, do chum go madh curamai-
dhe bheam jna thimchiol an tan do chithfeam
dioghaltas do bheth ullamh da mbriseadh ao-
neoch í.          DOMH. 26.

166. TEagam gus an ceathrughadh ai-
          thne?

Cuimhnigh lá na Sabboite, jondas go nao-
mhtha tú é: oibrigh re sé laithibh, & dén hu-
jle shaothar, acht is se an seachtmhadh lá Sab-
boite Iehouah do Dhía, na dénse saothar ar
bith and, na dénadh do mhac, no hinghin,
no hóglaoch, no do bhanóglach, no hainmhi-
dhe, no an coigcrioch bheas don taobh istoigh
dod ghetaibh: oír re sé laithibh do rinde Ieho-
vah fein, neamh, & talamh, an muir, & an'uile
ata janta, acht isin tsheachtmhadh lásin do ghabh

sé fos: ar sin do bheandaigh Iehouah lá na Sab-
boite, & do naomh sé é.

167. *An bhfuil sé ag jarraidh oibriughadh*
*re sé laithibh, jondas gongabhmjs tamh an se-*
*achtmhadh la?*

Ni bhfuil go huilidhe, acht ag légean shé la-
jtheadh d'oibrighibh dhaoine, ata sé ag breth
an tseachtmhadh lá asda do bheth ordaighthe do
chum támha

168 *An bhfuil sé ag toirmeasg gach én tsh-*
*aothar dhuinne.*

Ata ag an aithnese seadh áiridhe ar leth an
mhéd gurab cuid dona sean ceremoneadhaibh
coimhéd an támha no an fhosa; ar sin do cui-
readh ar gcúl é le teacht Chriosd.

169. *Ané go bhfuil tú aga ragha gurab*
*ris na hjudanaib go hairidhe bheanas an aithnese*
*& vime sin gurabudh temporarrdha no sealai-*
*gheach é dhen chuid?*

Ata umaro; an mhed gurab Ceremonialta í.

170. *Creud maseadh ané nach bhfuil maoin*
*do bharr ar an tcheremonia fuithe?*

Ata cheana: oír is ar trí hadhbharaibh chugadh
a mach í.

171. *Tabhair & jndis damh iad?*

D'fioghrughadh an támha Spioradalta do ch-
oimhéd Politia, no ordaighthe oirrdherce na
heaglaise: dfiondfhuarughadh, & dèdtromughadh
teasa, & thromdhachta na serbhonatadh.

172. *Creud ata tú do thuigse trés an támh*
*Spioradalta?*

Turgim

Tuigim gurab vime, thamhmaid o'r n'oibrighibh airidhe fein, jondas go gcriochnaigheadh Día a oibrighthe fein jondaind.

173 *Ach Cía he modh an támasa?*

Mase go gcésam ar bfeoil fein; aghon, mase go dtabhram thairis ar n'indtleacht, jondas go nguibhernoraighthe sind le Spiorad Dé.

174. *Ané fós gurab lór sin do dhenamh gach seachtmhadh lá go chele?*

Ni lór ach do ghnath: oír O do thiondsgeonamaois én uair, is égin, & is jondula dhuínn ar ar n'aghaidh ré huile chúrsa, & fheadh ar mbeathadh.

175. *Maseadh creud as a bfuil lá beachth no sondraghach ar na ordughadh do signjughadh, & do chomharrdhughadh a'nechsin mheras duinne rer n'vile bheathaidh?*

Ni hegin ar mhodh ar biodh an fhíorinde do theacht le chéle, & an fiogharr is in vile masé go dtegaid re chéle a bponcaibh égin.

176. *Ach creud as a bfuil an seachtmhadh la arna ordughadh, & arna roimhscriobhadh ni is mó, jna gach lá ele?*

Ata an vimhirse a comharrughadh foirfeachta jsin Scrioptur: ar an adhbhar sin ata sî vllamh aibel do shigniughadh a'nethe mheras do ghnáth, ata sí agnochtadh maraon nach fhuil an támh Spioradaltasa, acht arna thiondsgnadh isin mbeathaidhse d'én chuid, & nach bíaidh se foirfe, suil go dtégheam jmerge as an domhansa.

DOMHNAC. 27.

177. *Ach*

177. ACh creud is seadh dhóso; an tigh-earna do bheth ag'ar n'aslach do ghabhail támha le esiomlair fein.

Is ail les: ar gcur chríche dhó ar chruthugh-adh an domhain taobh istoigh do shé laithibh gur ordaidh, & gur choisric se an seachtmhaidh lá d'amharc a oibrigheadh fein, & d'ar mbrodadh & d'ar sporadh nj bhudh ghére go soich ní-se, ata sé acur a esiomlara fein f'ar gcomhair: Oir ni comhór js jn jorrtha dhúnn ní ar bioth, ina ar mbeth fein ar ar bfoirmeadh & ar ar ndean-amh do rér afhioghrachson.

178. *Acht ané nach dlightheach smuaine-adh oibrigheadh Dé do bheth dho ghnáth, ino a-bfoghnand as gach seachtmhadh lá ar bioth én lá do bheth arna ordughadh dhósan?*

Is jomchubhaidh go dejmhin ar gcleachtaidh-ne gach én lá jna n'amharcson, gidheadh ata ar scath ar na'nmhfaindhe énlá áiridhe ar na o-rdughadh; & is sé so an politia aghon, an t'o-rdughadh oirrdherce adubhras.

179 *Maseadh cía an t'ordughadh ata ré choimhéd an lá sin?*

An pobal do chruindjughadh, & do dhul agceand a chele désteacht theagaisg Chriord, do mhencughadh urrnaidhe coitchinde, & do noch-tadh admhala agcredeamh go follus.

180. *Mínigh anois aní adubhras gurb'ail le Dia féchain ro láiuh ar edtromughadh na ser-bhantadh les a na'ithnese?*

Do bhail gan amharos; jondas go dtabharth-
                                                        aoi

aoi méd egin d'fuasgladh dona daoinibh ata fa
chomas, & chumacht dhaoine ele: ata tabhacht
ánd so maraon do chondmhail ar buil na po-
litia; aghon, an'ordaighthe choitchind: oir, a-
bhail agcomhairdhuighthe ar énlá don tamh, is
amhlaidh sin ghnáthaigheas gach én duine e fein
an chuid ele don'aimsir.

181. *Fecham anois ca fad bheanas an'aithnese
rind?*

An mhed beanas ris an tceremonia ar son go
raibhe fírinde ag Criosd, aderim gar cuireadh
argcúl e.

182. *Ciondas?*

Ar son, umaro, go bfuil ar sean dhuinene; aghon,
an pecadh aga chesadh le briogh a bháis, &
go bfuilmid arar dtógbhail do chum naoidhacht
bheathadh le esérghson.

183. *Meseadh creud ata d'fhuighleach dhu-
inne as an aithnese?*

Ata, gan sind do dhénamh suairighe no tair-
caisne arna hordaigheadhibh naomhtha bhea-
nas re politía na heaglaise, & go spesialta sind
do chleachtadh na gcoimthionol naomhtha go
menic; d'ésteacht fhocail Dé, d'foillseochadh na
neitheadh ndiamhair secreteacha, do dhénamh
urrnaidhe sollumhonta no coitchind, amhail
ordaighthear jád,

184 *Acht ané nach bfuil maoin do bhàrr
dhuinne isin fhioghair?*

Ata cheana: oir is jontuctha í do chum afhir-
rinde fein, jondas (ar mbeth duínne arar n'im-

padh,

padh, no arar ngrafadh agcorp Chriosd, & arar
ndenamh inar mballabh dô) go scuiream d'ar
n'oibrighibh fein, & ar an modh sin go dhto-
irbheeram sind fein d'ar nguibhernoracht le Dia.

DOMHNAC. 28.

185. ERghéam thairis gus an dara tabhail?
Is é a tosach, onoraigh t'athair, &
do Mhathair.

186. *C'reud chomharrdhas focal na honora
and so dhuit?*

An chland le trostamhlacht & le humhla do
bheth modhamhaill freagarach da bparentaibh
jad do ghelléamhain doibh go reuerensach: ag-
cuidjughadh ina bfedhm: & asaothar fein do
thabhairt doibh: oír condaimhthear les na trí
ballaibhse an onoir dhleaghthear dona paren-
taibh.

187. *Erig romhad go luath?*

Ata gealladh arna chur ris a'naithne, do
chum go bfaideobhthaoi do láidhe ar talmhain,
ata an tigearna do Dhia fein da dabhairt duit.

188. *C'ia is seadh dho so?*

Go mbéd anlion do bher, onoir dhligh-
each da bparentaibh fada béo tré thioghla-
cadh DE.

189. *Ar mbeth don bheathaidhese arna lio-
nadh le hiomarcaidh truaighe; creud as a bfuil
Dia on'ait & ar scath deaghthioghlaice a geal-
ladh a fadmarthana dhúine¿*

Da mhéd truaighe re bfuil sí ceangailte: gi-
dheadh is beandachadh DE í dona daoinibh cre-
deamh-

deamhnach, muna bheth ach fa n'én adhbhar-
sa, aghon, gurab comhairdha afhobhair aithre-
amhailsan, & an gcén atá se aga mbeathugadh,
& aga gcoimhéd isin domhansa.

190. *An lean go contrardha dho sin a'neoch
do bhearar go prap do bhárr an domhainse re n'áo-
is bhfoirfe do bheth mallaighthe?*

Ni leanand choidhche: acht is mó teagmhas
vair égin, jondas dha mhéd do bharr ghradha
bheas ag Día ar neoch, gurab luaithide do be-
arar as an mbeathaidhse é.

191. *Acht ag dénamh mar sin dó; ciondas
choimhlionas se ghealladh?*

Gach en dona maithibh talmhaidhe ata Día
dho ghealladh dhúinn; is cneasda ngabhail ar an
gcnndradhsa; an mhéd is tarbhach do mhaith,
& do shlanughadh ar n'anma é: óir do budh
neamh nadúrdha an tordughadh munab é cor,
& cúram an'anma do ghébhadh an céd aít, &
do reachadh ar tosach.

192. *Creud ader tú adtimchiol an lion bhe-
as esumhal da bparentaibh?*

Go gciontaighear and sin jád ni he amhain i-
sin bhreatheamhnas degheanach ach go ngebhand
Dia dioghaltus ar an gcorpaibh isin saoghalsa
maraon aga mhbreth vile a meadhon bhladha
na haois oig as measg dhaoine no aga mbhualadh
le gné scandalaidh bhais jno ar thoraibh ele.

193. *Acht nach adtimchiol talmhan Chanaan
ata an gealladh ag labhairt go hainmidhe?*

Is amhlaidh sin, an mhéd bheanas ris na Hi-

G                    srael-

G

sraeliteathaibh: acht is lethne jna sin fhoscailtear
dhúinne an focalsa, & dhleaghar ashineadh am-
ach ni is siadh: óir ge bé ar biodh rand no du-
thaigh aitreabham; an méd gurab le DIA an
cruinde vile, ata se aga thabhairt, & a ga cho-
mharrdhughadh dhuinne re shealbhughadh.

194. *An bfuil maoin do bhárr d'fuighleach
do n'aithnese?*

Gen go bfuilid na focail ag fuadhmughadh,
ach adtimchiol an athar agas na máthair, gidhe-
adh ataid an vile ata ós ar gciond re dtuigse
an mhéd gurab jonand agcor.

195. *Cia é sin?*

An mhéd gur thoigaibh DIA jad go grádh
no go cém onora is aird íno an chuid ele: óir
ni bfuil ughdarus Parentadh, no Phriondsadh no
fos Imperdheacht, no onoir acht o dhecreit co-
mhairle & ordaidh Dé, an mhéd gurab amhlaidh
sin is toileamhail les an domhan d'ordughadh.

DOMHNAC. 29.

196. A Ithris an seaseamh aithne?
      A    Na dén marbhadh.

197. *Ane noch bfuil se ag bacadh nethe e-
le; ach marbmhadh do dhénam?*

Ata cheana: an mhéd go bfuil Dia ag labh-
airt and so, ni bfuil se ag indis sin, & a cur la-
gha ris na hoibhrighthibh amuigh amhain, ach
maill ris sin re smuaineadhaibh an Chroidhe, &
na hindtinde, & ni is mó go mór riu so.

198. *Do chiothear do bhethse ag bcagnach-
tadh and so bfuil gné égin mairbthe Diamhair and*

O

*O bfuil Dia agar ngairm t'ar air n'ais and so?*

Is amhlaidh sin ata: óir breathnaighear fearg,
fuath, & gach aon mhián chiorraighe jna mh-
arbhadh abfiadhnaise DE.

199. *Ané gurab lór do niam; mase nach
biadh fuath agind ar dhuine ar biodh?*

Ni lor choidhche: oir ata an tighearna le da-
mnadh suthain, & miosgaise, & ler bfuadach o-
gach pughar ar biodh le gciorrthar ar gcomair-
soin ag nochtadh araón go bfuil se aga jaraidh
so, sind ghradhughadh gach vile dhuine ler croi-
dhe, & do dhenámh stuider fa n'anacul, & fa gco-
mhéd go fiorindeach.

200. *Anois teagam gus an seachtmhadh aithne?*
Na'déna siurtaidheacht.

201. *Foillsigh cia asuim?*

Go bfuil, umrro, gach vile shiurtaidheacht
mallaidh abfiadhnaise DE: vime sin; muna bail-
lind fearg DE do ghreandughadh inar n'aghu-
idh, & alán do thabhairt fuind; gurab jonch-
ondaimhthe & jonsheachanta dhuínne sind fein
go dícheallach vaithe.

202. *Ane nach bfuil si ag iaraidh maoine do
bhárr?*

Is jon amhairc do ghnáth naduír fhir thabh-
rtha an lagha amach, neoch nach amhairceand,
& nach anand amhain, amhail adubhras ar an
obair amuigh, acht is mó ata tulare aige ar dh-
oimhne, & ar mhianaibh an chroidhe.

203. *Cred masedh cbomhchongmhas si do bárr?*

O ataid ar gcuirp, & ar n'anmanda jna dteam-

pluibh

pluibh don Spiorad Naomh, sind do thabhairt
naomhgloine dhoibh araon: & ar an'adbharsin
ar mbeth ni he amain náireach le seachna an
vilc amhuigh, ach maille ris sin gurab egin dh-
uínne ler gcroidhe ler bhfoclaibh, le hamhailibh,
& le gniomharrthaibh ar gcuirp maráon abhe-
th naomhtha, fadheoidh ar gcuirp do bheth
glan on'vile lasan, & bhraise ar nanam ogach
vile mhian, jondas nach biadh cuid ar biodh
dhínne arna shalchadh le salchar mínaire.

DOMHNACH. 30.

20.4 T*égam gus anochtmhadh aithne*
       Na déna goid.

205. *Ane nach fhuil sí acht ag bacadh mer-*
*le amhain, neoch ata ar chiontughadh le lagha*
*daona, jno an bfuil sí ag dul ara haghaidh agas*
*ag rochtain nj is faide?*

Ata sí acomhcongmhail fa ainm gadoidheacht
droch cherde, aghon, gach vile ghne mhealta,
& timchiollaighe le selgeam, & le ngabham ma-
ith, & maoine dháoine ele: maseadh atamaid ar ar
dtoirmeasg and so comhmhaith lingeas arégin
ar maoine ar gcomarson, & a'mbreath arégin
& lámh do sháthadh jonta tre gháois, & tre mh-
ealtaracht no aidherbe do thabhairt ar bhreth
orra ar mhodhaibh lúbach arbioth.

206. *Ane gurab lór na lámha do chondmh-*
*ail tar anais O dhénamh vile ino an bfuil antsa-*
*int ar na dhamhadh maraon and so?*

Is iontillidh do ghnáth chuig so, os spiorda-
lta fer thabhartha an lagha amach nach ar ail
                                              les

es merle amuigh amhain do chosg, ach maille
ris sin an'vile chomhairle, & stuider do ní ne-
amhtharbha dháoine ele ar modh ar biodh: &
os an'vile an tsaint fein gan sind do shantughadh
dul asaibhreas tre dhioghbhail ar mbrathreacha.

207. *Creud maseadh ata againn re dhénamh
as go bfeudmaid umhalughadh do n'aithnese?*

Ata saothar do chaitheamh do chum gach én-
neoch dfaghail ashlainte fein.

208. *Creud i a'naomhadh aithne?*

Na dén fiadhnaise bhrége an'aghadidh do
chomharson.

209. *An bfuil se acronughadh éthigh do tha-
bhairt abfiadhnaise bretheamhain amhain, no go ge
neralta bréug do dhénam an'aghaidhar gcomharson?*

An'én ghné ata teagasg gheneralta arna cho-
mhchongmhal, gan sind do mhealladh ar gco-
mharson go brégach, no gan sind do chiorrth-
adh ambladha ler ndroch raitibh, & ithiomra-
gh, no gan sind do thabhairt ghairtighe ar bi-
odh dhó jna mhaoinibh.

210. *Acht creud as abfuil se go hainmigh-
the ag nochtadh; ethigh choitchind?*

Do chum gomadh moide do chuirfeadh sé
d'eagla an lochtasa jondaind: oir ata se ag no-
chtadh; da'gcleachtadh neoch ar biodh dhroch-
ráiteachus & mhealtoracht gurab sothuitime-
ach é as sin go hetheach, da bfaghar âm do
thabairt scandaile da chomharson.

211. *Ane is aile les sind do bhacadh o dr-
och raiteachas amhain jna bfuil sé agar mbac-*
*adh*

G*

*adh ó dhroch amhairsibh, agas ó bhreatheamh-*
*nasaibh clethe neamhchearta maraon?*

Ata se aga dhamnadh and so araon do reir
an ráison tugadh roimhe do dhearbhadh an adhbh-
airse fein: oír a'ní is olc re dhenamh abfiadhnai-
se daoine, is olc é re shantughadh abfiadnaise
DE maraon.

212. *Maseadh cuir siós creud do b'ail les*
*go generalta?*

Ata se agar mbacadh do bheth teand, no, vl-
lamh do breathnugh go holc adtimchiol ar gc-
omharson, no da scandalughadh: ach is mó ata
se ag jaraidh oraind an chertuse, & na daonach-
ta do bheth jondaind, jondas go mbreathnaigh-
eam na dtimchiol san go maith an mheud dfuil-
ngeas an fiorinde, & sind do choimhed ambla-
dha go dícheallach jomshlan doibh.

DOMHNAC. 31.

213. A Ithris an aithne dhegheanach?
Na santaigh teagh do chomh-
arson, na santaigh mnaói do chomharsoin, no
chamhal no, bhanóglóach, no asall, no ní ar
biodh is leson.

214. *Os spiordalta an lagh vile, amhail a-*
*dubhras go menic roimhe, & nach do bhacadh ná*
*n'oibrighadh amuigh amháin ach do chertughadh*
*thoileadh a n'anma. & an'aignidhe maraon do cu-*
*readh na haitheanta roimhe; creud ata and so ar-*
*na chur leo do bhárr.*

Do b'ail les an tighearna is na haiteantaibh
ele ar dtoil, & ar smuainighe do riaghladh, &

do

do dhénamh bésach: acht and so ata se ag ba-
cadh. & a cur lagha maraon ris na smuainibh
tharngeas saint egin leo: gen go dtigeand siad go
comharle shuidhighthe.

215. *An bfuil tu ag ragha gurab peacadh*
*na smuainigh is lugha ar bioth eloidheas arna da-*
*oinibh credeamhnacha, & tig isteach ina ninttin-*
*doibh gidh mó do bhidis ag seasamh rin do ghn-*
*ath jno ag aontughadh leo.*

Is follas go demhin an'uile dhroch smuaine-
adh, gen go dtig comhaontughadh theachta a-
mach o locht ar naduirene chuca, & á derim a-
n'oireadsa a mbeth arna ndamnadh les an aith-
nese an'uile shaint lochtach ata agluasacht, & ag
brosdughadh chroidhe an duine, gen go rothar-
ngdis é go toil daingain shuidhighthe.

216. *Maseadh ata tu ag tuigse go demhin*
*gur bhacadh go soich so na hanmiana le ngabh-*
*and daoine fos, & faoi bfuilngid jad fein do cbur:*
*acht anois go bfuil foirfeacht comhghér arna jar-*
*raidh oraind. jondas nach bfedis ar gcroidheadh*
*droch shaint ar biodh do légean orra no do gabhoil*
*chuca; le mbrosdar, & le sporthar jad do chum*
*peacaidh?*

Is amhlaidh sin ata.

217. *Aithris as a chéle na dech aitheanta a-*
*mhail do labhair Dia and sa bhfithcheadadh Ca-*
*ipghidil do leabhar Exoduis?*

EIST a'Israel, Is meis; do Thigherna Día,
do thréoraigh thú ó thalamh na Hé-
ghiphte, a teach na searbhfoghantachda.

1. Na

1. Na biodh aon Dia ele agad, ach meis amhain.
2. Na déun dhuit fén jomhagh, na cosmhuil aoin-
neith da bfuil thuás ar neamh na ar talmhain shi-
os, na and sa n'uisge fa thalmhain: na cróm thu
fén siós doibh, & na tabhair onoir dhoibh: oir as
meisi do thighearna Dia, agus is Dia édmhar
mé, leanas peaccaidh na Naithreadh ar an gclo-
ind go soith an treas, & an ceathrumhadh gein-
ealach don druing fhuathuigheas me: agus do ni
trócair arna míltibh don druing ghradhaigheas
mé, agas choimheúdas m'aitheanta.

3. Ná tar thar ainm do Thigherna Día go
diomhaóin: Oír ní búdh neamhchiontach a bh-
fiaghnaisi an Tighearna, an té luáidhfeas a ainm
go diomhain.

4. Cuimhnidh lá na Sabbóide do náomhadh,
a sé laidhibh oibréochas tú, & do dhéuna tú
hoibrighthe fein vile, achd as hé an seachdmh-
adh lá Sabbóid do Thighearna Día, ná déna o-
buir ar bioth and, tú fein, ná do mhac, na hin-
ghean, do tshearbhfhoghantaighe, ná do bhán-
oglach; hainmhidhe, ná enduine coimhighth-
each atá don táobh asdigh dod dhóirsibh. Oir
is a sé laithaibh, do rinde an Tighearna neamh
& talamh, an fháirrge & gach ní dá bhfhuil
jonta, & do chomhnaigh sé an seachdmhadh lá:
Ar á nadhbharsoin do beannaigh an Tighearna
an seachdmhadh lá, & do náomh sé hé.

5. Tabhair onóir dod tathair & dod mhá-
thair, chum go bhfaidéochthí do laithe ar an
dtalmhuin, do bhéura do Thighearna Día dhuit.

6. Na

6. Na déna dunmharbhadh.

7. Na déna adhaltrandas.

8. Na déna goid

9. Na deuna fiaghnaisi bhréige a naghaidh
do chomharsan.

10. Na sandaigh teach do chomharsan, na
sandaigh bean fphósda do chomharsan, ná a
oglách, ná a bhanóglach, ná a bhó, ná a assal,
na ní ar bioth oile bhus léd chomharsain.

218. *Nach ceadaigheach anois aithghiorra
goirrid an uile lagha do thionol maraon?*

Is ro cheadhaigheach; an mhéd go bfedmid
athabhart go dá cheand: is sé an céd cheand
sind do ghradhughadh DE o'r n'uile chroidhe,
o'r n'uile anam, o'r n'uile bhrioghaibh: an dara,
sind do ghaolughadh ar gcomharson mar jnd fein.

219. *Creud chomhchondaimhthar faoi ghrá-
dh ndé?*

Aghradhughadhson amhail is jomchubhaidh
Día do ghradhughadh: aghon, a aithne araon
jna thighearna, jna athair, & jna shlanaighthe-
oir: vime sin ata grádh DE, a reuerens. a thoil
do bheth umhla dó, & an mhuinighin is ion
churtha and arna gcur a bfochair a chéle.

220. *Creud ata tu ag tuigse tre vile chroi-
dhe, uile anam uile bhriogh?*

An teand & an teas serce sin & ghradha do
bheth jondaind, jondas nach biodh áit jonda-
ind ar chor ar bioth do smuaineadhaibh, do mhi-
anaibh, no do stuideraibh, dho fhedfadh cur
an'aghaidh an ghrádhasa.

H      221. *Ci*

### Domhnac. 32.

221. CIA seadh an dara cuid?

Amhail atamaid do naduir co-
imhtheand, comhrighthe d'ar nghradhughadh
fein, jondas go rachadh ag an nghradhsa ar gach
grádh ar bioth: ar an gcor gcedna is cubhaidh
grádh ar gcomharson do bheth amhlaidh agabh-
ail vachtaranachta jondaind, jondas go nguibh-
ernoiraigheadh se sind ar gach uile thaobh, &
go mbiadh se jna riaghail an'uile comhairle, &
gniomhdha againd.

222. *Creud chomharrdheas ainm an gcom-
arson duit?*

Signighidh & comharrghidh sé ni he amhain
cindeaghaidh, & cairde no daoine ata arna gcur
abfochar achele, & sin le comand no companas
égin, ach maille ris sin na daoine nach aithni-
dh dhuínn, & fós do bhárr ar n'asgairde.

223. *Ach creud an comand ata aca maille rind?*

Ata; umaro; go bfuilid arna gcur abfocair a-
chéle, & sind les an tsnaidhinsin, ler comhshna-
idhim Día an vile ghné dhaoine abfochair ach-
éle, & ata an chomhshnaidhm sin naomhtha ne-
mhionbhriste neoch nach fhédir le holcmarea-
cht dhuine ar bioth do chur ar gcúl: no as.

224. *Ader tu maseadh da raibh fuath ag
duine oraind gurab ní airidh les fén sin, gidhe-
adh nach loighide anas se jna chomharson duinn,
sin, ach gurab in bhethe dhuinn againd é isin ait
sin: do bhriogh gur b'egin ordughadh DE do
sheasamh gan bhriseadh le ndiongantar an cean-*
*gal*

*gal & a comhchur maraonsa jnar measg?*

Is amhluidh sin ata.

225. *O ata an lagh ag nochtadh mhodha onora-*
*ighe Dé go hiomchubhaidh: nach jndénta ar mbe-*
*athaine do chaitheamh ag teacht adtír do rér*
*aroimhscriobhadhson?*

sɪ fior gurab jndénta go demhin acht ata an
anmhfaind sin isin uile jondas nach gcriochna-
igheand én duine aní dhligheas se.

226. *Creud maseadh as an'jarraind Dia o-*
*raind an'foirfeacht ata osciond ar gcumhacht?*

Ni bfuil se ag jarraidh no ag teandadh neth
ar biodh oraind; nach bfuilmid ceangailte re
dhiol: tuilleadh ele mase go dtairgheammain
an'fhoirm do theacht adtír ata arna roimhsrio-
bhadh, & arna chur romhaind and so do roch-
tain, gidh dho bhimis abfad or gcuspoir: ag-
hon, o fhoirfheacht, ata an tighearna ag maith-
eamh a neth ata vaind, & d'uireasbhuidh oraind.

227. *Ina dtimchiol na n'uile dhaóine go ge-*
*neralta, jna dtimchiol na ndaoine gcredeamhnacha*
*dhenchuid ata se ag labhairt?*

Aneoch nar hathnaoidheadh fos le Spiorad
DE ni bhia se aibel (más beag) do thionds-
gna an phoinc is ro lugha isin lagh: do bhárr ar
so mase go dtiobhram no go ndeonaigheam go
bfaighthaoi neoch ar biodh, do fhédfadh abh-
eth umhal don lagh a gcuid egin: gidheadh ni
bhreathnaighmid ar an adhbharsin gur coimh-
lion se é abfiadhnaise DE: oir ader sé go follus
an'uile dhuine do bheth mallaighthe nac gcoi-
lionadh

lionadh an'uile ata arna gcomchongmhail and.

DOMH. 33.

228. *IS follus & is jnbhreaghnaighthe as so*
*amhail ataid dá gné dhaoine and gu-*
*rab amhlaidh sin ata oifíce an lagha dúpalta?*

Is jnbhreaghnaighthe choidhche: oir ni fhuil
se ag dénamh réd ele abfocharr na nemhchre-
deamhnacha ach ag roimhiadhaidh orra, & ag
breath nadh gach uile lethsgêl abhfiadhnaise DE
(& is se so aní comharradheas Pól, an tan gh-
oireas se dhe ministreacht an bhaís & a n'dam-
naidh) ach ata chlaochlodh sin do tharbha &
do bhriogh aige dona daoinibh credeamhnach.

229. *Cia hé sin?*

Ar tús an gcen foghlumas siad; nach bfed-
faid fein fírentacht d'faghail le hoibrighibh;
ataid arna dteagasg go humla ar an gcorsa, neoch
is fír roimhullmhughadh, & dheasughadh d'iar-
raidh slanaighe agCriosd: ina dhiaidh so an mhéd
go bfuil se ag jarraidh agas ag teandadh abh-
arr go mór orra tar anní fhédas iad do dhénamh,
& do dhíol, ata, se, aga, mbrosdughadh d'iar-
raidh bhriogha & nerta ar an tigearna, & ata se
ag tabhairt rabhaidh doibh maraon dtimichiol
an ghnáth pheacaidh, suil, bhiadh do chroidhe
aca ambeth uaibhreach: fadheoidh ata se amhail
shrian doibh le gcondaimhthear jad an'eagla Dé.

230. *Maseadh gen gó bfuilmid acomhéd,*
*& ag freagra an lagha feast isin fhogra no isin*
*deoruidheacht thalmhaidhse; gidheadh ni bhrea-*
*thnaigheam gur fholamh, no gur dhiomhaoin a-*
                                                  *níse,*

*nise, an mhéd go bfuil se ag jarraidh oraind ach-*
*oimhtheand sin d'foirfheacht: oir ata se ag noch-*
*tadh dhuin na harmaise, gus ar binsheólta dhuínn*
*ar gcúimse, & an cuspoir arar coir dhúinn tel-*
*gean, jondas go dtairgeadh gach aon dinn abheatha*
*do chaithemh do rér mhiosuir an ghras tugadh*
*dhó go soich ro ardhérghe, & go soich a'neamh-*
*easbhuidh, ata an lagh d'iarraidh, & se d'ái-*
*dhearbadh dul ar aghaidh ni is mó le gnath stuider?*

Is amhlaidh sin thuigim.

231. *Ane nach bfuil againd isin lagh riagh-*
*ail an'uile jondracais?*

Ata go demhin riaghail chomhfhoirfe againd,
and jondas nar ail le Dîa én réd ele vaind, ach
sinn da leanmhuinson, & arís gomadh diomha-
oin les, & go gcuireand se uaidhe gach ní gha-
bhmid dho lamh tar aroimhscriobhadh no aith-
nesan: oir ni toileamhail, ni haitneand, & ni he
beatha jodhbartha ele aige, achd an'umhla, &
an fhreagra.

232. *Creud an chríoch maseadh da bfoghn-*
*and Airead raibhthe, aiteanta, ataigh, ataid na*
*Phaithe, & na haphstoil da ghnáthugadh?*

Ni bfuilid acht jna nglanmhíniughadh an
lagha, neoch g'ar gciulan, & gcar dtreorughadh
ar laímh go humhla an lagha; ni is mó ina do
bhéradh siad úa tar ar n'ais sind.

233. *Gidheadh ni bsuil se ag aithne nethe ar*
*bioth ddtimchiol gharma uaignighe gach aon du-*
*ine fo leth?*

An tan ata se d'iarraidh a'nech is les gach én
duine

duine do thabhairt dó fein; is ullamh, & is u-
rasa thionol as sin, cia híad cotcha, & oifice
gach aoin go huaigneach jna n'ordughadh fein,
& jna ghné bheathadh: & ata míniughadh, &
cur sios na n'aitheanta arna craobhscaoileadh
(amhail adubhradh) jn gach aon jonadh isin sc-
riobtur: oír a'ní adubhairt, & do chondaimh
an tighearna and so ag suimamhal ambeagan df-
oclaibh, ata se ag leanmhuin, & aga chur sios
ni is lía & ni is doirtaighe an'jonadaibh ele.

# ADTIMCHIOL
## NA GVIDHE.

### Domhnac. 34.

234. O *Do dhespoireadh & o dho chomh-*
*choilloideadh nj is lór adtimchiol an*
*dara codach do n'onoir & don tservis diadha; ne-*
*och ata arna suidhjughadh an gcélleamhain & an*
*úmhla. labhram anois adtimchiol an treas codach?*

Adubhramar gurab é sin an'eadarghuidhe, an
tan do chomhthetheam chuigeson is in uile e-
gcantus.

235. *Ane go bhfuil tu ag breathnughadh*
*gurab esean jna aonar is jn eadarghuidhthe?*

Atam choidbche: oír ata se aga thindiairaidh
sin dò fein, amhail onoir, & sheruis aírithe adh-
iadhachta fein.

236 *Mas*

236. *Mas amhlaidh sin ata an tadhbhar cia
an cor len cheadaigheach daoine d'aslách do thab-
airt cujdjghe duínn?*

Is mhor adhbhal an teadardealughadh ata e-
dir an diasa: oir an tan eadarghuidheam Dia a-
tamaid ag fiadhnaissiughadh gan ar mbeth ag fh-
eathamh mhaitheasa ar bjodh do thaobh ele, ach
da thaobhson, & gan ar mbeth acur ar n'vile
mhuinine, & chadhais a'nait ele, ach andson: gi-
dheadh atamaid isin ámsin fein ag jairaidh gcu-
jdighe, an mhéd légas se dhuínn, & tug se cn-
mhacht, & neart doibh ar gcuidiughadh.

137. *Maseadh an mhéd go bfuilmid coimh-
thetheamh do chum cuidighe, & fírínde daoine a-
der tú nach bacand sin maoin, jondas gomadh lo-
ighide do fédmaois en Dia dheadarghujdhe: O
nach fuil ar ndóchas feast agabail fosa jonta, &
nach mó achuncheam ar mhodh ele jad, acht ar
son ar mbeth arna gcludach dhoibh le comas, &
le neart do dhénamh mhaitheasa: gur hordaigh
Dia iad ar modh égin jna ministribh adheagh th-
ioghlaiceadh fein dhuinne, neoch is tre lamhaibh
do b'ail les ar gcuidiugghadh & na conganta do
chuir se adtaisge lamh riu, diairaidh tara nais duinn*

Is amhlaidh sin thuigim: & ar son gach de-
aghthioghlacadh ata maid d'fagail vadhadhson,
is re Dia is coír dhuínn ambuidhe do bhreth a-
mhail is se fein jna aonar ata aga dtabhairt vile
dhuínne da ririhh tre bfreasdalson.

238. *Gidheadh ane nach jnbhrethe abhuidhe
re daoinibh coimhmenic do dhendaois maóin do shao-*

*thar*

*thar dhuinn: oir ata cothrum, &, ceart ua nad-*
*uire, & lagh na daonachta aga dheachtadh so*
*dhuinn?*

Is coir & is in thabhartha bhuidheachas doibh ar
gach aon mhodh; muna abheth acht ar son an'-
en adbhair se, gurab fhiu, & gurab airidhe le
DIA jad ar an onoirse, aghon, na maitheasa shí-
leas, & shnidheas as tobar edtraidhtheach O a-
oinighsin tre laimhaibhsin amhail: tsruthain tre
thuiraidhe do tharraing chugaind oir ata se ar an
gcorsa ag'ar gceangal ríu, & is ail les sinde d'-
aithne aneach sin fein ar an adhbhar sin antí na-
ch fhuil aga thabhairt fein buidheach do dha-
oinibh; ata se ag nochtadh a nembhuidhechais
maraon ar an modhsa do Dhia.

139. *Ane nach ceadaigheach athionol as so*
*gurab egcneasta eadarguidhthear ajngle no nao-*
*mhsherbhontadha an tighearna do jmirighidh as an*
*mbeathaidhse?*

Is ceadaigheach: oir nir dhiuraigh, & nir thug
Dia na cotchasa do dhaoinibh diadha, jondas go
bfédis cuidiughadh linde: & an mhéd bheanas
ris na hainglibh, ge ata se acleachtadh ashaothar
d'ar slanughadhne, gidheadh nj hail les an'edar-
ghuidhe lind.

140. *Maseadh ader tu gach ni nach fhuil*
*go des, & go haontadhach ag teacht les an or-*
*dughadh, & ris an statuid do rindheadh le Dia,*
*a bheth acathughadh an'aghaidh athoile?*

Adirim marsin: oir is comharrtha dearbh ne-
amhdhochais, & nemhchredimh gan abheth to-

ileamh-

ileamail les na nethibhsin ata an tigearna da th-
abhairt dhnínn jna dhiaidh sin mase go mbear-
am sind fein go muinighin naomh, no Aingeal,
abhail bfuil Dia ag'ar n'gairm chuige jna aon-
ar, mase go dtiobhram thairis cuid égin don dó-
chas sin do dhligh anmhuin, & suidhe vile an
Dia amhain, atamaid ag faidshleamhnughadh,
& ag tuitim síos an'iodholacht, an tan, vmaro;
roindfeam eatoirason a'ní do bhi Dia da bhreth ch-
uige fein go hairidhe. DOMH. 35.

241. *A Nois lábhram, & laimhaigheam
adtimchiol modha gudhe do dhén-
amh, an bfoghnand an teanga do chum guidhe
do dhénamh; no an bhfuil an virnaidh ag a jarra-
idh na hindtine, & an chroidhe maraon.*

Ni fhuil go demhin an teanga egeantach do dh-
énamh guidhe do gnáth, gidheadh ni fhédand an'-
orrtha no an ghuidhe fhírindeach, tuigse & gr-
ádh an chroidhe do bheth vaithe feasta.

242. *Cia an argument le ndearbhand tu so
dhamh?*

An mhéd gurab Spiorad Dia go demhin; ata
se ag tindiarraidh an chroidhe do ghnáth ar dh-
aoinibh ós anvile ní, ach go hairidhe isin vir-
naidhe, neoch le gcomhpártaigheand siad ris an
nethe is mian leo: ar an adhbharsin ni bfuil se
agealladh abheth fein angoire, ach don lion do
ni eadarghuidhe abfirinde: & go contrarrtha a-
ta se ag mallachadh an'vile, ata tre chélg. &
nach ó gcroidhe da ghuidhe.

243. *Maseadh biaidh an virnaide aimide-*
I                          *ach*

*ach & gan spése no do tharbha, gebe ar biod, do nith-*
*ear, no do choimprear leas an teangaidh dhénchuid?*

Ni he sin amhain, ach do nid aneamhthoil, &
ne amhthaidhneamh rís go romhór.

244. *Maseadh creud an taigneadh, & ani-*
*ndtind iarras Dia re n'virnaidhe?*

Ar tús sind do mhothughadh ar n'aimirt ar
mbochtain, & ar dtruaighe fein, & an mothugh-
adh sin do ghineamhain, & d'oibriughadh dhoil
gheas, & bhróin inar nindtindibh: ina dhi-
aidh sin sind d'fadodh & do lasadh le teandsh-
aint admhail do riribh d'faghail fhobair, & gr-
asa O Dhia, aní do fhédfadh fos teas, & ro sh-
aint guidhe d'fadodh jondaind.

245. *Inó intleacht nadurdha no duithche shru-*
*thsnidhesh an tsaint no an taigneadhsa, ino ghrás*
*DE tig se chuca?*

Is egin Dia dar gcuidiughadh andso: oir ata-
maid fein uile aimhgher neamhthuigseach chu-
ca araon: is se Spiorad DE ata ag dùsgadh os-
naighe neamhindsineach jondaind, &, ata ag fo-
irineadh ar n'aigneadh gus an tsaintse, neoch
(amhail ader Pól) ata arna iarraidh isin uirnadhe.

246. *In gus an gcrísce fhoghnas na teagaisgse;*
*aghon; sind do bheth inar dtámh, & ag dul ales-*
*ge armodh egin: ag fetheam arbrosduhhadh an*
*Spiorad naomh, & gan ao'neoch do bros dughadh*
*fein do dhénamh uirnaidhe.*

Ni headh choidhche: acht is mo is í so an
chríoch; antan modhuighéas na daoine credea-
mhnach iad fein ag fuarughadh, & leasg, & ni is
**neamh-**

neamhullamha do dhénamh guidhe go maith,
ino do b'in bheth dhoibh, iad do choimhriodh,
& do coimthetheadh go DIA an tighearna d'i-
arraidh air alasadh le bearraibh teanneamhla a
Spiorads fein, da ndenamh aibel do chum guidhe.

247. *Gideah ni bfuil tu ag tuigse gan tab-
hacht arbioth do bheth isin dteangaidh do déna-
mh uirnaideh?*

Ni thuigim choidhche: oir ata si ina cuidiu-
ghadh go minic do thógbhail, & do chondmhail
an'aighaidh, jondas nach dtairngnaidhe é go re o
DHIA: tuilleadh elé os d'foillsiughadh ghloire
DE do chruthaighadh í os na ballaibh ele, is
cneasda ahuile neart, & chumhacht, d'foscladh,
& do scaoileadh do chum an ghnathaidhse: do
bhárr ar so, do bherméd, & adbhaile stuider ua-
ire égin an duine go soich so, jondas go mhrise-
and an teanga amach an'guidh t'ar acomairle.

248. *Mas amhlaidh sin ata: creud an tarbha
do nid na daoine, ata ag dénamh uirnaidhe dte-
angaidh allamhartha ainmhfheasaigh dhoibh fén?*

Ni bfuil achlaodhchladh and sin, ach fochaid-
mhe do dhénamh ar Día: uimesin tabhradh na
criosdaidhe drúim ris angcelgse.

DOMHNAC. 36.

249. A N tan do njmid guidhe in do the-
geamhadh no amhantuir, do nim-
id í, ainmhfheasach adtimchiol abala, na creud
tig dhí, jn'anengin duinn sin do bheth go démhin
jna dhearbh shuidhe againd: go n'estéar sind les
an tighearna?

I 2                        Biodh

Biodh so jna ghnáth fhundament uirnaidhe,
go n'éstear les an tighearna sind, & go bfaghm-
aois gach ní dha n'iarram: an mhéd is maith,
& is tarbhach dhuín: is ar an modhsa ata *Pól*
ag teagasg; gurab ón gcredeamh shileas, & shru-
thas ceart eadarghuidhe ndé: oir ni eadarghui-
dheand éneoch feast é: ach antí ghabhas fós ar
tús an dóchas daingean amhaitheson.

250. *Creud maseadh theagmhas don mhuin-
tir; ata ag dénamh ga hamharseach, nach bfuil
agsuidhjughadh jna n'indtindibh, creud ghnodhai-
ghidh no crend an tarbha do ghebhid re n'uirna-
idhe do dhénamh: & fos ataid ainmhfeasach an'e-
stear, jno nach éster an'uirnaighe le Dia?*

Ataid an'uirnaidhe aimideach diomhaoin,
an mhéd nach bfuilid arna gcondmhail an'airde
le gealladh ar bioth: oir ata aithne arna tabhairt
duínne jarraidh le credeamh daingean, & ata ge-
alladh arna chur les, go dtabharthar dhuínn, gach
ní d'iarmaid a credeamh amhain.

251. *Maseadh ata d'fuighleach sind d'fech-
ain cia O dtig an'oireadsa do dhóchas, & do dh-
ánacht chugaind, jondas ar mbeth dhuínn ar mh-
odhaibh jomdha nemhdhiongmhalta abfiadhnaise
Dé; gidheadh go mbiadh do chroidhe againd sind
fein do thaisbeanaidh jna shealladh?*

Ar tús ataid gealladh againd le nab inearb-
tha dhuínn air legean fa lár, & air bfagmhail ar
ndiongmhaltacht fein jn'ar ndhiaidh: jna dhiai-
dh sin, mas sind cland DE, ata a Spiorad ag-
ar n'anmughadh, & ag'ar mbrostughadh gana

bheth

bheth an'amharus ar biodh duínn sind fein do
bhreth go companta caibhneasach chuige, amh-
ail go soich ar n'athair: & suil (tríd go bfnilmid
jnar mbiastibh, & arar múchadh le tuigse ar bpe-
acadh) bhias gairbhe, & uamhana chumhacht
gloireamhla oraind, ata se acur CHRIOST jna
aidhne jnar gcomhair neoch ar mbeth dó ag
foscladh entreasa, & dorais, nach inbethe dhuínn
rochuramach fa ghrás, & fhobhar d'fhaghail.

252. *Ata tu ag tuigse nach jonghuidhthe*
*Dhia acht an'ainm Chriost jna aonar?*

Is amhlaidh sin thuigim: oir is amhlaidh so
aitheantar dhúinn le foclaibh soillere, & ata an-
gealladh arna chur les go ndenand se fos le ai-
dhneas, go bfagham na nethe jairmaid.

253. *Maseadh ni hinagarrtha arscáhh luath*
*ghaire no ardain an tí ar mbeth do n'aidhnese aige*
*dho, tig go companta go Día. & chuireas an tI-*
*osasa fa chomhair DE, & fa chomhair fein, ne-*
*och trés agcluintear é?*

Ni hinagartha ar mhodh ar biodh: oir an tí
do ni uirnaidhe marsin, ata se mur bhudheadh
agabhail, & ag deanamh uirnaidhe as a bheul-
son: ar mbeth feasach dhó a uirnaidhe fein do
bheth arna chuidiughadh, & arna furail tré aidh-
neason ar an'athair.

### DOMH. 37.

254. L Amhaigheam anois creud dhlighid
uirnaidheadha na gcredeambnach
do chomhchondamhail an gcedaigheach gach ni
tig inar n'aigneadh, diarraidh ar Dhiá jna an
bfuil

*bfuil riaghail áiridhe re chongmhail and so?*

Do budh ro egcneasda an modh, no an t'or-
dughadh ar nanmíana fein, & breatheamhnas
na feola do leanmhuin: oir is aimhghere neamh-
thuigsighe sind jna go bfedam creud is tarbh-
ach dhuíun do bhreathnughadh, & ata lethéd sin
do mhímhodh sainte jondaind, is egin do chosg
le srian do chur riu.

255. *Creud maseadh is indeanta?*

Ata an t'enise d'fhuigheal re dhenamh: agh-
on, Día fein do chur romhain ceart fhoirm
uirnaidhe do dhénam, jondas go leanam é a-
mhain, ar mbeth ag'ar giulan dó ar laimh, &
ag labhairt na bfocal romhaind.

256. *Cia an riaghail do dhenamh uirnaidhe
do chuir se romaind?*

Ata go demhin isin scriobhtur teagasg farsing,
saibhir adtimchiol a'nethse go hiomdha: ach do
chum go saitheadh, & go gcuireadh se comha-
irdha dearbtha romhaind, do rinde, & mar bu-
dheadh do dheacht se an bheag fhoirmse, le'r
chomhchondaimh se go haithghear, & le dtug
se go beagan do cheandaibh an ordughadh
gach ní is ceadaigheach d'iairaidh ar Dhiá, &
is tarbach dhúinne.

257 *Aithris?*

Ar mbeth do CHRIOSD arna fhiafraigh le
dhesciblaib; cia an modh ar ar bhindenta gui-
dhe, do fhreagair, an tan is ail libh guidhe do
dhenamh; abraidh mar so,

AR

A R N'atharne ata ar neamhdhaibh, go-
ma naomhtha hainmsa, go dtí do righ-
ese, goma denta do thoilse adtalmhain
mar ata ar neamh: tabhair dhuinne aniogh arn'a-
ran laotheamhail: & maith dhuínne ar bfiacha.
amhail mhaithmaidne d'ar bfécheamhnaibh: &
na cíulaîn ambuaireadh sind, ach saor sind ó
n'olc: oir is leatsa an rioghacht, a'neart, & an
ghloir gus na saoghalaibh, biodh amhluidh.

258. *Do chum gomadh ferde thuigfidhe creud
chomchongmhas si, roindeam í agceandaibh?*

Ata sé cotcha aice; da bfuilid na trí chéd
chotcha agamharc ar gloir DHE dénchuid, amh-
ail agcriche airídhe fein gan fhechain oirne: be-
anaidh na fuighile rinde, & rér dtarbha.

259 *Maseadh ane gur bhíniarrtha ni ar bióth
ar Dia, as nach fhedar maoion do mhaith theacht
chugaind?*

Ata sesean go demhin acomhshuidhiughadh
na n'uile amhlaidh sin do rér amhaitheasa nemh-
chriochnaighthe fein, jondas nach rachadh no
nach dtigeadh maoín do chum aghloiresan, nach
biadh fallan dùinne maraon: aran adhbharsin
antan naomhthar ainmsan, do ní, & do bher se
go ni ompoidhear sin go naomhadh dhúinne ma-
raon, nithiocfa aríghesan, gan sinde do bheth
ar chor égin inar luchtghabala parta, & coda
dhi: gidheadh an'athchuinche n'uile níse, is ini-
ártha ghloirson amhain, iar ndul seacha & iar
bhfagbhail ar dtarbha fein inar ndiaidh.

260. *Maseadh do rer an teagaisge ataid*
*na*

*na trí hathchuinchse arna gcur abfochair achéle,*
*& ar dtarbhaine go demhin, gidheadh nj dhligh-*
*adh daoine aseolughadh, & andírgheadh ar cus-*
*poir el, acht ar so, do chum go ngloirfidhe aínm Dé?*

Is amhlaidh sin ata: & do bharr dligidh sind
anghloir sin fein DE, do, bheth jna churam o-
raind is na trí hiarratasaibh ele maraon: gidh be
ar bioth mar ataid arna n'ordughadh go haíri-
dhe gus na nethibhsin, ata do chum ar slanai-
ghe, & ar dtarbha fein.

DOMHNAC. 38.

261. T*Egheam anois go míniughadh, &*
 *go hiomfhosgladh na bfocal: & ar*
*tús creud fa mó do bhearthar ainm an'athar do*
*Dhia and so jna ainm ele ar bioth?*

O jarrthar do chum ceart mhodha guidhe
dóchus sámhach daingean an choinsiasa os
an'uile, ata DIA agabhail ananmasa chui-
ge fein, ag nach fhuil maoin ac fuáidhm fiórbh-
lastachta, do chum jar gcrathadh, & jar bfu-
adach gách uile dhoilghise, & rochúraim as ar
n'indtindibh go ndenadh se ar gcuireadh go com-
panta caibhneasach chuige fein da eadarghuidhe.

262. *Maseadh ane gurab dána lind; no am-*
*biaidh achroidhe againd dul gach díreach ga*
*Dia, mar ghnathaigheas an chland dhul do chum*
*an'aitreadh?*

Is dána choidhche; & fós le dóchus fhagh-
ala na netheadh járrmaid, ni is daingne go mór:
jna téd siadson: oir amhail ata ar maighistir ag
tahhairt rabhaidh; mase ar mbeth dhúinne olc

       **nach**

nach fhedmaid nethe maithe do diultadh d'ar
gcloind, & nach bfuileongam a ndul folamh, &
nach síneam puindseon ar son arain doibh: ca
mhéd an bárr maitheasa is infhethme dhúinne
on'athair neamhdha, neoch fein ata (ni he amh-
ain) romhaith, ach maille ris sin an maitheas fein.

263. *Nach fedir argument do bhreth as an*
*ainmse maraon, le bfedir a'ní adubhrais ar tús to*
*dhearbhadh gurab air aidhneasa Chriost is égin a-*
*n'uile uirrnaidhe do shuidhjughadh?*

Fédir go demhin go ro dhaingean: oir ni fh-
uilmid ag Dia an aít chloinde, acht an méd gu-
rab sind boill Chriost.

264. *Creud fa ngoireand tu do Dhia ar n'athair-*
*ne go ciotchiond, ni is taosga, ino t'athair fén amhain?*

Fédaidh go demhin gach aon dona credeamh-
nachaibh a Athair fein do ghairm Dhe, acht is
vime do ghnáthaigh an tighe arna an t'epith-
et coitchiondsa, do chum sinde do chleachtadh
ghrádha do chumhdach jnar n'urrnaidhibh: d'e-
agla go mbiadh achùram fein ar gach aon fo-
leth dés na ne'ele do dhearmad.

265 *Creud is seadh don bheagchuidse ata ar-*
*na chur les Día do bheth ar neamhdhaibh?*

Is jonand é & go ngoireand se dhe fein ard-
chumhachtach nemhghreamaighthe.

266. *Creud fa n'abair tu sin, & cia an modh?*

Ar an modhsa; vmaro, atamaid ar ar dteag-
asg ar n'indtindeadh do thogbhail an'airde an tan
eadarghuidheam é: d'eagla go smuaineam ní ar
bioth feolamhail, no talmhaidh jna thimchiol:

K                                    n

no go dtoimheosam le gabhail no le tuigse ar
dtomhaisne é, d'eagla ar mbreathnugadh én nech
vsísil duínn; gur bhail lind atharraing, go hu-
mhla, & freasdal ar dtoile fein, ach sind d'fho-
ghlum ni is mó amhorghalacht ghloirmharrdh-
ason dh'onorughadh le heagla, & le reuerens, &
amharc orra an'airde: is fíu, & is maith so ma-
raon do d'húsgadh, & do dhaingneochadh ar nd-
óchais andson, an tan chuirthear agcell gurab
esean an tighearna, & an Priondsa, ata ag riagh-
ladh na n'uile le mhían & thoil fein.

DOMHNAC. 39.

267. A *Ithris damh suim an chéd iarrtais?*
Ata an scrioptur ag tuigse tre ai-
nm DE aneolais, & an chlú le moltar é ameasg
dhaoine ar sin a tamaid aguidhe aghloiresan do
dhul an'airde in gach aít, & is in vile.

268. *Acht an fhédir maoin do theacht no do
chur le gloír DE ino do dhul & do bhreth vaithe?*

Ni chindeand, & ni mhetheand sí inte fein,
gidheadh athchuincheam afoillseochadh ameasg
dhaoine amhail is iomchubhaidh, jondas gach
ní dha ndén Dia: aghon go dtarbharthaoi, & go
bfaicthi auile oibrighthe comhghloireamhla, &
ataid; jondas go ngloirfidhe é fein ar gach en chor.

269. *Creud thuigeas tu isin dara hiarratus
tre rioghacht Dé?*

Ata sí acoimhsheasamh ar dha bháll go pri-
ondsipalta: aghon, sé do riaghladh na daoine
tóghtha le Spiorad fein, & se do leagadh sios
& adtoirbhert da scrios na daoine mallaighthe
diultaigh-

diultaighthe, les nach aíl jad fein do thoirbhert
dósan do chum umhla; jondas go ndéntaoi fol-
lus mar sin nach fédadh ní ar bioth seasamh
no cur an'aghaidh a'neart, no chumhacht.

270. *Ciondas ata tu aguidhe an rioghach-
tsa do theacht?*

An tighearna do mhédughadh uimhire na gc-
redeamhnach gach én lá: jna dhiaidh sin sé dho
dhórtadh nuaidh thioghlaice a Spiorad fein or-
ra, go lán lionand se jad: tuilleadh ele se dó
dhénamh a fhirinde fein follus soiller ameasg dh-
aoine ni is mó, & ni is mó do chum dhorch-
adais Shathain d'fuadach, & dionarbadh, jon-
das ag tabhairt amach aiondraccais fein, dó go
gcuirfedh se ar gcúl, agas go scriosedh se gach
uile esiondracas.

271. *Ané nach fhuilid na nechese aga nde-
namh gach én la?*

Ataid ar an modh úd: jondas go bfédthaoi
aragha gur thiondsgain rioghacht DE: ar an adh-
bhur sin atamaid ag aslach afhás achindeamhain,
& adhul a nairde, no go reach sí gus an'ardmh-
órmhullach a'ní atamaid d'earbadh, & d'fheth-
eamh do theacht fadheeoidh isin la dhéghea-
nach ina n'ardaighthear, & a lérghoir DIA go
follas ina aonar iar gcomhthiomain, & iar gcr-
uindiugadh na n'uile chreatuiredha an'ordughadh
dhô, & ni is mó gombiadh sé jna uile isna huilibh.

DOMHNAC. 40.

272. A 'NI *ata tu dh'iarraidh; go dentar
a thoil creud an seodh ata aige?*

K 2 GO

Go dtabharthaoi na huile creatur fa chuing
a umhla, & go mbedis coimhfhreagarach da
smédadh, jondas nach déntaoi e'ní ach le th-
oil, & le mhianson.

273. *Maseadh a dtugeand tu go bfedir ni*
*ar bioth do dhenamh tar a thoil?*

Ni fuilmid a guidhe amhaín, a'neth do chon-
darcus do jna fhochair fein do theacht go crích:
ach maille ris sin ar gceansughadh, & iar gcur
fa chuing gach uile asumhla dhó go gcurfadh se
uile thoil na n'uile fa thoil fen, & go suidheoch-
adh se jad jna umhla fein.

274. *Ane nach fhuilmid, ag tabhairt cúil re'r*
*dtoil fén; an tan do nimid guidh' mar sin?*

Atamaid choidhche; nj do chum na crichese
amhaín, sé do chur do nemhfni gach uile mh-
îan, ata 'iondaind a cathughadh an'aghaidh a th-
oile, ach maille ris sin go bfoirmeadh, & go
ndenadh sé jndtinde nuaidhe, & croideadha nu-
ada jondaind, jondas nar b'ail lind maoin do
dhenamh uaind fein, ach ni is taosca a Spiorad-
son do bheth d'uachtaran ag ar dtoil do chum
lan chomaontughadh do bheth aca le DIA.

275. *Creud as abfuil tu ag asluch sin do bh-*
*eth dénta ar talmhuin, mar ata ar neamh?*

Ar son go bfuil an t'én phurpoise ag na nao-
mh ainglibh, nech is iad a chreatuíreadha neam-
dhasou; aghon, ambheth freagarach dó isin vile
& vmhal da bhriathribh, & vllamh ésgaidh do
dhenamh a iarratuis go deonaighthach: atamaid
ag aslach aléthed sin do dhícheal, & dhésgai-
dheacht

dheacht, fa bheth umhal, do bheth ag daonibh,
jondas go dtoirbheradh gach duine è fein go
huilidhe dò an'umhla dheonaigh.

276. A *Nois tigeam go soich an dara cuid:*
*creud shignidheas duit an t'aran*
*laoitheamhail, ata tu dhíarraidh?*

Go generalta gach ní is nfheadhma do choi-
mhéd na beathadh latharrdhasa, ni he amhain
da biathadh. & da hoileamhain no da chlùdadh
ach maille ris sin do thabhairt di na n'uile ch-
uidhiughadh ele, le gcon daimthear suas rioch-
tanaisaleas na beathadh amuigh, jondas go n'-
icheam ar naran go samhach, isin mhed is aith
nidh don tighearna abheth tarbhach dhuinne.

277 *Ach creud as anguidheand tû é tiogh-*
*lacadh duit a'ní, ata se dhiarraid oraind a cho-*
*snamh, & adhenamh le saothar arlamh?*

Ge hin thaothraighthe dhuinn, & fos le'r hal-
las do chosnamh bídh: gidheadh ni ler saothar
fein, no le'r nésgaidheacht bhiathar, & beath-
aighear sind, ach le beandachadh DE d'en ch-
uid, neoch le ndentar sona saothar ar lámh: do
bhiad folamh ar modh ele; aghon; abfégmh-
ais anbheandaighthe sin: tuilleadh ele is ingha-
bhtha, & is jontuige so ar an gcorsa; an'uair fein
bheas saibhreas bídh lámh re'r láimh, & sind aga
iththe, gidheadh nach le shubstaintson ach, le bri-
dh & le cumhachtaibh DE bheathaighear sinn: oîr
ni fhuil alethéd so do bhrídh, & do neart aca arna
gheneamhain jonta fein o naduír, acht is se Dia ata

ag

ag freasdal leo do bhair nimhe dhuinn, mar budhe-
adh le ballaibh meadhonach a dheghthoirbhertais.

278. *Ach cia an dligheadh le ngoireand tu*
*haran fein de, an mhéd go bfuil tú agatach*
*a tahhairt duit le dia?*

Ar son, umaro: go déntar ar n'araine de tre
mhaitheas DE, gen go bfuil se d'fhiachaibh a-
gaind amuigh ar mhodh ar bioth: ata rabhadh
arna thabhairt duinne maraon, les an fhocalsa;
sind d'ar dtemperadh, & d'ar gcosg fein o shan-
thughadh arain daoine ele, & ar mbeth comh-
chondaimthe, no toileamhail les an'aran sin a-
ta ag teacht chugaind, & ag rochtain oraind le
cor ro laghamhail mar bhudheadh ó laimh DE.

279. *Creud as agcuireann tú les laoidheamh-*
*ail, & aniú?*

Atamaid arar dteagasg go measarrdheacht, &
go congmhalacht les an da bheagchuidse; d'ea-
gla go rachdis ar n'anmíana, & ar dtoile tar
mhodh an riochtanais a leas.

280. *O dho dhligheadh so a bheth jna urr-*
*naidh choitchind ag anuile dhuine ciondas fbédas*
*sin abheth, jondas go n'iarrdis na daione saibh-*
*re aga bfuil a'ni ag dul tarrta ag baile, & aga*
*bfuil bjotaile adtaisgidh re fad daimsir aran do*
*thabhart doibh gach laoi?*

Is egin da gach saibhir, & do gach daiboir
maraon so do thuigse, & adherbhfhios do bheth
aca; nach dénand maoin da bfuil aca tarbha dh-
oibh, acht an mhéd choimhdheonaigheas DIA
a ngnathugadh do thabhairt doibh: & do ní sé
le

le grhás a ngnathughadh sin fein do bheth lán to-
raidh, & briogmhar maraon ar an adhbhar
sin ag selbheochadh, & ag mealadh na n'uile dh-
uínn, ni fhuil maoin againd, acht an mhéd ata-
maid do ghabhail gach én uair as laimh DE,
isin mhéd riogar dho leas, & is lór dhúinn.

DOMH. 42.

281. *CREVD chongmhas an chúigadh
jarratus?*

An tighearna do mhaitheamh ar bpeacadh
dhuínn.

282. *Ané nach faghar, neoch ar bioth don
chineadh dhaona coimhiondraic ag nach fuil fé-
dhm ar an mhaiteamhnasa?*

Ni fhaghar ar mhodh ar bioth: oir an tan tug
Criost an fhoirmse do dhénamh uirnaidhe da
Astpolaibh fein; do ordaigh se í don eagluis go
huilidhe: ar an adhbharsa ge b'e ar bioth len-
ab ail é fein do bhreth amach as an'egeantasa,
is egin dó dul amach acomand na gredeamh-
nach maraon, & go firindeach do cluindmid,
creud ata an scriobtur d'fiadhnaisiughadh, an
tí: umaro, thairgeas é fein do ghlanadh an'en
pheacadh abfiadhhaise DE, go bfagar é cion-
tach amílltibh: ar sin ata én chadhas arna fh-
ágbhail fa chomhuir a'uile, a throcaireson.

283. *Ciondas bhreathnaigheas tu ar bpeac-
aidh do mhaiteamh dhúinn?*

Amhail ataid focail Chriost fein agfuaidhmu-
ghadh; gurab anmanda, & fiacha jâd ata agar
gcongmhail ceangailte le cíontibh báis tsuthain

no

no go bfuasglaidh Día sind le fhior oineach fén.

284. *Ader tu maseadh gurab anaisge, &*
*do throicare Dé do ghebhmid maitheamhnas na*
*bpeacadh.*

Aderim choidhche: oir da mbeth pián no di-
oghaltus en pheacaidh is ro lugha ar bioth re
dhíol, & re joc; ni bhimis feast aibel do dhé-
namh dioluidheacht ar á scáth: vime sin is egin
dósan an'vile do mhaitheamh, & do chomhth-
ioghlacadh anaisge.

285. *Creud an tarbha tig chugaind as an*
*mhaitheamhnasa?*

Go mbeam isin ám sin fein comhthoileamh-
ail dó, & gurab é ar mbeatha aige; jondas go
mbimis fírentach, nemhchiontach: ata dóchus
adheaghthoile aithreamhlason, (as adtig dearbh
shlánughadh chugaind) ar na dhaingniughadh
d'ar gcoinsiasaibh maraon.

286. *Ane is seadh don chundradhsa ata ar-*
*na chur les (sé do thabhairt mhaitheamhnas du-*
*ínn, amhail maithmaidne d'ar bfetheamhnaibh) go*
*dtuill sind luadhaigheacht. no pardun ó Dhia, ag*
*maitheamh dhuínn do dhaoinibh, ma dho rinde-*
*adar en pheacadh jnar n'aghaidh?*

Ni headh choidhche: oir is amhlaidh anois
ni bhiadh an maitheamhnas anaisge, & ni bhi-
adh se arna shuidhiughadh, amhail bhudh coír;
ar én dioluidheacht Chriost, neoch do chrioch
naigh se arar son ar an gcroigh: acht arson ag
dearmad na n'egcóra dhuínn do rindeadh or-
aind an gcen atamaid ag leanmhuin a shémhi-
                              dheachta,

dheachta, & a mhaitheasason, bfuilmid ag no-
chtadh ar mbeth inar gcloind dó dha riribh: uime
sin do bail les ar gcomhdhaingniughadh les an
suaigheantasa & a nochtadh go contrarrtha mar-
aon; muna tabhram sind fein vrasa vllamh, &
so lubtha do thabhairt maitheamhnais amach
nach infethmhe dhuínn maoin ele, acht ardchruas,
& tende, nach fhédir do thabhairt tar ais le
guidhe.

287. *Maseadh ader tu and so: go gcuir Dia*
*dhe ambeth aige anáit cloinde an lion, nach bféd*
*a lochta do chur fa lár ó gcroidhe, jondas nach*
*binbhethe dhoibh dóigh aca na jonadh ar bioth*
*dfaghail ar neamh?*

Is amhlaidh sin thuigim: jondas go gcoimh-
liontaighe súd, go n'ath dtoimhstear da gach a-
on fo leth les an tomhas chédna sin ghnáthoi-
gheas sé d'ar ele.

Domh. 43.

288. C**Reud leanas jna dhiaidh so?*
Gan an tighearna dar gciulan
am buaireadh, acht ni is taosca, se d'ar saora-
dh ó nolc.

289. *An bfuil tu da dhruideadh so vile a-*
*n'én iarratas.*

Ni bfuil and, acht én jairatus, oir is miniugh-
adh don chéd chuid, an chuid dhegheanach.

290. *Creud chomhchongmhas se go suime-*
*amhail?*

Gan an tighearna do legean duínn tuitim,
no sleamhnughadh abpeacadh, gan sé do legean

L         don

I

don diabhol no d'anmhianaibh ar bfeola fein
(ata acongmhail gnáth chogaidh jnar n'aghaidh)
dul aca oraind, ach sé dargcludadh ni is mo le
chumhacht, & nert fein do chur jna n'aghaidh,
sé d'ar gcongmhail anairde le laimh, sé d'ar se-
asamh, & dar gcoimed le garda; jondas go n'a-
aitreabham amhlaidh sin fa dh'aingnibh fhírin-
de, & dhideanson.

291. *Acht cia an modh le n'déntar sin?*

An tan (ar mbeth ar ar riaghladh le Spiorad
son duínn) beam arar lionadh le lethed sin do
gháol, & do shérc jondracais, le bfédam an pe-
acadh, an fheoil, & Satan do chlaoi, & buaidh
do bhreth orra, arís an tan bheam arar lionadh
le lethed sin d'fuath peacaidh neoch do fhéd-
fadh ar gcomhcondhamhail tearbaighthe ó n'd-
omhan a naomhdachtghloir: oir is ambriogh, &
aneart an Spiorad ata ar mbuaidh agcur catha
acoimhsheasamh.

292. *An bfuilid anuile abfédhm an chui-
dighese?*

Ataid: & cia do fhédfadh a bheth jna fhé-
gmhais? Oir ata an diabhol agar niondsuidhe
do ghnáth, & ag'ar dtimchiolladh, mar leoghan
béceadhach ag'jarraidh a'neoch do fhédfadh sé
shlugédh, & do uile thuitfadh sinde les go prap
trés an anmhfainde ata jondaind, & ní is mò
do mhillfidhe sind, & do rachadh as duínne gach
aon mhoiment, muna chludadh DIA sind le
edíth fein, & muna neartaigheadh sé sind le
laimh.

293 *Creud*

*293. C'reud is seadh dhuit dfhocal an bhuairig?*

Gaois, & mealltoracht Shathaiu, le bfuil sé
do gnáth dar n'aidherbeadh, & lenab urasa dhó
ar mealladh go luath, & teacht jn'ar dtimchiol,
muna cúidighthe sind le nert DE: oir ata ar
nindtind do rér a haimhidheacht duithche fein fa
chealgaibhson, & amhail ata ar n'aigneadh: &
ar dtoil nj is tende righthe do chum uilc, jno
do chummaitheasa, is amhlaidh sin do racha-
dh aigeson orra.

*294. Ach creud as anguidheand tú gan dia
d'ar gciulan amhbuarraidh ani do chiotar nach le
Dia ach le Satan go hairidhe?*

Amhail ata Dia a coimhed na gcredeamhnacha
le dhidean fein, d'eagla go gclaoifidhe jád le
Satain, jno go rachadh ag an bpeacadh orra:
is amhlaidh sin an lion is ail les do sciúrsadh,
ni fhuil sé aga ndighughadh amháin fa ghrás fén,
ach maille ris sin ata se aga dtoirbhert d'fhoire-
égin, & d'fhoirnert Shatain, aga mbualadh le
doille, & aga dtélgean an'jndtind dhamainte mh-
allaighe, jondas go mbedis jna seruontaibh da-
ortha don pheacadh go huilidhe, & arna gcur
amach fa chomhair gach aon ruáthair, agas a-
mais buairidh.

*295. Creud is seadh don chlausa jno don mbh-
eagdhrudsa do chuireadh les: oir is leatsa an ri-
ghe, anairt, & an ghloir go soith na saoighalaib
biodh amhlnidh.*

Atamaid arar dteagasg aris and so; gurab mhó
ataid ar n'uirnaidhe arna gcondamhail suas le

neart

neart, & le maitheas Dé, ina ler n'dóchas fein
tuilleadh ele atamaid arar dteagasg ar n'uile ur-
rnaidhe do dhrud le hadhmoladh Dé.

Domh. 44.

296.   A Ne nach ceadaigheach maoin ar
   bioth diarraidh ar Dhia, acht an ni
ata arna chomhchondamhail is in mbheag fhoirmse?

Ge ata ceadaigheach guidhe do denam le fo-
claibh ele, & le modh ele: gidheadh is amhla-
idh so is jnghabhtha a'níse nach bhféd uirnaidh
ar bioth Día do thoiliughadh nach gcuirthear,
& nach légthear go soich so amhail én riaghla
do dhénamh guidhe go hiomchubhuidh.

---

# ADTIMCHIOL

## FOCAIL DE.

297.   A Nois ata modh an'ordáigthe do ch-
   uireamar romhaind ag jarraidh
oraind labhairt, adtimcbiol an ceathraimhthe
cuid d'onoir, & do sherbis Dé?

Adubhramar so do bheth ar na chur and sud:
aghon, sind d'aithne De do bheth jna ughdar
na n'uile mhaitheasa, & sind do ghloirfeadh a-
mhaitheasa, afhiréntachta, aghliocais, achumacht,
le moladh, & le haltachadh: jondas go mbiadh-
gloir na n'uile mhaitheasa jna shuidhe jna fh-
ochair fein.

298 *Ané*

298. *Ané nach ar chuir se riaghail ar bi-*
*oth far gcomhair ar an gcuidhse?*

Dlighid gach én mholadh ata aige isin scri-
obtur abheth againd arson riaghla.

299. *Ané nach fhuil ag an orrtha dhomh-*
*naigh éní bheanas ris so?*

Ata; umaro an tan iarmaid a ainm do na-
omhadh; atamaid aga jarraidh so: aghon, aghlo-
oir fein do bheth follus jna uile oibrighibh, jon-
das, go mbreathnaighthear é (mas maitheamh-
nas do bher sé do pheacachaibh) trocaireach
no (mas dioghaltus jmreas é) ceart: jno (ma
do choimhgheallas sé aní do gheall sé da d'ao-
iníbh fein) fírindeach: fadheoidh gach uile do
chiam da oibrighibh siad d'ar n'dúsgadh da
ghloireadh, & is se so moladh na n'uile mhai-
theasa do thabhairt dó.

300 *Creud fadheoidh thionolus sind as as na*
*nethibh sin do lamhaigheadh lind go soich so?*

A'ni: umaro, ata an fhírinde fén ag teagasg,
& do chuireas fein siós ar tús gurab í so an bhe-
atha shuithain; an t'aon Día fírindeach thath-
air d'aithne, & aneoch do chuir se chugaind I-
osa Criost esean aderim d'aithne; jondas go
dtabhram a onoir dhligheach fein go daingean
dô, & go mbiadh se ni he amhain jna thigear-
na ach maille ris sin jna athair, & jna shlanaigh-
theoir: & go mbimis fa gcuairt jnar gcloind, &
jnar serbhontadhibh dhósan: agas ar sin sind
do choisreacadh, & d'or dughadh ar mbeathadh
d'foillseochah aghloire.

DOMH.

1 *

## Domhnach. 45.

301. *CIA slighe le dtigthear go soich a-*
*noireadsa do mhaith?*

Do fhagaibh sé afhocal naomtha fein againd
go soich an gcríchse: oir is teagasg Spioradal-
ta é, mar dhorras égin ar abhfuilmid ag dul
isteach jna rioghacht neamhdhason.

302. *Cáit jnar bin jarrtha dhuinn an focalsa?*

Is na Scriopturibh naomhtha, agcomhchon-
daimhthear é.

303. *Ciondas is jnghnáthaighe, é jondas go*
*bhfuighe tu tarbha as?*

Da ngabham é le teand persuasion, & dear-
bhdhóchas an chroidhe gan égcosmhaileas, acht-
amhail an fhírinde tainic anuas do bharr nimhe
da deoirbheream sinn fein sotheagaisgthe dhó: da
gcuiream ar dtoile, & ar nindtinde fa umhlason:
da gaoloigheam ê l'er n'anam: masé ar mbeth
dhó arna chur én uair agcló inar gcroidhibh go
mbia freamha sáite aige jonta; jondas go dt-
abhradh sé toradh amach isin mbheathaidhse:
fadheoidh mase go b'foirmthear, & go gcosmh-
ailthear sind do reir ariaghlason: ted sé isin ám
sin fein do chum slanaigh dhuinn amhail do
hordaigheadh é.

304. *Ané uach b'suilid na nechese arna gcur*
*jnar gcumhachtaibhne?*

Ni fhuil maoin dibh choidhche, acht is re
Dia bheanas an'uile nise adhubhras do chrioch-
nughadh le grás a Spiorad fein?

305. *Acht ané nach jndénta duinn dícheal*

&

*& nach jontairgthe le gach uile stuider tarbha
do dhénamh les aga léghadh, & aga esteacht, agas
aga smuaineadh?*

Is indénta cheana, & chumhdaigheadh gach
én duine é fein le léghoracht laoitheamhail go
huaigneach, & òs an'uile ní thigeadh siad go
menic abfhochair achéle d'ésteacht sermona go
dícheallach abail abfhoscaoiltear teagasg an tsl-
anaighe agcoimhthionol na gcredeamhnacha.

306. *Maseadh ata tu ag aicheodh gurab
lór, da léghadh gach duine é do lethoir jna thigh,
muna comhchruindighidh an'uile maraon abfho-
chair achéle go coithchiond d'ésteacht an teag-
aisg chédna?*

Is égin cruindiughadh abhail jnar gceadaigh-
each é is se so, antan ghebhthar comas.

307. *Ab'fedand tú so do dhearbhadh dham?*

Dlighid én toil an tighearna fóghnadh arson
dearbhtha dhuínú go hiomarcach, acht is amh-
laidh ata gur furail sé an tordughadhsa ar a E-
aglais fein neoch n'ar bhionchoimheda dhias
no do thriur amhain, acht jna mbedis an'-
uile go coitchiond: ader sé do bharr gurab
é so én modh, & en cor ar adtógaibhthear
& ar agcoimhédtar í: maseadh biadh an ria-
ghail naomhtha nemhbhristese againd, agas
na breathnaigheadh én duine gurab ceadaighe-
ach dhó ghliocas do bheth aige os ciond a-
mhaigistir.

308 *Maseadh nach égin buachaileadha do bheth
aguibherrnoracht na heaglaise, & ambheth roimpe?*

Is

Is egin maille re mbeth and; an'esteacht ma-
raon, & an teagasg sin Chriost ataid do chur
gc'ell do ghabhail as ambèlaibh le heagla, & le
reuerens ar an adhbharsa an tí ata aga dtarcais-
neachadh, & les nach fíu, & dhiúltas an'ésta-
cht ata sé ag tarcaisneochadh Chriost, & aga
ghearradh fein ó chommand na gcredeamhnacha.

309. *Ane gurab lór do Chriostaidh abheth én*
*uair arna thegasg ó bhuachaile fein ino andlighe-*
*and se an cúrsasa chondamhail arfeadh abheathadh*
*gu huilidhe?*

Is beag suarach tionosgna do dhénamh muna
mhaire thu go buan: oir is égin duínn abheth
in'ar ndesciblaibh do Chriost go soich dereadh
no gan dereadh: & tug sé anoificese do ministribh
a Eaglaise dar dteagasgne ina aít fein, & ina ainm.

# ADTIMCHIOL

## NA SACRAMENTE.

### DOMHNACH. 46.

310 NACH *bfuil meadhon ele on fhocal*
*le gcomaoinigheand Dia é fén rinde?*
Do chuir sé na sacramente maille re sermo-
nachadh a fhocail.

311. *Creud é an tsacacrament?*
Comharrdha faicseanach amuigh dheaghtho-
ile Dé oraind, neoch ata ag fioghrughadh grasa
Spioradalta le suagheantus faicseanach do shelu-
ghadh,

ghadh, & do, dhaingniughadh geallta DE inar
gcroidhibh: jondas, goma fearde do chomhdh-
aingeneocha bfírinde.

312. *An bfuil an oirradsa do bhríógh, & do
nert isin tsuagheantus fhaicseanaigh; jondas, gobf-
edan sé na coinsiasa do dhaingniughadh andóchas
an tslanaighe?*

Ni fhuil sin aice dhi fein gan amharus, acht
do dheoin, & do thoil DE arson gur hordai-
gheadh les í gus an gcrichse.

313 *Os obair airidhe an Spiorad gheallta Dê
do shelughadh inar gcriodhíbh ciondas ata túsa
do thabairt so dona sacramentibh?*

Is fada, & is adbhal an teadardheallughadh ata
eatorra sin: oir is ar an Spiorad naomh fhearus
na nechese dariribh; aghon, na croidheadha do
ghluasacht, do bhogadh, & do maothughadh,
nahindtinde d'foillieochadh, na coinsiasa do dhé-
neamh samach; jondas, go n'dleaghar aní sin
uile do bhreathnughadh abheth ina ghniomhar-
uidhe dhósan, & ambuidhechas do thabhairt
dó gan amholadh do chur íul ele: gidheadh ní
loighide ghnáthaigheas Día na sacramente mar
bhalla meadhonacha, & go guireand sé jad gus
an tarbha do chiothar dhó fein, & go dén sé
sin ar mhodh; jondas, nach beartha maoin ó bhr-
ígh an Spiorad.

314. *An b'fuil tú ag breathnughadh nach
isin element a muigh ata bríógh na sacrament jata,
ach gurab ó Spiorad DE ata sé agsruthshileadh,
& agttachtgo lér?*

M                    Is

Is amhlaidh sin bhreathnaighim: amhail; um-
aro, budhthoileach les an tigearna abhrígh & a'ne-
rt fein do nochdadh le orghanibh no le ballaidh fr-
easthail do chum na críche gus ar ordaigh sé jad
a'ní ata sé do dhénamh go demhin ar mhodh jon-
das nach ber sé maoin ó bhrígh a Spiorad fein.

315. *An bfédand tú an tadhbhar as an'-*
*dénand sé sin d'jndisin damh?*

Fédaim ata sé: vmaro, ar angcorsa acuidiu-
ghadh ler nanmhfhainde, & agabhail aice: oir da
mbimis vile Spioradalta, mar aingle do fhédfa-
maois é fein araon, & aghrása d'amharc go
Spirodalta, acht ó tamaid arar dtimchiolladh
les an mheallsa an chuirp thalmhaidhe, ata fe-
dhem againd ar fioghraibh no ar comharrdh-
aib; neoch do fhédfadh ar modh egin talmh-
aidhe sealmhadh na necheadh Spioradalta, &
neamhdha do thabhairt duínn; oir ni fédmuid
ar modh ele teacht chuca, no rochtain orra,
ata tabacht duinn maraon ar n'uile chédfaidh
do bheth arna gcleachtadh jna gealltaibh, jon-
das, goma fearrde do chomhdhaingneochaighthe
dhuínne jad.

DOMHNAC. 47.

316. MAs *fírindeach gurab vime sin do*
*hordaigheadh na sacramente le*
*Dia, da mbeth jna gcuidiughadh ar bhfeadhma-*
*idhne nach dligeach adamnadh go tuillteanach*
*arson vaibhreachais an tí bhreathnaigheadh go*
*bhfedand sé a bheth jna bhfhégmhais, amhail ne-*
*che neamhégeantacha?*

Is

Is dligheach ar gach én mhodh; & ni is mó
da seachna éneoc do dheoin an gnáthughadh
mar nach biadh abfhédhem air, ata sé ag dén-
amh tarcaisne ar CHRIOSD ag díultadh aghr-
ás, & a cur as, & ag mùchadh a Spiorad.

317. *Ach creud andóchas ata as na Sa-
cramentibh do dhaingniughadh ar gcoinsiasa, &
creud é dearbhthadh an tsamhdais, & an daing-
njghe fhédir do chomhghabhail do ní ataid na
daoine olca, & maithe maraon aga ngnathuga-
dh go coitchiond?*

Ge do chuirdis na daoine aingidhe maithe,
& grása Dé, ata arna f'urail orra is na sacram-
entibh (amhail aderaind) do nemhfnî, an mhéd
bheanas ríu fein: gidheadh ni chriochnaighear
ar ashon sin gan ambhridh fein & a nadvir d'a-
nmhuin isna sacramentibh.

318. *Cia an modh maseadh, & cuin leanas
bríogh na sacramenteádh anghnáthughadh?*

An tan ghabham jad le credeamh ag iarra-
idh Chriost jonta amhain, & aghrás.

319. *Creud fa nabair thú gur b'in jarrtha
Chriost jonta?*

Artúsa ag tuigse nach jnghreamaighthe, & na-
ch ion leanta ris na comharraighdhaibh faicse-
anach: jondas go niomhaigheam, no go smu-
aineam slanugh; aghon; bríogh an ghrása do bhe-
th játa jonta, acht is mó is jnghabhtha dhuínn
an comharrdha an'áit cuidighe; jondas go n'd-
rgheadh sé sind go díreach go Criost ar mbheth
dhuínn ag jarraidh ar n'ardaoibhnis, & ar slan-
M 2

aighe

aighe dhaingin and.

320. *O do jartharr credeamh do chum a ng-*
*abhala; & a nghnáthaighe; ciondas ader tú ad*
*tabhairt dúinn do dhaingneochadh ar gcredimh;*
*jondas gó ndénnand siad sind ni as sbiondamhla,*
*ino do bhimis go soich so adtimchiol geallta DE.*

Ni fóghnand an chredeamh do bheth èn nua-
ir arna tiondsgna jondaind muna bheathaighth-
'ar, & oiltar jondaind é do ghnath, & muna
mhèdaighar ni is mó, & ni is mô gach laoi
jondaind e: ar an adhbharsin do hordaighdadh
na Sacramente les an tighearna da beathugh-
adh da sbiondughadh, & da tógbhail suas a'nai-
rde, a'ní ata Pól do chomharrdhughadh antan
ader se tabhacht do bheth jonta do dhaingnigh-
adh, & do shelughadh geallta DE.

321. *Ach nach comharrdha neamhdhóchais*
*so, gan chredeamh daingean do bheth, againd*
*angealltaibh Dé?*

Ata so agnochthadh gan amharus anmhfainde
an chredimh da bhfuilid cland DE fein fós-
go tind, gen go scuirid uime sin gan ambheth
credeamhnach: ge taid fós ambeag chredeamh
neamhfhoirfe: oir an gcen aitreabham an do-
mhansa, ataid fuighil nemdhòchais ag anmhuin
do ghnath inar bfheoil, nachfedmaid do chur
aiste ar modh ele, ach le gnath shaothar, & dul
arar n'adhaidh go soich dhereadh ar mbeathadh
ar sin is egin duínn dul arar n'aghaidh ni is sìa.

DOMH. 48.

322. CA *lion ataid Sacromente na hea-*
      *glaise Criostaidhe?*          Ataid

Ataid dias argach eu mhodh neoch is coitchea-
nd a nghnáthughadh ameasg an'uile Chriostaighe.

323. *Cia hiad sin?*

An baisteadh, & a naomh shuiper.

324. *Ach creud an cosmhaileas, & an t'ég-
cosmhaileas ata aca eatorra fén?*

Ata an baisteadh againd amhail dul isteach
egin isin eaglais: oir ata fiadhnaise againd and-
son ar mbeth dhuínn jnar n'allmharachaibh, &
jnar gcoicreachaibh ar mhodh ele ar ngabhail a-
nois adte aghlach DE, do chum go mbreathn-
aighthe sind ameasg alucht tighe: & ata an tru-
iper ag fiadhnaisiughadh Dia do bheth dathoir-
bhert fein duínn ag béathughadh ar n'anmand.

325. *Do chum gomadh soilleridhe do bhiadh
abhfirinde araon duínn, lamhaigheam jna dtimchi-
ol araon fo leth; artús cia é seadh an bhaishdigh?*

Ata da chuid aigesin: oir fioghraighthear mai-
theamhnas na bpeacadh, & an aithbhreth Spiora-
dalta and.          DOMH. 49.

326. $C$ *Reud an cosmhaileas ata isin uisge ris an
nethibhse; jondas go daisbeanand se jad?*
Is gné nighe maitheamhnas na bpeacadh neoch
le nglantar ar nanmanda on salcharaibh fén amh-
ail do nighthar les an uisge salchar an chuirp.

327. *Creud ader tú adthimchiol na haith
bhrethe?*

An mhéd gurab é athoshachsa márbhadh ar
naduírene, & adereadh ar mbeth jnar gcreatuí-
readha madha: ata fioghar an bháis arna chur
fa'r gcouuar andson: an mhéd go gcuirthar an
                                   tuisge

t'uisge arar gceand ach fioghair na naoidh beath-
adh and sin; an méd nach fuilmid ag anmhuin fa
n'uisge arar mhbhathadh, ach go bfhuilmid ag
dul faoi re moment, amhail faoi fheart, jondas
go dtiseam as, no anuachtar go luath.

328. *An bfuil tú ag breathnughadh gurab*
*é an t'uisge nighe an'anma?*

Ni fhuilim choidche: oir do budh ègcnesda
an'onoirse do bhreth ó fhuil Chriost, neoch de
doirtadhe fa nadhbarsin, do chum ar mbeth
dar nuile fhalchar arnaglanhadh le, go ndenadh
sí sind glan nemhshalach abfhiadhnaise DE: &
atamaid ag mothughadh tarbha anghlanta go
demhin, antan chrathas, & choimhleas an Spio-
rad naomh ar gconsiasne les an fhuil choisraca sin:
acht ata shelughadh sin agind isin tsacrament.

329. *Ané nach fhuil tu ag tabhairt nech*
*ele do n'uisge, acht abheth ina fhioghair na nighe*
*Spioradalta.*

Is amhlaidh aithneochum abheth ina fhioghar
jondas go bfhuil an fhírinde ceangailte les ma-
raon: oir ni fhuil Dia ar mbheth dhó ageallh-
adh athioghlacadha dhúin d'ar meallhadh: ar
an adhbhár sin is demhin maitheamhnas na bpe-
acadh, & naoidheacht beathadh do bheth arna
bfhuirail oraind, & arna ngabhail lind isin
mbhaisteadh.

330. *An bfuil athabacht fén ag an grás i-*
*sin'uile go coitchiond?*

Ni fhuil; oir atáid móran ar mbeth doibh ag
drud an roíd rompa fein; ag tabhairt ar abheth
nemhthar-

nemhtharbhach doibh; uime sin ni thiocfa athor-
adh, ach do chum na gcredeamhnach amhain:
gidheadh ni fhuil maoin da haithle sin dul do
naduir na Sacramente.

331. *Achd c'áit as adtig an aithbhreth?*

O bhás, & ó esérghe Chriost araon: oir ata
an bhríghse jna bháson; go gcésthair ar sean du-
ine trisin, & go n'jodhlaicthear ar modh égin
locht na naduíre suil chinneas se ni is mó jon-
daind: acht an mhèd go n'aithfhoirmthear sind
anaoidheacht beathadh do thabhairt umhla d'fhi-
rénthacht DE is do thighlachadh na heseréghe sin.

332. *Ciondas bhearar na tioglaice, & na ma-
itheasa dhúinn trés an mbaistadh?*

An mhéd muna dearnam na geallta ata arna
dtairgse dhuíun andsin nemhtharbhach le n'di-
últadh go bfhuilmid arar gcludadh le Criost, &
go fhuil a Spiorad arna thioghlacdadh dhuînn.

333. *Ach creud is jndénta dhúinn jondas go
gnáthocham an baisbteadh go laghamhail?*

Ata ceart gnáthugadh an bhaistidh arna chur
agcredamh & anaithridhe: aghon, ar tús sind do
bhreathnughadh ar mbeth dhuínn arar nglan-
adh ó gach uile shalchar le fuil Chriost gurab
toileamhail le Día sind, & gurab é ar mbhea-
tba aige: jna dhiaidh so sind fein do mhothugh-
adh a Spioradson do bheth ag aitreabh jondaind,
& sind da thaisbeanadh sin le hoibrighibh am-
uigh abfhochar dhaoine ele; & gan sind dar clea-
chdadh fein asmuaineadhaibh marbhaidh na feo-
la, achd an'umhlughadhfírentachta DE.

DOMH.

## Domh. 50.

334. MAse go bfhúilid na nechese arna
n'íarraidh do chum gnáthaighe la-
ghamhla an bhaistigh; ciondas do njthear lind
an chland beag do bhaisteadh?

Ni hégin do ghnáth credeamh, & aithridhe
do dhul rés an mbaisteadh; acht is ann jarrthar
jad ona daoinibh ele amhain, neoch is aibel a-
nois tré aois da ngabhail, & da dtuigse araon:
ar an adhbhar sin is lór da dtughadh an chland-
bheag amach bríogh, & toradh an bhaistadh
jar dteasadh doibh go hois fhoirfe.

335. Nach bfhédand tú a nochtadh le rés-
ún gan égcneastacht ar bioth do bheth isin ní sin?

Fédir; da ndeonaighthear fós so dhamh; gan
an tigearna d'ordughadh maoine ata asaontadhach
re résún: oir an mhèd go bfhuil Maoise, & an'u-
ile Phaith ag teagasg gurab é an timchiolteascadh
comharrdha na haithridhe, & fós gurab é Sacra-
ment an chredímh le tesdis Phóil, ach gidheadh do
chiamaid nachar chongaibh se amuigh an ch-
lannbheg uaidhe.

336. Acht; ané gurab inlégthe an chlandbh-
eag anois gus an mbaisteadh les an adhbharsin fein
do bfiu, & do bhi ar buil isin timchiolteascadh?

Is inlégdhe choighche les an adhbhar chédna;
an mhéd go fhuilid na geallta do rinde Dia
jar n'uair don phobul Israelta arna gcoitchionn-
chadh anois trés an'uile chrninde.

337 Ach nach fhuil tú cruindeochadh as
so, gurab inghnáithagh an comharrdha maraon?

Ge

Ge be ghérrandsaigheas roimhe, & jnadhia-
idh go maith, to bher sé dear a ní so do leanmh-
vin: oir ni dearna Criost dhíne lucht comh-
parta ar an ngras sin tugadh roimhe d'israel ar
angcunnradhsa jondas go mbiadh sé ni budh
doirche dhuínn ino ar modh ar bioth arna loi-
ghadhughadh, acht do chum go madh saibhride,
& gomadh móide do dhoirtfedh sé oraind é.

338. *Maseadh an saoleand tú masé go*
*mbacar an chlandbheag on mbaisteadh go dtéd*
*ar ashon sin ní ar bioth do grhás Dé, jondas go*
*bfédfaidh aragha gur beaghadh é le teacht Chriost?*

Ata sin go demhin arna fhosgladh go soill-
lar: oir ar mbreth an chomharrdha vaind (ne-
och do fhiadhnaisigh trocaire, & do chomhdh-
aingnigh na geallta do bfiu móraon) do bhiadh-
d'ar n'díth comhfhurtacht oirrdherc do meala-
dar na sean daoin.

339. *Maseadh is amhlaidh ata tú ag tui-*
*gse: O do bail le Dia isin tseantiomna (do chum*
*gó nochtfadh sé é fein ina athair na cloinde bige)*
*geallta an tslanaighe do bheth ar na gcur agclo*
*& arna ngrafadh le comharrdha faicseanach ina*
*gcorpaibh: do budh nemhdhionghmhalta: da madh*
*lugha do daingneochadh do bhiadh ag na dao-*
*inibh credeamhnacha, dés teachta Chriost: an mh-*
*éd go bfuil an gealladh cédna arna ordughadh*
*dhuínn do bhi n'uair égin dona haithribh, & go*
*dtug Dia comharrndha aghradha, & a mhaithea-*
*sa ni is soillaire dhuínn jna tug sé dhoibhson.*

Is amhlaidh sin thuigim: & do bharr ar fo;

N os

K

os follus ni is lór bríogh, & substainte (amh-
ail aderaind) an baistigh do bheth coitchiond
do na leanbaibh da n'diultaighe an combarrdha
dhoibh, neoch is iochtraigh na an fhírinde: go
ndéntaoi an tuil égcoir orra.

340. *Cia seadh an cundraidh lenab ionbhai-*
*stigh na lenimh?*

D'fiadhnaisiughadh gurab jadson oighreagha
an bheandaighe do ghealladh do shíol na n'd-
aoine gcredeamhhacha, do chum (jar naithne
fírinde an bhaistigh dhoibh ar dteacht go haois
fhoirfe dhoibh go dtuigidaois toradh as, & go
dtabhradhdaois arís amach é.

DOMHNACH. 51.

341. ERgeam thairis gus an tsuiper, & ar
*tús do b'ail lium afhios d'fághail*
vaid creud asheadh?

Is ar an adhbhar sin do hordaigheidhe le Cri-
ost é do chum go dteagaisghadhe sé sind ar na-
nmanda do thògbhail an'dóchas na beathadh
suthaine le comaoineochadh a fhéola, & afhola
fein go ndénadh sé sin dearbhtha.

342. *Ach creud as abhfioghraighear feoil no*
*corp an tighearna les an aran, & afhuil les an bfión?*

Teagaisgthear; umaro as sin sind cia an bhr-
íogh ata ag an aran a n'oileamhain na gcorp
do chongmhail suas na beathadh latharrdha: an
bhríoghchédna do bheth ag corp an tighear-
na do bheathughadh na nanmand go Spioradalta:
& mar nithear mear chroidhe na ndaoine les an
bhfion athchumdhaighear ambriogha, & amhail
                                    spiondai-

spiondaighear an duine go lér lés: gurab amhlaidh
sin ghabhthar na gnátha cédna le'r n'anman-
dibh ó fhuil an tighearna.

343. *Maseadh; ané go bhfuilmid acaitheamh
chujrp, & fhola an tighearna?*

Is amhlaidh sin thuigim: an mhéd gurab and-
san ata vile dhóchas ar slánaighe arna shuidh-
iughadh, & go n'aireamhthear dhuín an u'mhla
do rinde sé do n'athair; amhlaidh, & go madh
linde fein í: is égin ashelbhughadh, & amhel-
adh lind: oir ni fhuil sé acomaoineochadh a
mhaitheasa fein rind ar modh ele acht an mhéd
ata sé da thabhairt, & da dhènamh fein duínn.

344. *Acht, ané nach dtug se é fein duinn an-
tan do chuir sé é fein fa chomhair an bháis, &
do fhulaing sé é go deonaigheach, jondas (ar
mbeth ar ar saoradh dhuínn ó bhreatheamhnas
an bháis) go redhigheadh sé sind re athair?*

Ata sin fírindiach go demhin: ach ni lór du-
ínn sin gan sind anois da ghabhail, jondas go bf-
édfadh briógh, & torhadh abháis rochtain oraind.

345. *Ach nach agcredeamh ata modh agh-
abhala a coimhsheasamh?*

Admhuim gurab and: & atam aga chur so ina
cheand maraon, gurab vime do nithear sin an gcen
chredmid nihe amhain a dhul d'ég do chum
go dteasairgeadh sé sind on bhás & a esérghe
do chum go gcosnadh sé an bheatha shuthain
dúinn: ach maille ris sin an gcen aithneocham a-
bheth ag aitreabh jondaoind, & ar mbethne ce-
angailte riosan les an ghné aonachta sin, & com-

N 2                                           aind

aind le bfuilid na buill ag leanmhuin, & abhf-
astodh re gceand, jondas go bfuilmid inar lucht
parta auile mhaitheason le tioghlachadh na ha-
onacht.

DOMHACHN. 52.

346. A *Né gurab trés an tsuiper d'én chuid*
  *atamaid ag faghail an chomaonighese*

Ni headh cheana: oir ata Criost fos arna ch-
omhaoineochadh rind (le testis Phòil) trés an
Seoisgel: & is cneasta ata Pól aga theagasg so an
tan chluindeam ar mbeth fein inar gcnaimh da ch-
namhaibh, & inar bfeoil da fheoil gurab esean an'-
taran béo t'anaic anuas do bhárr nimhe do bhea-
thugaadh ar nanmand; gurab áon sind maille ris
amhail is áon esan ris an'athair & agcosmhaileas so

347. *Creud ghébham do bhárr as an tsacra-*
*ment, no creud an tuilleadh tarbha ata se do thabh-*
*airt chugaind?*

Ag so fein, umaro, an mhéd go comhdhaingni-
thear, & go médaighear dhúinn an comaoinea-
ochadhsa adubhras: oir ge ata Criost arna tha-
bhairt dhuínn isin tsoisgel, & isin mbaisteadh ma-
raon, gidheadh ni ghabhmaid go huilidhe é,
acht a gcuid amhain.

348. *Maseadh creud ata agind a Symbol no*
*agcomhairtha an arain?*

Corp Chriost amhail tugadh én vair an jo-
bajrt é dar síothchainachadh re Dia gurab amh-
laidh sin anois ata se arna thoirbhert dhuínn ma-
raon, do chum go mbiadh adherbhfios againd
gurab rind bheanas an tsiothchain.

349. Creud

349. *Creud ata agcomharrdha no a Symbol an fhiona?*

Ata: amhail do dhoirt Criost én vair afhuil fein a n'dioluidheacht an bpeacadh, & a luach ar gceandaigh, & ar saortha: gurab amhlaidh sin anois ata se aga shíneadh, & aga tabhairt dhuínn re hibhe, do chum go mothaigheam an toradh dhligheas rochtain chugaind di.

350. *Do rer na bfreagradhsa ata agad, ata suiper naomhtha an tighearna ag'ar gcur arís do chum abháis, jondas go mbiadh comaoineochadh a bhríogha againd?*

Ata choighche: oir do chriochnaigheadh an'én jodhbairt shuthain andsin, neoch budh lór, & do fhoghain d'ar slanughadh; vime sin ni fhuil maoin d'suigheal, ach sind da mhealadh & da shealbhughadh.

351. *Maseadh ni do chum na críchese do hordaigheadh an tsuiper, aghon, do thoirbhert cuirp a mhec fein do Dhia athair?*

Ni headh jdir: oir is aige fein ata an urraimse, os sagart suthain é, & is se so ataid afhocail fein do fhuaidhmughadh, an tan ader sé, gabhaidh, & ithaidh: oir ni fhuil sé ag tabhairtaithne and sin corp a mbec fein do thabhairt an'iodhbairt dó, ach sind da ithe, & da chaitheamh amhain.

## Domh. 53.

352. CReud fa bhfuilmid agnáthughadh dá chomharrdha?

Do chuidigh an tighearna ar nanmfainde

and

an sin, do chum go dteagaisgeadh sé sind ni
budh soillere; abheth fein ni he amhain jna bh-
iadh d'ar nanmandibh, ach maille ris sin ina dh-
igh, deagla go siream én chuid don bheathaidh
Spioradalta an'aít ele, acht andson amhain.

353. *And dlighid an'vile agcothrum an-*
*gnathughah araon gan edirbhreatheamhnas?*

Is amhlaidh sin ader aithne Chriost, ó dtul
égcoir aidherb do thabhairt ar maoin do bhr-
eth vaithe ar mhodh ar bioth.

354. *An bhfuil againd, acht comharrdha*
*na dtioglacadh sin adhubhras isin tsuiper d'énchuid,*
*jna bhfuilid na tioghlaice fein arna dtabhairt dhu-*
*inn da riribh?*

Os sé ar dtigearna Criost an fhírinde fein, ni
hinghabhtha amharus go gaoimhlionfaidh sé na
geallta tug sé dhuínn and sin; ar sin ni hamhair-
seach lium amhail ata sé ag fiadhnaisiughadh le
foclaibh, & le comarrdhaibh go ndén se lucht
comhparta dhíne ar a shubstaint fein, jondas go
gcomhfhásam maille ris an'én bheathaidh.

355. *Achd, ciondas is fhedir so do dhénamh,*
*ar mbeth do chorp* CHRIOST *tar neamh, & sin-*
*de fós ar talmhain ar d'eoraigheacht?*

Ata se aga dhenamhso le bríogh jongantaigh,
mhiorbhuiligh, shécredigh a Spiorade fein, da
nach deacair na nech ata anjonadaibh fad ó ché-
le do chur abfhochair a chéle.

356. *Maseadh ni hiomhaigheand tú an corp*
*do bheth jata isin aran no an fhuil isin cupa.*

Nj jmhaigheam choighche, acht is mó th-
uigim

uigim mar so, jondas go selbheocham firinde na
comharrdha, gurab égin ar nindtinde do thog-
bhail an'aird ar neamh, amball abfhuil Criost an-
gloir athar, & jna shlánaightheoir: & aderim
gurab égcoir, & gurab diomhaoin do jarrthar
é isna duílibh talmhaidhese.

357. *Do chum go gcruindeacham ani adubh-
ras ata tu dearbhadh da ní do bheth isin tsuip-
er; agon, aran, & fion, neoc do chiotar les na su-
ilibh, greamaighthear les na lamhaibh, blaistear
les an mbeul, ina dhiaidh sin Criost le mbeath-
aighear ar nanmanda don taobh stigh (amlaidh
marbhvdheadh) le beathaidh chorportha fein?*

Is fior sin, & is jontuicthe so go soich sin
go bfuil eserghe arna dearbhadh dhuínn and sin, ar
bfaghail ornise duínn mar bhudheadh go bfuilid,
fein ag faghail chomhaoinighe do chomharrdha
na beathadh.

Domh. 54.

358. C*Reud bhias jna thoradh direach
laghamhaile don tsacramentse?*

Mac samhla anech ata Pòl do dhefiniughadh,
& dfoill siughadh; aghon, duine da chésnughadh,
& da dhearbhadh fein suil téd chuice.

359. *Creudrandsaigheas se isin dearbhadh sin?*
An bfuil sé jna bhall fhirinneach do Chriost.

360. *Creud iad na hargumente le dtig se
se go fios aneach sin?*

Da raibhe aithridhe, & credeamh firindea-
ch aige: da raibhe gáol achomharson aige le
chroidhe: da raibhe jnntinn ghlan aige O gach
uile

vile fhuath, & droch thoil.

361. *An bfuil tu diarraidh isin dnjne cre-*
*deamh, & grádh foirfe?*

Is jomchubhaidh go demhin ambeth araon fa-
llan jomshlan O gach vile chelg, acht is dio-
mhaoin jarrthar foirfeacht coimhcheart is nach
fedfaide ní ar bioth dhiarraidh: an méd nach
bfedir anoiread sin dfaghail feast vadh nduine:
ar an adhbhar sin do budh diomhaoin do bhi-
adh an Sacrament arna hordughadh, muna bhe-
th neoch ar bioth re ghabhail, ach duine foirfe.

362. *Maseadh nj bfuil a neamhfoirfeacht*
*ata fos jondaind agar mbacadh do dhul?*

Acht is mo is inghabhtha; dá mbeam vile
foirfe, nach, biadh gnathughadh no tabhacht
ar bioth ag an tsuiper inar measg, neoch do dh-
ligheadh abheth ina cuidiughadh d'ar neamh-
fhoirfeachtne.

363. *Ané nach bfuil crióch ele ordaighthe*
*ag an Tsacramentse do bharr?*

Is comhairdha, & is suaigheantus mur bhu-
dheadh ar n'admhala maraon jad: oir atamaid
agadmhail ar gcredimh abfochair dhaoine ele:
& atamaid ag fiadnaisiughadh aon chomhthoil
chredimhe do bheth againd agcriost.

364. *Da dteagmhadh den neóch tarcaisne*
*do dhenamh fa gclea'chtadh, creud is indeanta ina*
*dtimchiol?*

Do bin' bhreathnaighthe so go tuilltenach a-
bheth cám lùbach ag sénadh Chriost a bfirinde
antí ata mar sin do bhriogh nach fiu les é fen

da-

d'admhail abheth na Criostaighe, is nemdhiong-
mhlata é re aireamh ameasg na gcriostaigheadh.

365. *Ané gurab lór angabhail én vair amh-
ain rer nvile bheathaidh.*

Is lór gan amharus én bhaisteadh, jondas gur-
ab nemhcheadaigheach a jarraidh, no dhenamh
arís, acht is contrairdha do sin modh an tsuiper.

366. *Creud é an teadardheallughadh ata e-
atorra?*

Ag so é; ata an tigearna ag'ar ngabhail jnar
macaibh ochta & agar mbreth isteach jna ea-
glais fein trés an mbaisteadh, jondas mbimis
aige ó sin amach nar lucht tighe, tarés ar ng-
abhala dó ina bhuidhin: ata se ag fiadhnaisiu-
ghadh gnath chúraim do bheth aige adtimchiol
ar noileamhna trés an tsuiper.

### DOMHNACH. 55.

367. A *Né go mbeanann freasdal an bha-
istigh, & antsuipar ris anuile go*
coitchiond?

Ni beanann feast: acht is les na daoinibh da
dtuca aithne dhenamh teagaisg go coitchiond na
cotcha sin go hairide: oir ataid na nechese ar a
gceangla a bfochair chéle do ghnáth an'eaglaise
do bhuachaileacht, no do sherbhisiughadh le
teagasg an tslunaighe, & an tsacramenteadh do
fhreasdal.

368. *Bfedar leat a'níse do dhearbhadh dh-
amh le fiadhnaise an Scrioptur?*

Do thug Criosd aithne da Apstolaibh do dh-
enamh baisd, ag tabhairt an tsuiper, amach; do

iarr-

iarr se oraind a esiomlair do leanmhuin, & ad-
erid na Suighscel ar mbeth dó aga roind, go de-
arna sé fein oific Ministir choitchiond.

369 *Ane go n'dlighid na buachaileadha rer*
*taobhadh an feadhmantasa ann gach aon ait, &*
*gan togh do legean chuice?*

Méd bheanas ris an mbaisteadh, do bhriogh
nach dtabharthar aniuh é, ach do chloind bhig, ni
bfuil eadardhealughadh and: acht is jn bhethe
don Ministir faicilleach isin tsuiper; gan, a síne-
adh do neoch, is follus do abheth nemhdhiong-
mhalta.

370. *Creud vime sin?*

Do bhriogh nach dentaoj é abfégmhais scan-
daile, & tsalchair na Sacramente.

*Ane nach budh dhiongmhalta le Criost Iudas*
*ar gcomhaoineochasa ar mbeth nemhdhiongmha-*
*lta dhó?*

Admhuim ar mbeth da ajngidheacht folaigh-
each fos: oir gen go raibhe si an'ainmhfios do
Chriost, ni tanaic si asoillse, & abfios daoine.

371. *Maseadh creud do nithear ris na cea-*
*lgoraibh?*

Ni fedand an buachaile agcur t'ar anais, mar
dhaoine nemhdhiongmhalta, ach dlighidh sé síne-
adh do chur jonta, no go bsoillsigheadh Dia anolc
jondas gomadh follus do daoinibh é.

372. *Creud mas aithnidh dó fein, jno ma do*
*ghébhadh se rabhadh neoch do bheth nemhdhiong-*
*mhalta?*

Ni lór sin go demhin da gcur ar gcúl on gco-
mhao-

mhaoineochasa, muna tig fios; & tuigse laghamh-
ail, & breatheamhnas na Heaglaise maille ris.

373. *Maseadh is égin ordughadh daingean
guibhernorachta do bheth is na Heaglaisibh?*

Is fírindeach sin: oir nj fédir ar modh ele am-
bheth modhamhail deaghbhésach, no arna sui-
dhiughadh go laghamhail: & is se so an modh;
foirfidh no seanora do togha, do bheradh brea-
theamhnas ar deaghbhésaibh, & ar mjbhésaibh,
& do dhenadh coimhed, & gnáth fhaire fa scan-
dailibh do sheachna, & an lion is aithnidh doibh
gan a mbeth aibel jomchubhaidh do ghabhail
an tsuiper ar módh ar bioth; & nach mo fédir
a ngabhail chnice muna salchar an Tsacrament, jad
sin do thelgean amach on gcomaoineochadh, fínit.

Don rígh shuthain, nemhthruailligheach,
    neamhfhaicsinach, do DHIA ghlic
        amhain, onoir, agas glóir go
            saoghal na saoghal, biodh
                amhlaid. 1. TIM.
                    1. 17.


        I        W



            P

                            VR-

VRRNAIDHTHE.

## *ROIMH TSEARMOIN.*

A DHE bhiothbhuain & a Athair is mó trócaire, atamaoid aga admhail, & ga thuigsin and so abfiadhnuise do chumhachtadh diadhasa, go bfuil maoid vilé, & gach aon dînd leath ar leath inar peacthachaibh truagha anbfanda arar ngeineamhain, & ar ar mbreith, & arar noileamhain, & ar ar naltrum apeacadh, & anainméin, & anurchoid, & anaingidheacht, & anolc imharcach. Oír atá anfheoil, & na cuirp, & toil na gcorp ré cheilé ag troid & ag teand chathughadh anadhaidh ar nanmand, & ar Spiorad do ghnath, & tig da bhridh sin duínd, bheith ag briseadh, & ag buan rébadh haitheantadh naomhtha neamh fhallfasa, & do thoile diadha in gach vair, & ingach aimsir da dtig dhúind, & da reir sin ag tuilleadh bháis, & dhamnaidh dhúind do reir do cheirt bhreitheamhnuisse damadh ceirt bhreitheamhnus bhudhail leat do dhenamh oraind. Gidheadh a Athair neamhtha an mhéid, & go bfuilmaoid diumbach dhind fein anois ar son na peacadh do rindeamar go ro vathmhur anadhaidh do thoilese. Atamaoid ag denamh aithreachais, & aithridhe neimh chealgaidhe jondta sin anois do rér do thoilese Athighearna, & a atamaoid go lánumhal agad ghuidhese anainm, & anonoir do Mhic inmhuin Iosa Criosd do thrócaire & do thromghrása do dheonachadh dhuind. Agas do
Spiorad

Spiorad naomhtha do neartughadh, & do mhe-
dughadh indaind, & ar nuile pheacadh do mhai-
theamh dhuind. Iondas ar dtuigsin duind ar lo-
cht, & ar lán vrchoide, & ar ndroch ghniomh-
artha ó iochtar, & ó inmheadhon ar gcroidhe-
adh go bfedmaoid ó so suás ar dtoile pheacth-
acha do mharbhadh, & do mhór mhuchadh, &
ni he sin amhain acht deagh oibrighthe do dhe-
namh jna naít, & ina nionadh go himchubhaidh,
mar is fearr tig red thoil mhoir bheandaidhese, &
ni har son mhairheas ar noibrightheagh fein sin
an la bhudh fhearr iád, acht ar son thuillteanais,
& thróm vmhla, & páise, & peandaide do Mhic
mhorchumhachtaidhse Iosa Criosd ar naon slan-
uightheoir, neoch tugabhairse mar ofrael, & mar
iodhbairt ar sgath peacaidh na ndaoine: & atá
adheirbhfhois againd nach diultand tú dhuind
fa en ní da niarrmuid ort anainm, & anonoir an
Mhic sin, & atá do Spiorad naomhtha aga dhe
arbhadh dhuind inar gcoinsiansuibh gurab tú ar
Nathair trén trocuireach, & go bfnil an mhé-
idsin do ghradh agad oraind do chland ar son
Iosa Criosd nach eidir lé hénni do ghrása na-
omhthasa, & do chaibhneas aithreamhail do
tharraing vaind. Duitsé vimé sin a Athair nea-
mhdha neart chumhachtaidh maille ris an Mac
mormiorbhuíleach, & ris an Spiorad neimh
meirbh naomh biodh gach vile onoir, & ard
ghloir anois, & tré bioth fior.
    BIODH AMHLAIDH.

                       OR-

*vair dá dtoigeora tú aradha.*

ONoir & adhmoladh, glóir, & gnathbh-
uidheachas duitse a Thighearna, & a
Dhé na nuile chumhacht, & a Athair
neamhdha, neamhmeasarrdha, ar son thuile th-
rocaire, & do chaibhneas charrthanáigh, do no-
chtas, & do shoillsidhis oraind, mar do dheo-
naidh do mhaitheas grásamhail, led thoil thro-
cairigh fein, sinde do thogha do chum ar slá-
nuighe, roimh thosach an tsaoghail, & aleithed
oile sin do bhuidheachas duit, ar son ar gcru-
thaidhe, do réir cosmhulachta fhioghrach fein,
& ar son ar saortha lé fuil fhiornaomhtha do
Mhic mhorghrádhaidh fein, sa nám arabhamur
damanta go huilidhe, & ar son gur bheandaidh
thú sind, led Spiorad naomhtha, abfoillsiughadh,
& a dtuigsin do bhriathar mbithbhuansa, & ar
son cuidighe, & chumhanta lind, nar nuile fhe-
idhm, & riachtanasaleas, & ar son ar bfuasglaidh
ó gach vile chuntabhairt chuirp & anma, &
ar son ar gcomhfhurtachta go cairdeamhail, nar
nuile amhgharaibh, & ar son ar bfulaing abfad
daimsir gan dioghaltus ar peacadh do dhenamh
oraind. Acht ag tabhairt aimsire fada rè hai-
thrighe dhuínn. Agas mar thuigmaod a Ath-
air is mó trócaire, na tioghluicese adubhramar,
dfaghail duínn od mhaitheassa amháin, mar an
gcedna atámaoid gudghuidhe anainm do Mhic
inmhuin Iosa Criosd, do Spiorad naomhtha fein
do dheonachadh dhúin, as go madh edir lind
do ghnáth, bheith ag tabhairt bhuidheachais

duiste

duitse, ag sior leanmhuin na firinde, & ag fagh-
hail comhfhurtachta vaitse, nar nuile dhoghru-
indibh, & dhocamhlaibh, a Thighearna daingn-
idh ar gcreideamh, & fadoidh e nisa mó, adte-
as, & angrádh mar dhlighmaoid duitse, & dar gc-
omharsandaibh, na fuluing duínn a Athair ghrádh-
aidh, do bhriathra do dhul ní asiá dhuínn indi o-
mhaoines. Acht deonaidh dhuínn do ghnáth, co-
mhfhurtacht do ghrás, & do Spiorad naomhtha.
Iondas go bfedmaoid adhragh dod hainm nao-
mhthasa, ler gcroidheadhaibh, & ler mbria
bith, & ler ngiòmharthaibh. Médaidh fein a Thi-
ghearna, & cuir aleithe do Ríghacht, & do ch-
umhachta, jondas go bfédaimne bheith lán no di-
olta dod dheagh thoilse, gidhbé ar bith ní do dh-
eonuidhis dhuínn, a Athair ghrádhaidh na lég
oraind uireasbhuidh na neitheand, nach bfédma-
oid theacht na bfégmhuis, do dhénamh do tseir-
bhise. Acht beandaidhfe sind, & oibridhe ar lámh
ré chéile, iondas go mbiadh ar riachtanas aleas
againd, gan ar néire do bheith ar chách, acht go
madh mó bhiam in chuidighe léo, déna trócraire
oraind a Thighearna, & ar ar nuile lochtaibh. Agas
ar bfaicsin gurab mór na fiocha, do mhaith thusa
dhuínn ar son Iosa Criosd, tabhair oraind an mh-
éidsin do bharr gráidh do thabhairt duitse, & dar
gcomharsandaibh, bí fein againd ad tathair, &
ad cheand feadhna & ad tfear dídin, congaibh agad
sind ad láimh throcairidh, anám ar nuile bhuai-
dhearrtha, dar saoradh óna huile vrchoidibh, &
do chrichnudhadh ar mbeathadh, a numhla, & a-

nonorudh hanma naomhthasa, tríd Iosa Criosd ar
Dtighearna & ar naon slanuighthoir. Amen.

A Thigearna go madh gnáth dhidean duínn,
do lámh chumdhachtachsa; & do sgiáth dhióna
ar ar sgáth, agas gomadh slanughadh duínn do
thrócaire, agas do chaibhneas an Iosa Chriosd,
do Mhac carrthanach, & gomadh lán teagasg
dhúinn do bhriathra naomthasa, agas go madh
comhtsólas & comfhurtacht dúinn, do ghrása-
sa, & do Sbioradnaomhtha, go deireadh & and-
eireadh ar mbeathadh go himlán, &c.

A Dhe na nuile chumhacht atamaoid go tedargh
uidhe, go ma toil leat foirfidheacht, & buai-
ne, & daingne do thabhairt dúinn ad chreideamh
bheodha, aga mhedughadh jondaind gach hénla,
no go bfasam go lántomhas ar nuile cheart, &
fhoirfidheachta an Iosa Chriost re ndenam ar bfa-
isidigh ag radha na mbriatharsa. Creidim, &c.

DIA an Thighearna dar mbeandachiabh; & dar
gcoimhed: Diá an Tighearna dfoillseachadh,
& do thaisbenadh tsoillse agnuise féin duind & do
dhenamh trocaire oraind, Día an tighearna dio-
mpodh a ghnuise gradhaighe chugaind, do dhe-
onachadh atsiothchuinhe fein dúind.

GRadh DE Athar vile chumhachtaigh, & gra-
sa, & trocaire ar Dtighearna Iosa Criosd, co-
maoineachadh, & comhfhurtacht an Sbioradh na-
omh, do bheith do gnáth maille rind go hìmlan.

BIODH AMHLUIDH.

FINID.

# NOTES

A collection of the principal mistakes in the first three sections of the text, omitting points of accentuation, initial lenition, and the simpler word divisions, may assist the reader in becoming accustomed to the state of the original. Points commented on in the Notes below are passed over. The question-mark which is mechanically affixed to every speech assigned to the *maighister* should certainly be omitted in 15a, 16a, 18a, and 21a; possibly too in 5a, 14a, 20a and 24a where there is no interrogative element present though the intonation may have been that of a question.

Title: comhagalluidh edar an Maighister.

1 a 1: áridhe; 2 a: an t-adhbhar; 2 b 2: shuidhigh; 2 b 3: go nglórfuighthe; 2 b 5: a ghlóire-son; 3 a: don duine; 4 b 3: neamhrésúnta; 7 b 1: mhuinighin; 7 b 2: dícheall; 7 b 5: iarruidh; 8 a 1: iomfhosglaidh; 8 b 2: i nDia; 9 a 1: bheith; 9 b 2: maith; 10 a: nach; 11 b 1: fiú; 12 b 1: shuidhiughadh; 13 b 2: a gCríosd; 13 b 3: dtaobh; 16 b 3: dTighearna-ne; 16 b 4: neoch; 16 b 14: cholla; 17 a 1: Do chum go dtuig-fighthe; 18 b 1: Athair; 18 b 7: na ndortadh; 19 a 3: naomh; 22 b 1: de; 22 b 2: a ghliocas-son; 22 b 3: tús gach uile aimsir; 24 a 3: a lámh; 24 a 5: dhecrit.

Page 1: this title, which strictly speaking refers only to the first section of the catechism (De Fide), is made to serve as a title-page to the whole work. The title-page of the first English edition (Geneva, 1556) reads 'The Catechisme or manner to teache children the Christian religion, wherein the Minister demandeth the question, and the childe maketh answere. Made by the excellent Doctor and Pastor in Christes Church, Iohn Caluin', and this is repeated in the first Edinburgh edition (1564). The title of this first section is 'Of the Articles of faithe' (1556), 'Of the articles of the faith' (1564). The Gaelic conveys the sense of both titles but omits all reference to authorship. Its wording 'a dialogue between the master and the pupil, that is, the Minister of the Gospel and the child' is not exactly paralleled in any other version.

*Domhnach*: written correctly and in full here and in eight other instances. Very often the *-h* is omitted (19 times), once the *-n-* is misplaced (p. 100), but most frequently the word is abbreviated to *domh*. (24 times) or *dom*. (twice).

1 a 1 *no phriondsipalta*: the lenition is probably not induced by *no*, but follows from the preceding nom. fem. sg. noun. For a similar parallel lenition continued after *agas* cf. 8 b 2, 27 b 13, 82 a 5.

1 b 2 *ar andia sin*: the expression of nasalisation after *-n* is ambiguous unless the word division is carefully observed, and it is uncertain whether *ar an nDia* or *ar an Dia* is intended here. The usage of the text favours the latter, with lenition prevented by the homorganic consonants; cf. 22 b 4, 62 b 2, 123 b 3.

2 a 1 *fa nâbrann*: note *-nn* here and in *ionnainn* 2 b 3, *sinne* 2 b 4, *saoilinn* 4 a 1, *sinn* 7 b 2, where the usage of the text is *-nd*. *Duinn* and *dinn* are regularly excepted, but other *-nn* spellings are rare. Cf. 207 a 1, 279 a 1, 337 b 6, 357 b 2, 360 b 3, 367 a 1.

2 b 2 *san*: the usual form is *isin*: *san* occurs only here and in 20 a 3. The modern *insa* 8 a 3, *and sa* 16 b 12, 217 a 2, is equally rare.

4 b 1 *Bhrigh*: cf. 66 b 1, for *do bhrigh*; the full form occurs at 369 b 1, 370 b 1. For a similar loss of the unstressed first element in such phrases cf. *measg* 15 b 6, *dtimichiol* 229 b 10.

4 b 3 *brúdeamhla*: the adj. after a gen. pl. noun is often nasalised, as 48 b 5, 227 a 2, but not invariably, as 93 b 1.

5 a 2 *gan dteachd adtír*: 'not to live'; the nasalisation after *gan* is exceptional, but cf. 97 b 5. The usage of the text is that it should lenite, e.g. 50 b 6, 116 a 3, 160 b 3, 224 a 6, except *t-* 56 a 1, and *d-* 309 b 4, but nas. of *t, d* is now not uncommon. On the phrase *teachd a dtír* see *Desiderius* glossary s.v. *tír*, and the reference there to *Gadelica* i 64, 301.

7 b 2 Read, *má ní sinn dicheall and a serbhis do thabhairt dó inar n-uile bheathaidh*, 'si illum tota vita colere studeamus'.

Cf. *an tan do ni'd dicheal ina ndearbhadh fén* 115 a 3 'cum approbare se student'. See note on 15 b 2 to which *and a* here should be added.

7 b 7 When a single expression of the original (here 'si agnoscamus') is duplicated *agas* is regularly inserted unless the two are adjectives when asyndeton is preferred. Insert *&* before *ma aidmhighim*.

11 b 2 *ina*: so here only, sometimes *ino* 84 a 3 etc. for *nó* 'or'. The *i-* is unetymological and is presumably introduced on the analogy of *ina* beside *'na* 'in his, her', and *ina* beside *na* 'than', in both of which the *i-* is justified as an archaism. The normal form in the text is *no*.

13 a 1 *biond*: an isolated form here, indicative conjunct of the substantive verb and apparently habitual present.

14 a 1 *tossach na muinigin is jonchurtha*: 'fiduciae collocandae fundamentum'; this is the translator's favourite construction for rendering the Latin gerundive of necessity.

15 b 2 *ann'a foirm na h'admhail*: the modern reduplicated form of the preposition *ann an* 'in' appears only here and in *and an-dia* 21 b 1. The exceptional gen. *admhail* for *admhala* 142 b 5, 179 b 4, is probably repeated from the preceding line.

15 b 4 *gaoridhe daoine*: final *-e* is occasionally added superfluously by the printer in imitation of English usage where it was employed as a device for justifying lines. It is uncertain whether we should correct to *goirid* (pl.) or *goiridh* (sg.), the former of which is the usage of the text and period, the latter the modern idiom, probably even then established in Scotland as in Man.

15 b 4 *Symbôl no caismeart*: *symbol* from Greek (through Latin) *symbolon* 'sign, signal, token'; it is this sense rather than that of 'creed' which is rendered by *caismeart*, for which cf. Contr. s.v. *caismert*.

15 b 5, 7 *neoch a ghabhadh*: 'which was taken'; the Latin 'quod excepta (recepta) fuerit' however means 'because it was taken' and is so understood in the English version. The reduction of *do*, with whatever function, to *a* is fairly common, as 1 b 1, 15 b 6; in 7 b 2, b 6, 14 a 2, 15 b 8, it seems to have been elided or absorbed in an adjoining vowel.

16 b 2 *chruithaighthéoir nejmhe*: better *cruthaightheoir nimhe* 21 b 2. For the gen. *neimhe* cf. Carswell 71.

16 b 3 *a éunmhacsan*: *éu* for *é* before a non-palatal consonant is not common; it is normal in *béul*, but otherwise exceptional, as *meud* 212 b 6, and some imperative forms, 217 b passim, ? 320 a 4.

16 b 5 *an fpháis*: otiose for *an pháis*; similarly with *Puinge Pioláid*.

16 b 6 *do crochadh, do céusadh*: the only occasion in translating the Creed on which the author has allowed his love of synonyms to intrude. Carswell has *do cesadh*, the Shorter Catechism *do chesadh*.

16 b 10 *Athair*: the modern nom. of apposition, instead of the older gen. *Athar* in apposition to *Dé*. Contrast 80 a 2.

16 b 11 *breith*: dittography of the preceding word; correctly *do bhreth brethe* 83 b 1. Similarly Carswell 71.14.

16 b 12 *a Neaglais*: better *an eaglais*, for in these phrases co-ordinate with *and sa Spiorad* no attempt is made to keep up the construction with *isin eaglais . . . a gcumand . . . a maitheamhnas*, and *an bheatha mharthanach* is unambiguously nominative. Similarly in Carswell.

17 a 2 *roindeamar*: 'dividemus' future, but the translator seems to have misread the perfect 'divisimus'.

18 a 1 *Dom*. 3 seems an afterthought; in the Latin and English versions it precedes section 17.

18 b 5 *an Spioraid*: an isolated gen. sg. form; the gen. is elsewhere always like the nom.

18 b 6 *na h'eaglais*: cf. *na heaglajsi* (with exceptional *-i* for *-e*) 15 b 6; the gen. termination may be elided before *agas*, but probably this is an early example of the modern tendency not to increase any but monosyllabic nouns in the gen.

19 b 6 *ar na dhórtadh*: referring to *nert* (m.) and *bridh* (f.), unless the latter is exceptionally masc. here as in *T.Sh.* 184.

19 b 7 *as an'uile ní*: 'per omnia', for *isin* or *san uile ní*.

22 b 5 *cruindeochaidh sind*: 'colligimus' present, whereas the Gaelic is certainly future in form. Although the *-eo*-future undoubtedly does occur with future meaning, the ending *-eochadh* occurs so often in the verb-noun (e.g. *foillseochadh* 39 b 5, 95 a 9, 183 b 5, 268 b 2, 300 b 12,

*soillseochadh* 44 b 3, 91 b 4, 113 b 9, *daingneochadh* 266 b 12, 320 a 3, 339 a 7, *selbheochadh* 280 b 8, *tarcaisneochadh* 308 b 6, *cruindeochadh* 337 a 1) that it can hardly be doubted that this is simply a way of writing the modern -(*e*)*achadh*, which on the Manx evidence was already the normal ending in East Gaelic by this date. An example similar to the present one is *aithneochum* 329 b 1 'sentio' where the future meaning is inappropriate. The -*achadh* ending does occur, in addition to *beandachadh* and *mallachadh* where -*ch*- is Irish also, in *siothchanachadh* 51 b 4, 348 b 2 beside *siothchanughadh* 38 b 3. The analytic form of the verb in the first pers. pl. is noteworthy; cf. 292 b 5.

23 a 1 *ainm vile chumhachtaigh*: gen. of apposition, the name being *uile-chumhachtach*. Similarly *focal na heaglaise* 97 a 1, and other phrases 102 a 1, 152 a 1, 186 a 1. Note that only the final term is gen., *ainm* remaining nom. This is not usual, e.g. 53 b 3, 87 b 2, 129 a 3. For gen. *anma* cf. 56 a 2.

23 b 4 *a guibhernoracht*: for *ag g.*; the preposition is normally written as *a* before *c*- and *g*- (but cf. 7 b 3), and occasionally omitted altogether even before other consonants.

26 a 2 *do bhair*: the misreading of -*rr* as -*ir* is frequent.

27 b 9 *go bfuilid an'uile*: constructio ad sensum, *an uile* 'everything', 'omnia' being grammatically singular but notionally plural, and so taking a plural verb.

27 b 9-12 The translator has recast the sentences here and omitted the italicised portion: 'Praetera, cum sic omnia sub manu habeat, inde etiam conficitur (*leanfaidh fos & criochnochar dhe sin*, apparently future), summum esse moderatorem *omnium ac Dominum. Itaque, ex quo creator est* caeli ac terrae, intellegere convenit . . .'. The sense requires the insertion of *agas* before *is intuicte*.

27 b 13 *le mhaitheas neart & ghliocas*: 'sapientia bonitate potentia'; the French and English versions have the same order as the Gaelic here, but cf. 346 b 4-5 where the Gaelic seems to be alone in inverting the order.

28 a 2 *creud breathnaigheand*: 'quid sentiemus'; in view of the tense it is probably best to insert *tu* as the missing pronoun, and assume the translator intended, 'What dost thou think? Shall we say . . .?'

L *

32 b The first part of this reply, which explains that Latin has no exact equivalent of Greek σωτήρ is omitted in the non-Latin versions, and only the final sentence is rendered in full as here.

34 b 3 *jna Phaith*: the word *fáith* is so spelt throughout the text, presumably under the influence of *propheta*; similarly with Manx *phadéyr* (*fáitheadóir*).

36 b 1 *mhecsamhla*: 'the like of which', i.e. *a mhacsamhla*, cf. 4 b 1 note; if the lenition is not a misprint then presumably the phrase had become petrified in the form with masc. gen. pronoun, quite inappropriate here as *ola* is fem., cf. 137 b 1. In 358 b 1, however, we have *mac samhla*.

38 b 3 *grasa & fobhair*: 'gratiam'; 'grace and favour' is however, the French and English rendering.

39 b 3 *a measg daoine*: the gen. pl. here is unlenited, as often, but lenition occurs in 192 b 5, 267 b 3, 268 b 3, as well as in other similar phrases, e.g. 333 b 9, 180 b 3, 54 a 2, 116 a 2.

39 b 5 *foillseochadh*: cf. note on 22 b 5.

39 b 6 *do chum na críche úd . . . go gcuirfeadh se*: 'in eum finem ut poneret'; *cuirfeadh* is conditional (secondary future) where we might expect past subjunctive *cuireadh*, but the two tenses are not kept fully distinct at this period. Cf. *Desiderius* 257-9. Insofar as -*f*- was already silent in the future and conditional there would normally be no difference between these tenses and the present and imperfect or past subjunctive.

41 b 4 *dhujnn*: the lenition of the pronominal forms of *do* and *de* is usually prevented by a preceding dental, but some examples of the contrary are found, as here. For delenition after -*n* cf. 6 b 2, 13 b 2, 22 b 1, 23 b 1, 25 b 2; after -*s* 13 a 1, 16 a 1, 18 a 1, 66 a 1, 81 a 1; after -*dh* 39 b 5, 41 b 2; after -*t* 7 b 2; after -*r* 12 b 3, 23 b 8.

41 b 5 *do theacht rinde*: 'fits us, is proper for us'.

44 a 1 *phaithedoracht*: the derivative in -*acht* here is not the abstract 'prophecy' as elsewhere, but parallel to *sagartacht* above, i.e. 'prophetship'.

46 a 3 *gurab airidhe le Dia sind vile ar an gairmse*:

similarly 137 b 9 *os airidhe les sind ar an deaghthioghlacadhsa*
'hoc autem beneficio cum nos dignatur', and here 'cum hac
quoque appellatione nos omnes dignetur Deus'. In both
cases 'since he thinks us worthy of . . .'. Cf. *Desiderius*,
s.v. *airighe* (*ar*) and O'Rahilly's note in *SGS*, ii.13-14.
The spellings here do not clearly distinguish the word from
*dirithe* 'special' and I have put them together in the glossary,
but the SG equivalents are respectively *airidh* and *àraidh*
(as well as *àraid* in *SC*).

46 b 1 *aghaind*: -*gh*- is probably only a slip for -*g*-, but it
is worth remembering that in *againd* and *chugaind* the -*g*-
does sometimes weaken and even disappear as at this date
it had already done in Manx *ain* and *huin*, and in all the
other first and second persons except *aggu*. Cf. O'Rahilly,
*Irish Dialects* 217-18.

46 b 2 *macacht ochta*: the state of being a *mac ochta*; cf.
Contr. M col. 7.19 for the latter. The sense required here,
'adoption', is apparent also in Carswell's use of the phrase,
(p. 111) and his *cland ochta* (p. 102) for the plural. The
Shorter Catechism prefers *ochdmhacachd*.

46 b 5 *neoch do coimpreadh & do gheneadh*: cf. *neoch a
ghabhadh* 15 b 5, 7, *noch do gabhadh* 16 b 4, *do crochadh do
céusadh do hadhlaictheadh* 16 b 7. The alternation between
lenition and non-lenition in this instance is typical of the
situation throughout the text. We should expect no lenition
of the impersonal preterite after *do, nír, gur*, etc. Lenition
is now the rule, and the translator seems generally to be in
agreement with it, while making occasional exceptions, and
preserving the incongruous *h*- before vowels in the same
position. Thus we have examples like *neoch amhail nar
chlaoidheadh & nar milleadh* 64 a 5 beside *jondas nar claoigh-
eadh é leo* 69 b 4, *do céusadh* 16 b 6 beside *an mhéd do chèsdadh
é* 60 a 1, *noch do gabhadh* 16 b 4 beside *do ghabhadh sind*
95 a 5, *do crochadh* 16 b 6 beside *gur chrochadh é* 60 b 2, *do
cuireadh* 62 b 1 (and often) beside *do chuireadh les* 129 b 1,
and beside the present *neoch do coimpreadh* we find *neoch do
choimhpreadh* 22 b 2. The weight of evidence is in favour of
regarding lenition as the normal usage of the text, but with
the retention of *h*- before vowels.

47 a 4 *Gratuito beneficio* is omitted after *rinde i*; add *anaisge* as in 284 a 1, b 6.

48 From this point until the beginning of the eighth section the Gaelic, following the Latin, is out of step with the French and English versions which omit 48 and place it after 54.

50 b 3 *amhail do re raigheadh*: an impersonal preterite constructed from the verbnoun *ragha*.

51 b 1 *do bseadh*: preterite equivalent of present *seadh*, for *dob eadh*.

52 b 2 *inar bhfochair fen*: 'apud nos', 'in ourselves'.

55 b 1 *nach fuilid*: the mutation varies considerably with *nach* (negative conjunctive). In the regular verbs it usually nasalises, but forms without mutation include the irregular verbs (314 b 6, 313 b 13; 24 a 4, 280 b 3, 118 a 4; 110 b 1, 104 b 1) and fairly numerous examples with *f-*. I have noted only one example of lenition, *nach fhedmaid* 262 b 5. With the substantive verb we have the radical as here in 327 b 6, lenition in 19 a 1, 105 a 2, 274 a 1, 329 a 1, and nasalisation in 76 a 2. The same uncertainty prevails with *nach* (negative relative); radical in 237 a 5, 282 a 2, lenition in 261 b 4. With other verbs this *nach* is followed by the radical as 23 b 2, 115 a 1, 202 b 2, 321 b 7, except in 227 b 9 where it nasalises.

56 a 3 *an ghuibhearnoir*: note the form of the gen. sg., and cf. *annaighbhearsoira* 73 b 5.

57 b 7 *breatheamhain*: gen. sg. with palatal ending as in the dat.; similarly in 58 b 7. In 87 b 3 the nom. is used as gen. With rare exceptions this word and the abstract formed from it always have the illogical spelling *breatheamh*, *-nas*.

57 b 9 *nimchathrach*: gen. sg. of *neamh-chathaoir* 'heavenly throne'? The Latin has 'coram caelesti tribunali'. Cf. 66 b 2.

59 a 2 *pene & peandaide*: cf. Contr. s.v. *pennait*; the etymological sense of 'penitence' seems early to have passed over into that of 'penance', and so eventually the word becomes a synonym of *pian*.

60 a 1 *an mhéd do chèsdadh é*: 'quod crucifixus fuit'; the translator does not quite catch the force of the Latin transi-

tion to another aspect of the subject, 'now as regards the fact that . . .'.

60 b 3 *agcrand*: 'in ligno', 'on a tree'; frequently used of the Cross. Cf. Oswestry (O. E. Oswaldestreo) beside the Welsh name Croesoswallt. In East Gaelic *crann* is already specialised in the sense of 'mast' or 'plough', and its place as 'tree' taken by *bile* (Manx), *craobh* (Scottish Gaelic); cf. 117 a 4.

60 b 3 *do chum ar gcursaidhne do ghabhail*: it is probable that *cursaidh* is gen. after *do chum*, but in phrases of this kind the noun is sometimes not declined, and it is possible that *-i-* belongs to the palatal suffix *-ne*. For the gen. cf. *dés ferge Dé rind do rethughudh* 71 b 3; for the intrusive *-i-*, *ar ar soindne* 77 b 9, *ar n'araine* 278 b 1, *ar gcleachtaidhne* 178 b 1 (nom.). The verbnoun may be *cursughadh* (gen. *cursaighthe*) or *cursadh*, the latter supported by Manx *kussy* (*-rs-* gives *-ss-*, as in vulgar English cuss, hoss, bust).

61 a 1 *ane nach gcuirthear*: 'an non'; the translator shows great reluctance to use *nach* as a negative interrogative particle, preferring this cumbersome 'is it that it is not'. The only examples of *nach* that I have noted are 26 a 1, 71 a 1, 250 a 6. In the same way he prefers *masé nach* for 'if it is not'.

61 b 1 *ní cuirthear*: *ní* generally lenites the initial of the verb, but there are numerous examples to the contrary, as 99 b 3, 110 b 5, 124 b 1, 125 a 1, 315 b 10.

64 a 5 *neoch amhail nar chlaoidheadh & nar milleadh*: 'qui sicut non periit'; the Gaelic treats the impersonal as a true passive and omits, perhaps only accidentally, the object pronoun *é*.

65 b 6 *les gcumhgaigheadh & comhchrepadh*: *le* as a relative preposition normally nasalises (only exception 71 b 6), but with a preterite we expect *lér* which lenites in the active (except 223 b 2), and in the impersonal prefixes *h-* to vowels (36 a 1) but also lenites (1 b 2). *Les* can hardly be a misprint for *lér* for then we should expect lenition in both verbs (or neither). It may be analogous to the other prepositions which use *an* in the relative form, i.e. *leis an*, which would certainly nasalise as do *ar an*, *as an*, *gus an* (only example

149 a 1 before *l*-), and *trés an*, and this would be in line with modern Scottish Gaelic *leis an do*.

67 b 3 *go gcoimhlionta*: 'ut impleretur'; the endings of the past subjunctive impersonal vary considerably in spelling but generally imply *-i*, e.g. *-aidhe* 247 b 3, *-aighthe* 173 b 3, *-aighe* 287 b 2, *-aoi* 90 b 4, amongst which the present *-a* is isolated. A similar variety of spellings appears in the conditional.

67 b 5 *ar son ar nasiondhracais*: the negative prefix has been generalised as *eas-* irrespective of the following vowel, and this is reduced to *as-* initially, though the preceding consonant no doubt continues to be palatalised, as in Manx *yn iaspick* beside *aspick* (easpog).

68 a 2 *do fhédfadh*: 'potuit', 'how it was possible for him to be . . .'; probably another example of conditional for imperfect indicative or subjunctive, and similarly in 69 b 2 *go n'anfadh* 'in such a way that he remained' not 'so that he might remain'.

70 a 2 *edir an phian*: the acc. is used here, but the dat. in the plural 98 b 3. *Edir* also governs the acc. in the title on p. 1, but there are insufficient examples to give a clear rule.

70 a 6 *bhear*: for *bheara*, gen. sg. of *bior* or gen. pl.

70 a 7 *jna chlaoidheamh marbhthach*: such phrases are dat. as appears more clearly from other examples, as 125 b 7, 110 b 8, 114 b 2, 184 b 4; the absence of lenition in the adjective here follows Scottish Gaelic practice which requires the article to be present. Cf. however, 104 b 7, and 359 b 1.

70 b 5 *tuitfaidh, bécfaid, lingfaidh*: all 3 pl. fut. in *-id*.

71 b 5 *gur nighe*: for *nigh*, with superfluous *-e* from the vbn. but silent as is suggested by the spellings of the impersonal conditional and past subjunctive and the past participle in the verb, and by some examples of *-igh* for *-ighe* in the adjective or vice versa as 109 b 4, 138 a 3, 201 b 2.

71 b 9 *an lamhscriobtha*: 'chirographum' rendered literally. The metaphor is from the cancelling of an indenture.

73 a 1 *haghaidh*: the usual way here of writing *th'aghaidh*; cf. 166 b 5, 6 and 217 b 4.5, .7.

73 b 4 *esérige*: cf. *trés an esérigse* 74 a 2, *brídh a esérgheson*

74 b 4; the author probably intended *esérighe* in each case, with the svarabhakti vowel which is attested for E. Gaelic at this date by Manx *irri*. Cf. *Celtica* v. 121, 123 n. 1.

74 b 5 *go naoidheacht beathadh*: the treatment of an indefinite dependent gen. as an adjective for purposes of mutation would give *bheathadh* here, but the lenited form occurs only at 182 b 4, while the radical is used here and at 96 b 4, 126 b 7, 329 b 6, 331 b 6.

75 a 1 *na fuighil*: 'reliqua'; the Welsh cognate *gweddill* suggests the spelling *fuidhill*, but the -*gh*- seems firmly rooted in Irish orthography.

77 b 4 *éntreas*: apparently fem. though the ending -*as* is usually masc. It might be that words with -*as* from Romance or English -*ance*, -*ence* would be exceptions, but *coinsias* and *peannas* do not support this, so that the lenition of *fhosgailte* is probably a misprint here and in 43 b 4.

80 a 1 *seadh n' abair tu*: 'the sense in which you say'; cf. 23 a 1, b 1, where the preposition is *le* or *as*. If it is *a* (in) here we should expect *an abair* parallel to 117 a 1 or *ina n'abair* parallel to 92 b 2, 271 b 7.

80 b 2 *talmhain*: gen. for the more usual and correct *talmhan*, but cf. note on 57 b 7.

81 a 1 *shigneobhas*: possibly a misprint for *shigneochas*, future relative, but the question is 'quid significat?' so that we have another example of -*eoch*- for -*each*-, and the form is really present. See note on 22 b 5. I have noted -*eobh*- only in *faideobhthaoi* 187 b 2.

84 a 4 *ar bfaicsin*: 'seeing that . . .'; also 115 b 3.

84 b 3 *jar dul*: the normal form of the preposition in this text is *ar*, but apart from this example there is an outbreak of *iar* between 259 and 273. Except here it always nasalises and it therefore seems proper to correct it on this occasion although the Scottish Gaelic usage (not supported by Manx, and therefore probably quite recent) is not to mutate after *ar*.

91 a 1 'Hoc clariori expositione indiget.' To render this the Gaelic should read *miniughadh*, but instead the vbn. has been drawn into the gen. as if dependent upon *uireasbhuidh*, whereas it is actually the subject of the sentence.

91 b 9 *jonad*: regularly in this text with -*d*, but for an example of -*dh* see 233 b 7. Cf. Contr. s.v. *inad*.

92 b 1 *an ceathrugh cuid*: the ordinal numeral is usually *ceathramh* 18 b 5, 297 a 3, or *ceathrughadh* 150 b 4, 166 a 1, so that this spelling is isolated. It seems to follow that the translator at least acknowledged if he did not use a pronunciation in which -*amh*, -*ughadh*, and perhaps -*ugh*, all sounded alike, presumably -*əv* or -*ú*.

93 b 1 *na ndaoine credeamhnacha*: cf. note on 4 b 3, and contrast 48 b 5, 100 b 4, 227 a 2. In all these cases the adjective has the common plural forms, not the specifically gen. pl. -*ach*.

94 a 2 *re credeamhajn*: an isolated instance of the transference of *credeamh* to the *n*-stems, though this is a normal form in Keating. Cf. 95 a 9 *an creidimh* as nom.

95 a 1 *ata tù tuigse*: note the suppression of *ag*.

97 b 4 *trid an gcruinde*: the usual form of the preposition *tré* with the article is *trés* 64 a 6, 89 b 3, 111 b 5, etc., but there is also a tendency shown here and in 77 b 7 to use the 3 sg. masc. pron. form *trid* as a simple preposition. The same tendency, noted by O'Rahilly, *Irish Dialects* 226-27, is exemplified in Manx *tryid*.

98 b 4 *da dtug Dia*: 'which God gave'; this form of the relative, which seems to mean literally 'of that which' and thus to be parallel to Med. Welsh *o'r a*, is particularly used after antecedents qualified by terms such as 'all' and 'each'. Cf. 23 b 7, 118 a 3, 249 b 3; with *ro* it becomes *dar* 45 a 1.

99 b 4 *jno go raibhe sí*: 'until she be . . .'; for the more normal *no go* 271 b 4, Manx *naggy*. Cf. note on 11 b 2.

100 b 4 *ar comhthionol* . . . *ticthear*: 'reference is made to . . .', '. . . is meant'; cf. Manx *Quoi t'ou cheet er?*

100 b 6 *ni fhaicthear* . . . *& ni mó aithneochar*: 'nec cernitur . . . nec dignoscitur'; cf. note on 22 b 5. *Faicthear* is certainly present (fut. *faicfuithar* 63 a 1), so that in view of the Latin we must regard *aithneochar* as present also.

105 b Over the first two lines of this paragraph a cancel has been pasted and subsequently torn off leaving the left hand end of the strip still adhering. The first three letters of each line are not quite level with the rest, a gap follows

them, and below the first letter of the second line the foot
of the letter printed under the cancel can just be seen. The
error requiring correction seems to have been the omission
of *arna* before *ngearradh,* and the cancel probably crushed
the two lines to make room for it. The first word of the
second line was probably *ni,* so that the original reading
would be

> Atam choidhche: oír ge bé ar bioth jad do
> ni deallughadh ré corp Chriosd, & ata ngear-

and the correction

> Atam choidhche: oír ge bé ar bioth jad do ní
> deallughadh ré corp Chríosd, & atá arna ngear-

This is the only place in the book where a cancel has become
partly unstuck and given us a chance to see why a correction
was felt to be necessary, but the others were no doubt
inserted for similar reasons.

107 b 3 *neach is dupalta toradh & tarbha afhios*: 'cuius
cognitionis duplex est utilitas ac usus.' *Neach* is found only
here for *neoch,* to which it might be corrected.

107 b 5 *amhail deoradha*: gen. pl. or perhaps acc. pl. but
no other examples of the word occur. For the gen. after
*amhail* cf. 19 b 3, 25 b 5.

108 b 3 *do imechradar*: 'gestarunt'; cf. *do iomachair*
62 b 3 'pertulit', with svarabhakti vowel from M. Ir. vbn.
*imchor.* This is the only example in a regular verb of the
3 pl. pret. in *-adar* in this text.

108 b 3 *ar mbeth dhoibh . . . aca*: 'having'.

109 b 1 *vile aca*: rather *aca uile,* for *uile* refers to the
pronoun.

109 b 4 *imalaighe*: with superfluous *-e,* the adjective
being acc. or dat. fem. sg. of *imeallach.*

110 b 5 *da sheruontaibh fén*: the words 'service', 'servant',
being loanwords in Irish either from Romance or from
English sometimes retain their foreign spellings to the
extent of having *-u-* or *-v-* for Ir. *-bh-,* as *seruis* 235 b 2,
*servis* 234 a 3. The normal usage is with *-bh-* in all cases,
with the added local colour of a popular etymology in the

spellings *searbhfhoghantaighe* 217 b 4.6 and *searbhfoghantachd* 217 b 3, with prominence given to the emotive *searbh*.

110 b 6 *an míamhantar*: 'misfortune', 'unhappy lot'; contrast *do amhantuir* 249 a 2 'fortuito'. The latter is given in Contr. as from French, the present word not appearing. Unless the final syllable here is misprinted one would think rather of M.E. *awntyr* or some similar form with initial stress. There is no -*d*- in the English forms before the fifteenth century at the earliest. Cf. Tolkien's remarks on *auntre* as a northern word in *Trans. Phil. Soc.* 1934, p. 44; this would make it more naturally a Scottish than an Irish form.

113 b 5 *jno*: 'or', see note on 11 b 2.

113 b 13 *gealta*: 'promissiones', more normally and correctly with -*ll*-. Although the meaning is nominal the plural form seems to be that of the vbn. *gealladh* rather than that of the noun *geall*.

116 b 1 *shuidheas*: for *shnidheas*, cf. 238 b 5.

116 b 3 *ni tualaingid*, 117 a 3 *nach dtualaingeam*: cf. Contr. svv. *tualaing* (adj.) and *tuailnge* (noun); the verb formed from the latter, *tualnigidir*, however, is different in sense from the present examples to which the Contr. provide no parallel.

117 a 4 *droch craobh*: note the absence of lenition when the consonants are homorganic.

117 b 1 *da bhréaghacht*: 'however fair'; for the construction see *Desiderius* 253-4.

118 a 4 *da n'aidherhheam*: 'which we attempt', cf. note on 98 b 4; for *aidherbeam*. In modern spelling *oidhirp*, the word seems to be peculiar to Scottish Gaelic. The sense is usually 'try, attempt', but at 293 b 2 the vbn. *aidhearbadh* (sic leg.) renders 'adoriri' and in the English version 'assault'. Cf. O'Rahilly, *S.G.S.* I, 35-6.

120 a 4 add *tré chredeamh*, 'fide'.

121 a 1 add *én uair*, 'semel'.

121 a 3 *ané nach é beatha na noibrigheadh do niam aige*: 'annon illi accepta sunt opera quae . . . facimus'; *is é beatha aige* 'it pleases him', the English subject 'works' being in the gen. dependent on *beatha*. Cf. *gurab é ambeatha aige* 123 a 2

'that they please him', *ni he beatha jodhbartha ele aige* 231 b 7 'no other sacrifice pleases him', and *& gurab é ar mbeatha aige* 285 b 2 'and that we please him'.

121 b 1 *tigid ris*: 'they suit him, agree with him'; cf. note on 41 b 5.

122 b 1 *ge tigdis*: past subjunctive 'even if they were to proceed, though they proceeded' implying that they do not; since this implication is probably wrong we should expect the present *tigid*. Similarly with *nach dtigdis* 123 b 3 'that they will not come, non ventura esse', and *an mhéd nach randsaigheadh Día jád* 'quod Deus . . . exigere ipsa nolit', i.e. *an mhéd nach n-áil le Dia iad do randsughadh*. Also *go mbédis aige isin aítsin* 123 b 7 'ut eo loco habeat', followed by the present *go measand sé jád* in a parallel clause. In 123 b 8 *amhail do bhédis* 'as if they were' is quite normal.

124 a 5 *aojmhaineas*: for the more normal *aoibhneas* 107 b 2; the second syllable is either svarabhakti or an etymological spelling from the adjective *aoibhinn*, but cf. Contr. s.v. *oibne, oíbnius*.

124 b 2 *gomadh mó choindeobham*: 'potius teneamus', 'let us rather hold', an imperative parallel to 'deprecemur' which is translated *is jonghérghuidhe dhvínn*; the Gaelic looks like a future. The *-nd-* (which presumably here as usual equals *-nn-*) for *-ng-* is frequent in forms of *congbhail* in this text. There is, however, as yet no suggestion of Scottish Gaelic (and Manx) *cumail*.

126 b 4-6 *saórtha . . . fúasglaidh . . . sióthchanachadh . . . grás & neart*: all objects of *ata se do ghéalladh* and therefore necessarily genitive, but as they become more remote from the verb so the regimen weakens and the last three are nominative.

127 a 3 *ata an oireadsa . . . vaide*: an over-literal rendering of 'tantum abest'; the parallel *do bfada les* is better.

128 b 2 *gáol*: 'amor'; on this word see O'Rahilly, *Celtica* i. 365 ff. and cf. 291 b 3. The sense has developed further from the original than in the examples in Contr. s.v. 1. *gael*.

130 b 2 *thaiteonas & tig ris*: 'which pleases him'; note again the apparent pairing of future with present.

132 b 4 *an'dech n'aitheantaibh*: note the nasalisation after

*dech* (cf. dece*m*), and cf. 133 b 3 *go dech bhfoclaibh.* It is lacking in *dech aitheanta* 217 a 1. The Shorter Catechism has nasalisation in the title on p. 248, but not in the text, secs. 41-44.

132 b 1 *coimhsheasamh*: 'constat', 'con-sist'; like *comhiodhlacadh* 125 b 8, *comhjothlacadh* 123 b 6, translating 'consepelire', and *comhthioghlacadh* 284 b 5 'condonare' and a number of the other verbs with *comh-* prefixed, the prefix renders Latin *con-* or is added under its influence. Some at least of them would seem to be nonce-words.

135 b 2 *re ndaoinibh*: 'qualiter sit agendum cum hominibus'; probably after *dénamh* and certainly after *beanaidh* (the vbn. does not occur) the preposition is *ré* 'to' not *ré* 'before'. The former does not usually mutate at all (exceptions in 104 b 4, and with vbns, where it equals *r'a*), the latter nasalises; but confusion such as occurs here is not unknown elsewhere. See *T.Sh.* glossary s.vv. 3 *ré*, 4 *ré*.

136 b 2, 3 *atalamh ... ateaghas*: together with *a hadhbhar* 161 b 1, *a teach* 217 b 3, and *a comand* 282 b 6, these are the only examples of the preposition without -*s*. Otherwise it is always *as*, as in 41 b 7, 125 b 5, 192 b 5, 280 b 10, and with the article *as an*, as 41 b 7, 105 b 3, 114 a 1, 176 b 7, 183 a 2, 190 b 4, 239 a 3, 285 a 1, 347 a 1, or 3 pl. possessive 15 b 8.

136 b 3 *na serbhontadh*: 'servitutis', but the Gaelic is gen. pl. 'servorum'. Cf. 171 b 4, 180 a 2, and the other versions in 217 b 3 *na searbhfoghantachda*, and 138 a 3 *na daoirse.*

137 b 1 'Initio, quadam veluti praefatione utitur in totam legem.'

137 b 2 *an tan ainmeochas sé*: 'cum nominat'.

138 a 3 *na daoirse Egyphtigh*: for *Eghiphtighe.*

142 b 4 *asmvaineadh folaigheach*: for *na smuaineadh*; cf. note on 93 b 1.

143 b 1 *na déna grafaint*: 'non sculpes'. In the Latin all these commandments appear in the future. Gaelic prefers the more idiomatic rendering with the imperative.

143 b 3 *no n'uisgeadhaibh*: 'aut in aquis'; for *no a n'uisgeadhaibh*, or with the article *no isna hu.*, though this involves a less plausible correction.

144 a 2 *do phaiteadh*: 'pingere'; the vbn. *paiteadh* and the derivative *paiteoracht* 148 a 1 'pictura', together with the less unusual *gearrtoiracht* 148 a 2, seem to have escaped the Contr. net.

144 b 1 *dhá neth*: these 'two things' do not materialise in the Gaelic text; the Latin has 'ne quas faciamus imagines vel Dei effingendi, vel adorandi causa', but the printer seems to have jumped from *gan sind do dhénamh*, 'ne faciamus', to a second *dénamh* in *no do dhénamh feacaidh ríu*, 'vel adorandi causa.'

145 b 1 *edir an ti is Spiorad shuthain neamhchongmhalaigh*: 'inter eum qui spiritus est aeternus incomprehensibilis'; the last two words require comment. *Spiorad*, though usually masc., is sometimes fem. and must be so here if *shuthain* is rightly lenited. Despite the occurrence of *nemhthruailligheach*, *neamhfhaicsineach* at 373 b 12, 13, it would create too many difficulties to take *neamhchongmhalaigh* as an inflected form of *neamhchongmhalach* (which seems not to occur) so that it must be another case of a mis-spelt participle in *-aighthe* (cf. note on 153 b 4), though this involves some slight loss of accuracy in the rendering.

145 b 3 Add *corporrdha* after *is*: 'corpoream, corrupti-bilem, mortuamque'.

147 a 1 *agartha*: for *aghartha* (149 b 4), gen. of vbn. *aghradh*, generally so written here, but better *adhradh* (from *adorare*) as in 129 b 3, 130 b 1; *adghradh* 141 b 1 is a blend of the two.

147 b 3, 5 *jna fiaghnaise . . . leosan*: note the failure of concord at a distance, *jna f.* (fem.) referring to *iomhaigh*, but *leosan* referring to *dealbh* and *iomhaigh*, or possibly deriving from a misreading of *illic* as *illis*.

149 a 1 *gus an legfeam*: 'in quem . . . referemus'.

149 b 7 *no briongloidibh lochtaigh féolamhlá ele*: 'aliisque vitiosis et carnalibus figmentis'; the pl. adjective in *-amhla* is normal, but for *lochtaigh* we should expect *lochtacha*, not the declension like a noun.

150 b 3 *acontughadh*: for *ag contughadh* presumably, but the word does not occur elsewhere in the text. In 217 b 2.6 we have *leanmhain* in this passage.

M

150 b 5   Something seems to have been omitted here,
perhaps *geinealach, aghon, ar* which would make sense as
'unto the third and fourth generation, i.e. upon the grand-
children and great-grandchildren of those who . . .'. *Iarogh*
is not recorded in Contr., but cf. Dineen s.v. *iarua. Imfuath*
for *m'fhuath*.

151 a 1   *spionadh*: 'fortitudo'; for an etymology cf.
O'Rahilly, *SGS* ii 26. If this spelling is really gen. sg. we
should be better without *-dh* which implies a gen. in *-aidh*.
No other example occurs.

151 b 2   *seasamh*: 'make to stand, establish', a sense not
recognised in Contr., though 'maintain, defend' approaches
it. Cf. 161 b 2.

152 b 7   *coisreaca*: cf. 328 b 8; etymologically *coisreactha*,
participle of *coisreacadh*.

152 b 9   *an tan tegdis . . . do bhérdis*: *an tan* is usually
followed by the present or future relative; the past sub-
junctive and conditional here presumably indicate 'when-
ever'.

153 b 1   *eagla*: the Irish form equivalent to Scottish *eagal*
and Manx *agyl*.

153 b 4   *mallaighe*: the different spellings of this word,
*mallaidh* 201 b 2, *mallaighthe* 269 b 4, are witness to the
writer's pronunciation of these groups simply as *-aí*. Cf.
notes on 71 b 5, 138 a 3.

154 b 1   *da smuainmis . . . biaidh . . .*: 'si reputamus . . .
soluta est . . .'; past subjunctive followed by future in
Gaelic, the former with the function of a present.

155 b 1   *go dtairnge sé*: probably an example of the
present subjunctive which is very rare in this text, although
the imperfect *tairngeadh* might be identical in sound.

155 b 3   *gus an mhíle genealach*: *gus an* usually nasalises.
The Latin is simply 'erga omnes qui se diligunt', but the
French (and English) versions add 'en mille generations'.

156 b 2   *go soich sin . . . jondas go dtabhair sé*: 'to this
extent . . . that he shows . . .'; *tabhairt* here is a little vague
for 'exhibere', and the phrase is better rendered in 157 b 2
*é fein do thaisbeanadh*.

156 b 5   *a cur a necheadh . . . ar bpiseach*: 'res eorum

prosperando'; the usual form of the word is *biseach*. The translator may have thought that *ar* nasalised here, and adjusted the spelling accordingly, basing it on the Scottish variant with *p-*. A somewhat similar case is provided by *giúlan* which he regularly treats as *ciúlan*.

156 b 8 *gurab fhédir*: 'that it is possible'; the normal spelling elsewhere is *éidir*, but the semantic connection seems to have led to the silent *fh-*, with the result that the occurrences of this adjective with the copula and the impersonal present of *fédaim* are not always easy to distinguish.

157 a 1 'But it does not appear that this is always the case.' The impersonal forms of *faicsin* are sometimes used for 'seem', as with Latin 'videtur'; cf. 63 a 1, 268 b 5, and more commonly for 'seem (good) to one' as 23 b 8, 28 b 7, 62 b 6.

157 b 5 *nir cheanhgail sé . . . jondas nach bhfédadh sé*: 'he has not restricted . . . so that he is unable'; past subjunctive for present.

157 b 7 *do rér amhian*: for *a mhiana*, cf. 23 b 6. The final vowel is probably elided before *agas*.

157 b 8 *ata sé aga themperadh*: 'temperat'; not in Contr. The parallel *suidhiughadh* is not a very satisfactory alternative.

161 a 2 *mar mhionda*: 'as an oath'; cf. *miond* (nom. sg. 161 b 5), *mhíond* (gen. pl. 162 a 2). The word is usually an *o*-stem, but the form here might be explained as an anomalous gen. sg. (cf. gen. sg. after *amhail*). A form *mionna* is attested by Manx *mynney*, but its original case-form is uncertain.

161 b 4 *gnomhughadh*: 'negotium', cf. 250 a 3 *-dh-*; both spellings indicate the hiatus implied by earlier *gnougud*, and also written as *gnothughadh*. See *Desiderius* 316.

161 b 6 *tsiothchana*: one of the rare examples in this text of the practice, so common in Carswell, of indicating the lenition of *s-*, for whatever reason, by *ts-*. Cf. also 217 b 4.6, 238 b 6, 283 b 3, 370 b 2.

161 b 6 *jasachtaighe coinghiollaighe*: gen. fem. sg. 'mutuam'; both seem to give the wrong sense of 'mutuus', that of 'borrowed' or 'pledged'. *Atá ag gach uile dhuine r'a chéle* seems more appropriate.

162 a 2 *le bprofánar*: like *temperadh* above, this is a nonce-borrowing, unrecorded by Contr.

162 a 3 *loigheadaighthear*: the word is not recorded by Dineen but its currency is vouched for by Manx *leodaghey*.

162 b 7 *suil dhearnam . . . no suil do bhéram*: pres. subjunctive and future respectively. *Suil* is usually 'lest' as here, but once 'until' 176 b 7; the original meaning was 'before'. It seems not to be used in any sense in Scottish Gaelic prose, or in verse after about 1700. It does appear as *sol* in the metrical Psalter of 1694 for 'before', but this is part of the Irish colouring of that text. It also occurs in Watson's *Bàrdachd Ghàidhlig*, ll. 5008, 5123, 5572, as *seal mu*. Cf. R. A. Breatnach, *Ériu*, xvii 100 ff.

163 b 1 *mase nach smuaineam & nach laibheoram*: cf. note on 61 a 1. Both verbs are present subjunctive in the Latin, but apparently present and future indicative in the Gaelic. The pairing with an undoubted present suggests that *laibheoram* stands for *labharam*.

165 a 2 *go ndenadh sé dioghaltus*: 'se vindicaturum'; the verb might be corrected to *ndénand*.

166 b 1 *go naomhtha tú*: 2 sg. pres. subjunctive; cf. note 155 b 1.

167 a 1 *oibriughadh*, 168 a 1 *gach en tshaothar*: both are gen. sg. dependent on a vbn. Read *oibriughaidh*, or more correctly *oibrighthe*, and *tshaothair*.

169 b 1 *an mhed gurab . . .*: *an mhéd* is most frequently used as an expression for 'because, inasmuch as', but sometimes as here and in 25 b 6, 27 b 8, it means 'insofar as' and renders 'quatenus'. Cf. 191 b 3, 193 b 1.

170 a 1 *ané nach bhfuil maoin do bharr ar an tcheremonia fuithe*: 'subestne aliquid praeter caeremoniam?' Despite the spelling of *ceremonia, -ialta*, with *c*- it is evident from the mutation here that *s*- was the sound. Cf. 181 b 1.

170 b 1 *chugadh*: probably a simple misreading of *c*- for *t*- on the compositor's part, the letters being very similar in many hands. It is possible, however, that *ch*- is correct, although it implies a stronger spirant than *th*-. The two are occasionally confused in early Manx, and for the opposite error we may compare *ar thoraibh ele* 192 b 6.

173 b 1 *mase go* . . .: 'if'; cf. note 163 b 1.

174 a 'an id septimo quoque die fieri satis est?' The Gaelic takes 'quoque' twice, once as 'also' (*fós*), once as 'each' (*gach . . . go chéle*). The lenition of *chéle* is caused as usual by the suppressed 3 sg. masc. possessive; *go* is the preposition 'with', obsolete in Scottish Gaelic except in *gu leth* 'and a half' (Calder 297), early Manx *gy lee*. That the translator does not write *gona chéle* shows that he regarded this as simply a special use of *go* 'to'.

174 b 1 *o do thiondsgeonamaois*: 1 pl. conditional, Latin 'coeperimus' the meaning being 'when we have once begun'. We should expect the preterite *thiondsgaineamar*.

176 b 1 *an vimhirse*: 'numerus hic'; like Welsh *nifer*, Med. Welsh *niuer*, this is a borrowing of Latin *numerus*. The initial *n-* has been taken as part of the article and the word made to begin with a vowel, perhaps under the influence of the native term *áireamh*; then, since no *t-* follows the article in the nom. sg. the noun must be feminine, whereas Welsh *niuer* remained masculine.

177 b 7 *ni comhór . . . ina . . .*: 'nihil magis . . . quam'; the Gaelic has changed the construction to begin with the equative adverb and then continue with the comparative.

178 a 3 *as gach seachtmhadh lá ar bioth én lá do bheith arna ordughadh dhósan*: 'ex septenis quibusque diebus unum illi destinari'. The translator would have done better to follow the French here and say 'one day in each week', or else omit *as . . . ar bioth én lá* which would have come to the same thing.

180 a 1 *adubhras*: 2 sg. pret., cf. 178 b 5 (1 sg.). The quality of the final consonant is not always noted. Cf. 214 a 2, 263 a 2.

180 a 3 add *maraon* after *serbhontadh*, Lat. 'quoque'.

180 b 7 *gnáthaigheas*: 'assuefacit', an isolated meaning of the word, which here as elsewhere normally means 'use, be accustomed to', but here with reflexive object 'accustom oneself to'. The words 'ad laborandum' are omitted in the Gaelic.

181 b 1 *ar son . . . Criosd*: 'cum in Christo exstiterit eius veritas'.

M *

183 b 5-7 The translator's choice of words is not quite the happiest possible here for he brings into juxtaposition *foillseochadh* and *diamhair secretach, sollumhonta* and *co-itchiond*, the last quite unnecessarily for his original has 'sollennes preces'.

184 b 2 *impadh*: the ink is blurred and the spelling may be *empadh*, but *impadh* is the correct form, a loan-word from Middle English; cf. *NED* s.v. Imp v., and William Salesbury's Welsh Dictionary under *impio* translated 'graffe'. This 'graff', modern 'graft', is the origin of *grafadh* 'inserere' here, but the same form at 339 a 5 translating 'insculpere' belongs rather with *grafaint* 143 b 1, and English '(en)-grave'.

186 b 2 *da bparentaibh*: also in b 6; not noticed by Contr. The word has taken root in Scottish Gaelic, but seems unknown to Irish and Manx. Both tend to expand it as *athair & máthair*, and Manx is content to use the plural *ayraghyn*.

188 b 1 *go mbéd anlion*: note the plural verb with *an líon*, grammatically singular but notionally plural, 'those who'.

189 b 3 *muna bheth ach fa n'én adhbharsa*: 'if it were only for this reason'; only this 3 sg. of the past subjunctive is found in this text.

189 b 5 Delete *&*; the punctuation regularly involves the insertion of a comma before *&*, but here the reverse has occurred and we have an unnecessary *&* after a not indispensable comma.

190 a 2 *re n'áois bhfoirfe*: 'ante iustam aetatem'; the nasalisation of the adjective is noteworthy as very rare here, the only other example I have noted being *ar an gcor gcedna* 221 b 4.

190 b 2 *dha mhéd do bharr ghradha*: 'however much more love'.

192 b 5 *na haois oig*: for *óige*, the *-e* being absorbed by the preposition *as* which follows; cf. *is aird íno* 195 b 2.

192 a 1 *adtimchiol an lion*: nom. for gen. *lín*.

195 b 3 'vel parentum, vel principum, vel praefectorum quorumlibet auctoritas'; the Gaelic has omitted the third alternative, which the English renders 'or Magistrats or Maisters'.

198 a 1 *beagnachtadh*: for *beag-nochtadh* 'subindicare', 'hint'.

202 b 4 *ata tulare aige*: 'intentus est'; apparently a compound of intensive *tul-* and *aire*, but not recorded in Contr.

203 b 4 *náireach le seachna*: 'abstinentia pudici', i.e. 'modest in abstaining from'.

203 b 6 *le hamhailibh*: 'gestu'; the sense here is not quite that given under *amaill* (Contr.) or *ámhaill* (T.Sh.), but the more general one of 'bearing, bodily action'.

205 b 3 *timchiollaighe*: for *timchiollaighthe*, gen. of *timchiollughadh*; the senses quoted for this word and for *timchellad* in Contr. seem generally to be more concrete, as in 70 b 2 and 315 b 5, rather than the metaphorical 'circumvent, overreach' required here, but cf. Contr. s.v. *timchell* (III f).

209 a 1 *acronughadh éthigh do thabhairt . . . no . . . bréug do dhénam*: note the gen. *éthigh* after *cronughadh* while *bréug* remains nom. though parallel. On the two constructions see *Desiderius* 266-67, and for a rather different example cf. 212 b 4.

209 b 4 *ithiomragh*: 'obtrectationibus'; see Contr. s.v. *athimrad*.

212 b 2 *do breathnugh*: 'sentire'; cf. note on 92 b 1.

212 b 6 *an mheud dfuilngeas an fiorinde*: 'quantum veritas patitur'; the relative form of the verb requires no relative preverb before it, so that one explanation of *d'* here is that it is due to a wrong analysis of *mheud fhuilngeas*, by which *d'* is assigned to the beginning of the second word as well as correctly to the end of the first. In Scottish Gaelic, however, verbs with an initial vowel or *f-* do prefix *dh'* in the future relative as well as in places where *do* was earlier used, (e.g. imperfect, preterite), and it is probably this usage which is implied here. Further examples are *an tan do chomhthetheam* 234 b 2 'cum confugimus', *gurab and do chomaoinigheas se* 47 a 3 'eum communicari', *o do jartharr* 320 a 1 'cum requiratur', *amhail do nighthar* 326 b 3 'non secus atque abluuntur'; contrasting pairs are found, as *gurab diomhaoin do jarrthar* 356 b 6, but *is diomhaoin jarrthar* 361 b 3, *gach ni d'iarmaid* 250 b 6, but *creud jarris sé* 140 a 1, *an indtind iarras Dia* 244 a 2.

213 b 1 *do chomharson . . . do chomharsoin*: cf. note on 57 b 7.

213 b 3 The list is jumbled and incomplete. The Latin has 'servum, ancillam, bovem, asinum', the Gaelic only 'camel (!), maidservant, ass'. Cf. 217 b 10.3. I have not been able to trace the origin of this camel; ? *cumhal* 'maid'.

215 b 6 *rotharngdis*: 'pertrahant'; apparently a nonce-word with *ro-* for Latin *per-*.

217 The other passages analysed in the course of the Catechism, the Creed (16b) and the Lord's Prayer (257b), are set out in full, but the Commandments have been scattered in fragments from 136b to 213b, and since there was no Gaelic Bible from which to learn them, the translator here inserts a complete version for reference. In consequence the numbers from here on are out of step by one with those in other versions, and do not come into line again until 371 when the correspondence is restored by giving one number (370) to two items.

This version of the Commandments appears from its considerable differences from the piecemeal version already given to have been extracted entire from some other version. The use of *-i* in *meisi, fiaghnaisi*, of *-eu-* frequently in *deuna, do dheuna, do bheura, choimeudas*, the Irish spelling in *go bhfaideochthi*, and the forms *an te* and *na* ('nor'), are all foreign to the general practice of the text. This is not Carswell's version (p. 212-14) and the Irish Old Testament had not at this time been produced. The arrangement of the Commandments and especially the inclusion of the second and non-division of the tenth point to a Protestant and not a Catholic version. (Cf. Stapleton p. 60 for an example of the latter.) It is in fact taken from the Catechism in the Irish Book of Common Prayer (1608).

217 b 3.1 *na tar thar ainm*: an idiom still current in Scottish Gaelic, from which it has passed into the English of Scotland, and in older Manx.

217 b 5.3 *ar an dtalmhuin*: cf. *ar an talamhsa* 76 b 5; both mutations are found.

217 b 10.3 *ná a bhó*: similarly Carswell, but Shorter Catechism has *no a dhamh*.

218 b 2 *is sé*: the *s*- forms of the 3rd pers. pronouns are not usually used after the copula, but in this case the sound of *is é* and *is sé* was probably identical, and *sé* as the 'nominative' form would seem more reasonable. Cf. 228 b 5.

218 b 5 *jnd fein*: the only example we have of the 1st pl. pron. without *s*-.

219 a 1 *faoi ghrádh ndé*: 'sub Dei amore'; for the mutation cf. *ar mac n'Dé* 32 b 2. Since the nasalising element is the *-n* of the accusative sg. it can be historically justified only if the preposition governs the accusative. Its use here, however, is an archaism.

219 b 4-6 'Itaque Dei amori adiuncta est eius reverentia, voluntas illi obsequendi, fiducia quae in ipso collocanda est.' 'Reverentia' would have been better rendered by a vbn., and *an toil* would have been preferable to *a thoil*.

221 a 1 *an dara cuid*: we should expect *na dara codach* for the gen., but cf. *adtimchiol an dara codach* 234 a 3, *adtimchiol an treas codach* 234 a 5. But *an* is certainly for *na* in *an gcomarson* 222 a 1.

221 b 4 *ar an gcor gcedna*: cf. note on 190 a 2.

221 b 8 *riaghail an'uile comhairle & gniomhdha againd*: 'omnium et consiliorum et operum regula'; for *na huile chomhairle & an uile ghniomha againd*. The difference in gender between the two nouns makes the construction rather clumsy, and probably *ar n'uile chomhairle & ghniomha* would have been better.

222 b 5 *ar n'asgairde*: 'inimicos'; cf. note on 67 b 5. Other examples are *asaontadhach* 335 b 2, *asumhla* 273 b 4 (but *esumhla* 51 b 2), *asiondhracais* 67 b 5 (but *esiondracas* 270 b 10).

225 a 4 *do rér aroimhscriobhadhson*: gen. probably for *scriobhtha*, for the sound of which this spelling might serve.

226 b 6 *gidh dho bhimis*: 'etiamsi absimus'; *gidh* is properly *gé* with the pres. subj. of the copula 'though it is', as in 156 a 3, 215 a 4, but it tends to be confused with *gé* as here and in 260 b 3. *Gé* is followed by the simple form of the verb, as in 122 b 1, and we should expect *gé do* as at 317 b 1; hence Scottish Gaelic *ged a*, and Manx *ga dy*.

226 b 8 *ag maitheamh a neth*: the gen. sg. and pl. forms of

*ni* in this text have both *-th-* and *-ch-* with the former pre-
dominating. Although either could easily be a misreading
for the other in contemporary manuscript or print, both
types co-existed for a considerable period, *-ch-* being the
older. See Contr. s.v. 2. *ni.*

227 a 1, 2 *ina . . . jna*: 'is it concerning . . . or . . .'; read
*in a dtimchiol . . . nó a dtimchiol.* Similarly 245 a 1, 2.

228 b 6 *ministreacht an bhais & a n'damnaidh*: the spelling
is misleading in seeming to imply an impossible nasalisation.

228 b 7-8 'Erga fideles longe alium usum habet.'

229 b 1 'ex ea (sc. lege)' omitted.

229 b 8 The superfluous commas in this second line of
the cancel were inserted merely to fill out the line.

229 b 9 *d'iarraidh bhriogha & nerta*: 'ad petendam vir-
tutem'; read *nert,* for gen. sg. *neirt* or gen. pl. *neart,* assuming
*-a* from *bhriogha.*

229 b 10 *dtimichiol*: cf. note on 4 b 1, and note the
svarabhakti vowel.

229 b 11 *suil bhiadh do chroidhe aca ambeth uaibhreach*
'ne superbire audeant'; rather *a bheth,* i.e. 'lest they should
have courage to be proud', not 'lest their being proud
should encourage them'.

230 a 3 *ni bhreathnaigheam*: 'non censebimus'; similarly
*ni bhreathnaighmid* 227 b 7 'non iudicabimus', both with
present serving as future.

230 a 11 *go soich ro ardhérghe & go soich a'neamheasbhuidh*
'ad summam rectitudinem'; the first term suggests 'summan
altitudinem', the second 'perfectionem'. For the sake of
explaining matters the translator adds the following phrase
'which the Law requires', on his own initiative.

232 a 3 Add *in gach uile áit* 'passim', as at 79 b 4. The
usual spelling of *airead* here is *oiread*; note that the concord
is with it and not with the plurals. *Da ghnáthughadh* is
already confused with and equivalent to *aga ghnáthughadh*
cf. *Desiderius* 262.

232 b 2 *neoch g'ar gciulan & gcar dtreorughadh*: 'quae ac
legis obedientiam nos manuducunt'; read *neoch atá 'ga
gciúlan & 'gar dtreorughadh.* The form of the vbn. *ciúlan* is
peculiar, but it is the only spelling found in this text. The

word appears not to be Irish; it does not appear in the
Contr. under *c-* or *g-*, and in Dineen is marked as peculiar to
Antrim. The Scottish form always has *g-*, and the word is
unknown in Manx. Cf. O'Rahilly, *SGS*, iii.56.

232 b 4 *úa*: 'ab ea (sc. lege)'; the usual form would be
*uaidhe*. Perhaps 'ea' is taken as referring rather to 'obedi-
entia', in which case *uaithe*. Or did the translator think
rather of the 'warnings, commands, and exhortations' in
232 a 2 and intend the 3 plural, here usually written *uathadh*?

233 b 4 *jna n'ordughadh fein & jna ghné bheathadh*: 'in
ordine suo vitaeque genere'; read *ina ngné*.

233 b 9 *ag suimamhal*: 'summatim'; read *go suimeamhail*
as in 290 a 1.

234 a 1 Cf. Contr. s.v. *dispóracht*, SG *deasboireachd*, for
the first; for the second cf. SG *collaid*.

234 b 1 *eadarghuidhe*: 'invocatio'; although the prefix
suggests rather the notion of 'intercession' the word always
translates 'invocare, invocatio'.

234 b 2 *an tan do chomhthetheam*: see note on 212 b 6.
The verbnoun appears both as *-thetheamh* 237 a 2 and
*-thetheadh* 246 b 6, the former being more specially Modern
Irish. Forms with *-th-* are very frequent but *-ch-* is his-
torically a better spelling. The prefix is no doubt due to the
Latin 'confugimus'.

238 b 2 *muna abheth acht ar son an'en adbhair se*: 'vel ob
unam hanc causam', 'were it only for this reason'. Read
*bheth* as in 189 b 3.

238 b 5 *O aoinighsin*: 'liberalitatis suae'; read *a oinigh-
sin*.

238 b 7 *tre thuiraidhe*: 'per rivos'; the etymology of the
word is obscure to me. Probably we should read *turraidhe*
as *-ir-* is frequently confused with *-rr-*, e.g. 26 a 2, 240 b 11.
Perhaps Contr. s.v. *turraeth* may be relevant in view of the
meaning 'mill-race'.

239 a 3 *do jmirighidh*: 'qui demigrarunt'; see *imirge*.

239 b 1 *nir dhiuraigh*: 'neque attribuit'; obscure to me.
Read *dheonaigh,* or cf. Contrib. s.v. *-díurad* and *feraid*?

240 a 2 *teacht les . . . & ris*: note the alternative preposi-
tions. Scottish Gaelic has succeeded in keeping the two

distinct, but in Irish both have fallen together under *lé*, and in early Manx they showed a tendency to fall together under *rish* (*ré*), though there the pronominal forms remained distinct.

240 b 6 *abhail bfuil*: 'where he is'; usually with relative *a* 'in which', as 305 b 5, 306 b 1, or (with different conjunction) 356 b 4.

240 b 8 *do dhligh anmhuin*: 'quae residere debuerat'; the preterite is as near as the Gaelic can come to the pluperfect 'ought to have remained' of the original.

241 b 2 *ni fhédand an'orrtha . . . tuigse . . . do bheth vaithe*: 'intelligentia nunquam carere potest oratio'; *orrtha* from Latin *oratio* is now generally best known in its secondary sense of 'charm, incantation', and was perhaps so used by the translator's contemporaries for he employs it only here, and then with the parallel *guidhe*.

242 b 4 *an nethe is mian leo*: for *na nethe*; the whole phrase is the translator's own.

244 a 2 *re n'virnaidhe*: cf. note on 135 b 2.

244 b 3 *d'oibriughadh dhoilgheas & bhróin*: 'maerorem et anxietatem generet'; read gen. *dhoilghis* or *dhoilgheasa* (cf. 261 b 6) parallel to *bhróin*.

244 b 6 *admhail*: for *adhmhail*, better *adhbhail*, dat. sg. Cf. 139 b 3.

245 b 2 *chuca araon*: 'ad utrumque', 'to both of them'.

246 b 5 *ino do b'in bheth dhoibh*: these words, like *go maith* before and *an tighearna* ('le Seigneur' in the French version instead of 'Deum') below, are the translator's own. He seems to have felt that the comparative *ni is neamhullamha* 'minus bene comparatos' required a point of comparison and so added 'than they ought to be'.

247 b 3 *go re*: better *comh réidh* as the original has 'tam facile', but perhaps the translator preferred to omit 'tam' as there is no correlative 'quam', and it is not easy to supply a suitable phrase. Cf. the previous note.

247 b 7 *do chum an ghnathaidhse*: 'in hunc usum'; for *ghnáthaighthe*.

248 b 1 'Id vero nihil est aliud, quam . . .'.

249 b 6 *eadarghuidhe ndé*: cf. note on 219 a 1.

249 b 8 *an dóchas*: 'in fiducia'; for *a ndóchas*.

250 a 2 Read *aga dénamh*, or better *ag dénamh guidhe*. The repeated *g-* in *guidhe go* has caused the compositor's eye to skip the first word.

250 a 3 *creud ghnodhaighidh*: 'quid sint profecturi'; read *ghnothaighid* with present for future.

251 b 1 *ataid gealladh againd*: 'habemus promissiones'; read *gealltha*.

253 a 1 *luathghaire*: 'temeritatis'; hardly *gáire* 'laughter, noise', probably *goire* 'heat'.

255 b 4 *ag'ar giulan*: cf. note on 232 b 2.

256 b 9 *is tarbach dhúinne*: 'nostra refert'; the usual sense of *tarbhach* (sic leg.) is 'profitable, advantageous', and it is in this sense that the translator has interpreted the 'which concerns us' of the original.

258 b 2 *amhail agcriche airídhe fein*: 'tamquam proprium suum finem'; gen. after *amhail*, but *críoch* is parallel to *ar glóir* and should be *ar a gcrích*.

259 b 10 *an'athchuinche n'uile níse*: 'in optandis his omnibus'; read *na n'uile ní-se* as in 19 b 3 or *na n'uile netheadh-sa* as in 113 b 10.

259 b 11 *iar ndul . . . iar bhfagbhail*: cf. note on 84 b 3.

260 a 4 *féin* after *andírgheadh* would clarify the sense.

262 a 2 *achroidhe*: cf. *do chroidhe* 229 b 11, 251 a 5.

262 a 3 *mar ghnathaigheas*: 'ut solent'; this seems to be the only example of *mar* 'as, like' with a verb, though there are several instances of it with nouns. The usual conjunction is *amhail*, as in 262 b 3. *Do chum an'aitreadh* 'to their parents'; cf. note on 186 b 2.

262 b 5 *nach fhedmaid . . . nach bfuileongam*: note the difference in mutation, and possibly in tense; 'possumus . . . sustinemus'.

262 b 7 *puindseon*: quoted in Contr. only from Carswell. The *-nd-* (for *-nn-*) requires explanation as neither English nor Romance spellings show any trace of it, and there is no question of a nasal vowel. The *-ui-* is inconclusive, for this pronunciation (as well as [ai] and [ɔi]) is attested in English and appears in those loan-words in Manx, such as *spooilley*, *tooilleil*, which seem to have come from English rather than

as Romance loans in Irish. Manx *pyshoon*, with final stress, has obscured the first syllable (though the earliest spellings have *puishun*), but it seems unlikely that *-n-* has been lost. Only in Manx and modern Scots Gaelic has the imported word taken firm root and displaced the native *nimh*, *neimh*.

266 b 9 *d'fhoghlum . . . amhorghalacht ghloirmharrdhason dh'onorughadh*: 'discamus maiestatem eius gloriosam'; nom. sg., apparently remaining uninflected in this construction, see Desiderius 266-7. The gen. sg. might however be *-acht* or *-achta*, the longer words tending not to increase, so that only the lenition indicates the case, and that may, of course, be wrong.

266 b 12 *orra*: cf. 90 b 4 (3 pl.); since the reference is to *morghalacht* we should expect *urtha* as in 18 b 7.

272 b 1 *na huile creatur*: acc. pl.; the other plural forms are *créatuir* 27 a 3, *creatúre* 91 b 10, *creatuireadha* 275 b 2, gen. *creatuiredha* 271 b 9. The *-ú-* suggests a Romance or Middle English origin rather than a Latin one. Scottish Gaelic *creutair*, with reduced second syllable might be from Latin (so Calder, 195) but equally may represent a different English type from the present one, a type current until the eighteenth century, and still current in Anglo-Irish, but with the ending assimilated to the agent nouns in *-air(e)*. We should probably read *chreatuire* here.

274 b 8 *ag ar dtoil*: probably for *ar ar dtoil*; the Latin has 'votis nostris' and this plural is reflected in the Gaelic pronoun *aca* instead of *aice*. *Do chum lan chomaontughadh do bheth aca* 'ut plenam habeant consensionem'; for the nom. even after *do chum* cf. note on 266 b 9.

277 b 1 *le'r hallas*: for *n'allas*, without the prosthetic *f-* of Scottish Gaelic *fallus*, which is given by Dineen only for Rathlin.

277 b 9 *lámh re'r láimh*: 'nobis ad manum'; cf. *T.Sh. láimh ré* 'beside, near'.

278 b 2-3 'utcunque nobis minime debeatur.'

278 b 6 *comhchondaimthe*: 'contentos'; the Gaelic would mean rather 'restrained, repressed' than 'content', for which *toileamhail* is the translator's usual expression. Cf. e.g.

*congmhalacht* 279 b 2 for 'continentiam', i.e. 'moderation, self-control'.

279 b 3 *tar mhodh*: *modh* (modus) usually has the sense of 'means, way, mode', but here rather 'limit, measure'.

280 a 5 *bjotaile*: 'annonam'; a loan-word from Romance or Middle English *vitaille*, later (with *-ct-* restored from the Latin etymon) 'victuals', but still correctly pronounced 'vittles'.

280 b 9, 11 *an mhéd ... isin mhéd*: 'quatenus ... quantum'.

282 a 2 *coimhiondraic ag nach fuil fédhm*: 'tam iustus qui hac venia non indigeat'; the Gaelic imitates the Latin construction.

282 b 11 *cadhas*: 'perfugium'; the sense is rather unusual. Cf. Contr. s.v. *cádus* and Carswell 36.12.

283 b 2 *anmanda*: 'nomina' in the technical sense of 'debts', an unnecessarily close rendering.

285 b 2 *jondas go mbimis*: 'so that we are', but the Latin is 'ac si essemus', 'as if we were', i.e. *amhail do bhimis*.

287 a 3-5 'ne quem sibi in caelo veniae locum fore confidant'; add *do chum maitheamhnais* before *dfaghail*.

287 b 4 *d'ar ele*: better *d'aroile*; the spelling *oile* is used occasionally (58 b 1, 217 b 10.4) for the commoner *ele*.

290 b 8 *le garda*: 'praesidio suo'; read *le ghárda*.

290 b 9 *fa dh'aingnibh fhirinde*: 'sub fide eius', literally 'under the assurances of his faithfulness'; read *fa dhaingnibh a fhirinde*.

291 b 1 *An tan ... beam*: cf. *an tan bheam* b 5.

292 b 5 *do uile thuitfadh sinde les*: 'concideremus'; better *uile-thuitfeadh*, the adjective serving as adverb and forming a compound.

292 b 9 *le edith fein*: 'suis armis'; better *éididh*, pl. of *éideadh*.

293 b 2 *dar n'aidherbeadh*: 'nos aditur'; a sense now obsolete for English 'attempt', but cf. *NED* s.v. *attempt* sb. III. The *-i-* lacks its dot, and looks more like *-r-*, but the reading given is probably correct.

294 b 5 *aga ndighughadh*: better *aga ndithughadh* 'deprives them of', as in 154 b 9.

295 a 3 *go soith na saoighalaib*: for *go soich na saoghalaibh*

'in saecula saeculorum'; *go soich*, being properly a verbal form, should be followed by the accusative *saoghail*. The dative results from treating it as a preposition. The translator adds *biodh amhluidh* (sic leg.) 'Amen', which is also Carswell's usual rendering.

296 b 4 *nach gcuirthear & nach légthear go soich so*: 'quae non huc referatur' i.e. 'which is not measured against this one as a standard'; but *go soich so* usually means 'hitherto' as 300 a 2, and the translator may have been thinking of *adhuc*.

297 b 3 *do ghloirfeadh*: cf. *gloireadh* 299 b 10, not the expected *glóiriughadh* for which the text provides no evidence. The *-f-* may be a mere misprint, though an unlikely one, or it may serve as proof that *-f-* in the future and conditional was silent, and so could be introduced even in the verbnoun as here.

301 b 2 *go soich an gcríchse*: 'in hunc finem'; more usually *gus an gcrích-se* as in 148 a 5, 246 a 1, 312 b 3, or *do chum na críche úd* 39 b 4, 314 b 4, 351 a 1. Cf. note on 295 a 3.

307 a 1 *dham*: probably for *damh* (after *-adh*), though there is some evidence that the *-m* of the first person singular in other pronouns sometimes occurred here also.

309 b 1 *muna mhaire thu*: 'nisi perseveres'; cf. note on 155 b 1. The lenition of *tú* may be a misprint for it occurs only here and at 319 a 1. However, the lenition is now normal in Scottish Gaelic and Manx, and was already normal in Manx at this date except after the *-idh* of the future and the *-s* of the future relative where *t-* remained for a little longer. Similar rules apply in Scottish Gaelic where *tú* is nominative but not where it is accusative. In the prayers taken from Carswell's book we twice find this lenition introduced where the original has *tu, tusa*, p. 110.15, 111.24.

310 a 1 *ele on fhocal*: 'aliud a verbo', 'other than the Word'.

311 b 3 *le suagheantus faicseanach*: 'visibili signo'; cf. *isin tsuagheantus fhaicseanaigh* 312 a 2, the former accusative masculine, the latter dative feminine!

313 b 9 *iul ele*: 'alio', 'elsewhither'; *iúl* is properly the dat., but sometimes also the nom., of *eól*. The phrase should probably read *ar iúl ele* 'in another direction'.

313 b 11 *mar bhalla meadhonacha*: 'tanquam secundis organis'; apparently acc. pl.

315 b 6 *les an mheallsa an chuirp thalmhaidhe*: 'hac terreni corporis mole'; a construction of this kind presents some difficulty in any Celtic language, for the noun upon which the gen. depends must lack the article, but at the same time the demonstrative requires a preceding article. Cf. the various renderings of Ps. 24.8, and .10 'Who is this King of Glory?' and similar phrases.

315 b 9 *sealmhadh*: 'aspectum'; cf. *sealladh* 'sight' 251 a 6. This may be further evidence of [əv] or [u:] for -*adh*.

316 a 3 *ar bhfeadhmaidhne*: 'necessitatis nostrae'; cf. *ar bhfeolaidhne* 49 b 4, and note on 60 b 3.

317 a 2 'quam certa securitas concipi potest quibus utuntur promiscue boni et mali?'

319 b 4 *slanugh*: 'salutem', better *slánadh*, beside the more usual *slánughadh*. The passage does not render the whole sense of the Latin 'ut salutem inde petamus, vel affixam illic conferendae gratiae virtutem imaginemur ac inclusam.'

328 b 7 *antan chrathas & choimhleas*: 'cum aspergit'; Scottish Gaelic *crathadh*, like Manx *craa*, beside older Irish *crothadh*. The synonym is not quite clear, but is perhaps Irish *cuimlim, cumlaim, cuimlighim*, the basic sense of which seems to be 'rub', assuming a misprint for *chuimleas*. Cf. Irish New Testament, Luke 6.1 *tar éis a gcuimealta eidir a lámhuibh dhóibh*. Cf. *cumailt* 90 b 3, and Carswell 122.9.

329 b 1 *aithneochum*: 'sentio'; cf. note on 22 b 5.

330 b 2 'sua pravitate' omitted.

333 a 2 *jondas go gnáthocham*: 'ut utamur'; apparently future for subjunctive, unless we should read the conditional *ngnáthochamaois*.

334 b 7 *jar dteasadh doibh go hois fhoirfe*: 'postquam adoleverint'; the verb *teasadh* is probably a ghost-word created by misreading ȿ, the abbreviation for *cht*, as *s*, in *iar dteachta dhoibh*. Cf. *ar dteacht go haois fhoirfe* 340 b 4.

336 a 3 *do bfiu & do bhi ar buil*: 'quae valuit'; for *ar buil* cf. 180 b 4 *do chondmhail ar buil* 'ad retinendam'.

N

337 b 2 *to bher sé dear*: 'animadvertet'; probably for *do bher sé fá dear*, but no other example occurs in this text.

338 b 3-4 The translator has modified the sense of his original 'quod ad testandam Dei misericordiam et confirmendas promissiones plurimum valet.'

339 a 7 *da madh lugha do daingneochadh*: 'si minus confirmationis'.

339 a 10 The translation omits the 'hodie' which contrasts in the original with 'olim'.

340 a 2 *na lenimh*: 'infantes', but *do na leanbaibh* 339 b 4, where the lenition is not marked; *-bh-* is the best orthography.

340 b 5 *go dtuigidaois*: 'percipiant'; apparently from *tuigse*, but the sense does not suit well. Cf. Contrib. s.v. *do-beir* and *2 tabairt* for the use of the *to-ucc-* stem for 'bring', 'get', as well as later giving *tuigse* 'understand'.

342 b 4 *do bheth ag corp an tighearna*: the sense is good as the text stands, but the Latin has 'corpori Domini inesse', which points to the correction *a gcorp*.

342 b 6 *mar nithear mear chroidhe na ndaoine*: 'sicuti exhilarantur hominum corda'.

345 b 1 *atam aga chur so ina cheand*: 'hoc addo'.

345 b 8 *les an ghné aonachta sin*: 'eo unitatis genere'; cf. note on 315 b 6.

346 b 2 *trés an Seoisgel*: but cf. *trés an tsuiper* 346 a 1, the first nasalising, the second leniting. The usage is uncertain, cf. 111 b 5, 120 a 3 (nasalisation), 366 b 7 (lenition). Cf. also *isin tsoisgel & isin mbaisteadh*.

346 b 4-5 The original has 'nos carnem esse de carne eius, et ossa ex ossibus', the reverse order from the Gaelic.

348 b 1 *tugadh an jobajrt é*: 'immolatum fuit'; for *a n'iobairt* or *(i)na iobairt*.

349 b 2 *an bpeacadh*: 'peccatorum'; read *na bp*.

351 b 3 *ataid do fhuaidhmughadh*: 'sonant'; rather too literal a rendering since 'sonare' here is equivalent to 'mean'. *Fuaidhm* for *fuaim* seems modelled on Irish *feidhm* beside Scottish Gaelic *feum*.

354 a 3 *jna bhfuilid*: 'or are they'; *ino* for *nó* as 84 a 3 etc., with interrogative *a* absorbed. Add *andsin* after *dhuinn* for Latin 'illic'.

354 b 5 Insert *gurab amhlaidh* before *go ndén se*: the Latin has 'sicuti verbis ac signis testatur, ita etiam suae nos substantiae participes faciat'. As the text stands the reader would take *go ndén se* as dependent upon *fiadhnaisiughadh*, and *jondas go gcomhfhásam* as the object of *ni hamhairseach lium*, which is grammatically absurd and therefore leaves him confused.

355 a 2 *tar neamh*: 'in caelo'; most probably a simple misprint for *ar neamh* as usual. The original edition has a *ta*-ligature, exactly as in *talmhain* below, which may have been mis-sorted as simple *a*.

357 a 1 *go gcruindeacham*: 'ut colligamus'; future, with -*ea*- exceptionally for -*eo*-, instead of subjunctive.

357 a 7 *le beathaidh chorportha fein*: 'proprio suo alimento'; there seems to be some confusion here between *beatha* and *biadh*, and *corportha* is not the right word for 'proprius'. Perhaps *le mbiadh áiridhe féin*.

357 b 3 *ar bfaghail ornise duinn*: '(nobis) dato pignore', but the Gaelic actively, 'we having obtained'.

359 a 1 Note that *randsughadh* here has the meaning 'search for something', not the usual one of 'search (a building), investigate (a subject)'. The translator may have felt that *creud iarras sé* was open to the misinterpretation 'What does he require', a sense in which he often uses the phrase.

361 b 3 The phrase 'numeris omnibus' is omitted in the Gaelic.

361 b 5 *vadh nduine*: 'in homine'; for his usual *on duine*. Although forms with *úa* go back to the earliest Irish (Contr. s.v. 1. *ó*) it is rather more likely that we have here an example of the assimilation of the simple preposition to the third singular masculine of the pronominal forms, an impression confirmed by the spelling with -*dh*. Cf. O'Rahilly, *Irish Dialects* 226.

361 b 6-8 Not in the Latin; the French has 'Aussi la Cene seroit instituee en vain, si nul n'estoit capable de la receoir, sinon qu'il fust du tout parfaict', and the English 'Also this Supper had bene a thing ordeined in vaine, if none were meete to come to it, unlesse he were throughly

perfect.' The Gaelic, however, is far less close here than it usually is to the Latin.

362 b 2 The Gaelic omits 'amplius', 'no *further* use'; and the remainder of the sentence renders 'quae *sublevandae nostrae imbecillitati adminiculum* esse debet *ac* imperfectionis subsidium', but with the italicised portion not translated.

363 a The Latin has 'nullumne praeterea alium finem propositum habent haec duo sacramenta', where the Gaelic overlooks the dual. Yet it has the plural pronoun in 363 b 2.

363 b 2 The words 'illorum usu' are omitted between *oir* and *atamaid*.

364 a 1 *den neóch . . . ina dtimchiol*: i.e. *d'én neoch*, 'si quempiam contingeret . . . quo loco habendus esset', but the Gaelic recognises the implied plurality of 'anyone' and makes the corresponding pronoun plural. In 364 b 1, however, it reverts to the singular and continues it to the end.

367 b 6 *& an tsacramenteadh do fhreasdal*: 'et sacramenta administrare'; read *na sacramente(adh)*.

368 b 2 *do dhenamh baisd*: 'baptisandi'; ? for *baiste*, as in *Eóin baiste*. Add *go háiridhe* 'peculiariter' after *Apstolaibh*.

368 b 4 *na Suighscel*: 'Evangelistae'; see *Gadelica* I.62.

369 a 2 Latin 'passim omnes et absque delectu admittere'; the Gaelic has omitted 'omnes' and taken 'passim' too literally. Perhaps *gach aon duine go coitchiond & gan togha*.

370 c 1 Here the numbers are restored to agreement with the Latin by omitting the numbering of one article (our 370c, 370d).

370 c 2 Read *ar an gcomaoineochadh-sa*. Similarly 372 b 1-2.

371 b 2 *ach dlighidh sé síneadh do chur jonta*: 'sed supersedere debet'; the Gaelic seems to mean 'grant them a respite', 'postpone dealing with them'.

From *fínit* to the end of this page is peculiar to the Gaelic version.

The prayers which follow the Catechism are taken almost literatim from Carswell's version of the Book of Common Order: that before the sermon will be found at p. 51-53, the others at pp. 189-92, 193, 70-71, 72, and 72

respectively. The final page is too rubbed and discoloured
to be entirely legible and doubtful letters are supplied here
from the reprint of Carswell.

Although there are some differences in accentuation
between the two copies the recurrence of some abnormalities
in accentuation as well as in spelling and word-division
suggests that the Catechism version was intended to be an
exact copy. The deliberate changes are the substitution of
*Amen* for *Biodh amhluidh* at the end of the second prayer
(p. 112, line 2), of *&c* for the end of the third (ibid. line 11),
and the general substitution of *&* for *agas*. See also 309 b 1
note.

# GLOSSARY

The Glossary lists the words occurring in *CC*, sometimes in slightly
normalised or corrected forms, together with references to the article
and line at which each occurs, the Latin which each translates, and
an English equivalent. The Latin words are quoted in the nom. sg.
(for nouns and adjectives) and in the present infinitive (for verbs),
wherever the Gaelic is given in an uninflected form. For oblique
cases of the Gaelic and inflected verbal forms as well as whole phrases
the exactly corresponding Latin form or phrase is given; it is, of
course, often not in the same case or mood as the Gaelic, and some-
times not in the same tense or voice. The asterisk preceding a
Latin word shows that the Gaelic is one of a pair of terms used to
render that word. A word in the Latin added in parentheses is
supplied from the context for the better elucidation of the Gaelic.

The accentuation is that of the original, but in the head-words
only long vowels have been marked (other than in the long diphthongs
*eo, ia, ua*); an acute accent is used on normalised head-words, a
macron as an editorial addition to a genuine spelling. Such marks
of length are applied only to stressed syllables. In a few cases the
text shows an accent on an unstressed syllable (e.g. *coimhéd, creatúir,
fírénughadh, imrádh, lethéd, lethsgél, nadúir, resún, sabbóit, sosgél,
stuidér*), but such spellings are usually in a minority among those
noted, and in most words where such accents could appear they fail
to do so. It therefore seems unjustified to impose them in the head-
words. The only place in which *CC* frequently uses accents un-
historically is in such words as *am, ball, barr, call, cam, ceann, crann,
crom, fearr*, etc., on which see O'Rahilly, *Irish Dialects* ch. 6.

The mutations induced by various particles are briefly indicated
by *len.* (lenition, 'aspiration'), and *nas.* (nasalisation, 'eclipsis');
fuller details will be found in the Introduction, pp. xxix-xxxii.

**1. a** (len.) voc. part. 136 b 1
**2. a** (len.) (from **do**) with vbn. 1 b 1, 9 b 2, 12 b 1; often absorbed by
 a vowel or elided 7 b 2, 11 b 3, 14 a 2
**3. a** gen. 3rd pers. pron. (len.) m. sg. *his, its* 2 b 5, 13 b 3, before a
 vowel 16 b 3, 25 b 1, 25 b 7; (nas.) pl. *their* 27 a 4, 27 b 3, 28 a 3
**4. a** (nas.) prep. *in*, **anáduir** 19 b 2 *in essentia, **agcriosd** 13 b 2 in
 Christo, **an' Dia** 16 b 1 in Deum, **a modh coitcheand daoine ele**
 62 b 7 instar aliorum hominum; also **in, in ndhia** 8 b 2 in Deo,
 **jn'admhajl** 15 b 1 in confessione; with art. sg. **san saoghalsa**
 2 b 2 in hoc mundo, **san naon diaghacht** 20 a 3 in una divinitate,
 **and sa Spiorad** 16 b 12 in Spiritum, **insa randadareocht** 8 a 3

in partitione, **isin domhan** 39 b 1 in mundum, **isin fhírinde**
44 b 4 in veritate; pl. **is na cumhgachaibhse** 66 b 7 in his
angustiis; the prep. **is** doubled in **and an-dia** 21 b 1. With gen.
pron. 1 sg. **um fhiadhnaisese** 136 b 5 coram me; 3 sg. m. **na
shuidhe** 16 b 9 sedet, **ina intinde** 12 b 2 in animo suo, **na aidhne
& ina Phatrun** 87 b 3 patronus; 1 pl. **inar gcuidiughadh** 11 n 2
adiuvandis (nobis), **inar gcomhlucht parta & inar gcom-
panacaibh** 43 b 8 nos collegas, **nar lucht tighe** 366 b 4 pro
domesticis nos; 3 pl. **ina staid** 27 a 3 statu suo, **do ni sé ina lucht
freasdail a thoile jad** 28 b 5 voluntatis suae facit ministros.
With the relative, **anna roindeamar** 17 a 2 in quas dividemus,
**ina bhfedmaois** 25 b 6 in quo possimus, **jnar ghabh** 121 a 1 in
which he took. Pronominal forms, 3 sg. m. **and** 6 a 1, 7 b 2,
19 a 1, **andson** 7 b 1, **andsin** 7 b 5; f. **jnte** 49 b 5, **inte** 268 b 1;
1 pl. **ionnainn** 2 b 3, **jondaind** 72 b 6, 91 b 9; 3 pl. **jonta** 25 b 2,
26 a 2, 55 b 4, **janta** 166 b 10

5. **a** prep. *from, out of,* **atalamh** 136 b 3 ex terra, **ateaghas** 136 b 3
domo; **as an tsaibhreassin** 41 b 7 ex opulentia, **as en tobar**
41 b 8 unico fonte, **as a lionmhureachtson** 40 b 5 ex eius
plenitudine, **as fhocalsin** 13 b 1 ex verbo ipsius, **as sin** 5 a 1 inde,
16 b 10, **as so** 22 b 6 hinc, 54 a 1. With the relative, **cia náite as
biond sin follus** 13 a 1 unde id constabit, **an bun as adtigid &
abhfásaid** 127 a 2 ex qua nascantur. Pronominal forms, 3 pl.
**asda** 167 b 3. **Dul as** 84 b 4 *aboleri, **cur as** 85 a 3 *abolitio

**abhail** cj. *where,* **abhail bfuil Dia ag'ar n'gairm** 240 b 6 ubi nos
Deus vocat, **abhail jnar gceadaigheach é** 306 b 1 ubi licet,
**abail abfhoscaoiltear teagasg** 305 b 5 ubi doctrina explicatur

**achd** *but;* 3 a 1 vero, 7 a 1, 37 a 1, 6 a 1 porro, 108 a 1, 8 a 1 verum,
29 b 7, 68 a 1, 27 a 1 autem, 28 a 1, 36 a 1 sed, 36 b 3, 40 a 1 nisi,
29 b 12; **acht** 24 a 2, 27 b 3 quin, 58 a 1 atqui, **act** 95 a 6 vero;
**ach** 23 b 3, 24 a 4 nisi, 55 b 2, 86 b 3, 105 a 2, 110 b 1

**achuncheam,** see **athchuinche**

**adhaltrandas** 217 b 7.1 *adultery*

**adhaltras** 152 b 8 *adultery,* adulterium

**adhbhaile** 247 b 8 *vehemence,* *vehementia

**adhbhal** *great;* **ro adhbhal** 139 b 3 *greatest,* summus, **admhail**
244 b 6 *strong,* vehemens

**adhbhar** *cause;* **adhbhajr** 19 b 3 causa, **adbair** 95 a 2 *causa; gen.
**anadhbhair** 63 b 1; usually in phrr. **créd an tadbhar** 2 a 1 quid
causae, **créd é an tadhbhur** 4 a 1 quamobrem, **is se adbhar as
adtug** 58 b 1 ideo reddit, **creud an tadhbhear as a gcuirthear**
107 a 1 quorsum ponitur, **ar an adbhur** 2 b 1 quoniam, **fanadh-
bhursin** 2 b 1 ideo, **fan'adhbhar sin** 12 a 1 ergo

**adhlacadh** *bury;* pret. impers. **do hadhlaictheadh** 16 b 7 sepultus
(est)

**adhmoladh** 295 b 5 *praise,* laus

**adhradh** *worship;* 129 b 3 colere, 130 b 1 cultus, **adghradh** 141 b 1

\*adorare, **aghradh** 149 b 3; gen. **aghartha** 149 b 4 adoratio, **agartha** 147 a 1; impv. 2 sg. **na haghair** 143 b 4 non adorabis

**admhail** *confess, confession, acknowledge*; **admhajl** 15 b 1 confessio, **admhail** 107 a 2, **aidmhail** 17 a 3; gen. **na h'admhail** 15 b 2, **na hadmhala** 142 b 5, 179 b 4; pres. **admhuim** 138 b 1 fateor, **ina n'admhamaid** 92 b 2 in qua confitemur; sj. **ma aidmhighim** 7 b 7 si \*agnoscamus; pret. **do adjmh** 39 b 2 professus est

**ag** prep. *at*; with vbn. forming pres. part. 7 b 3, b 5, 19 b 8; sometimes **a** before **c-** and **g-** as 23 b 4, b 6, 24 a 1, 35 b 2, 37 a 2, 29 b 7; with gen. pron. 1 pl. **ag'-ar ndénamh** 43 b 7 nos facit; 3 pl. **aga gcosg & aga riaghladh** 28 b 2 eos coercet, **ga ngujbhernoracht** 28 b 1 eos gubernat. Pronominal forms, 2 sg. **agad** 136 b 4; 3 sg. m. **aige** 23 b 2, 27 b 10, 46 b 4; 1 pl. **againd** 12 b 1, 29 b 5, 43 b 4, **ata againd** 41 b 8 habemus, **aghaind** 46 b 1; 3 pl. **aca** 108 b 4. With the relative, **aga bhfuil** 24 a 3. Demonstratively, **ag so e** 366 b 1 hoc (est)

**agas** *and*; 9 a 1 autem, 16 b 11, 29 b 12; **agus** 7 b 5 et, 8 a 1, 14 a 1; but most commonly **&** 2 b 2, b 3, 9 b 1, 12 b 3

**aghaidh**, only in phrr. **cur ar an'aghaidh** 156 b 5 *prosper*, prosperare, and prep. *against*; **a n'aghaidh** 29 b 4 \*praeter, **an'aghaidh Dé** 51 b 3 in Deum; 2 sg. **ar haghaidh** 73 a 1 *forward*; 3 sg. m. **ina agaidh** 70 b 6 in ipsum; 1 pl. **jnar n'aghaidh** 118 a 6 *against us*

**aghon** *even*: 32 b 1 porro, 36 b 3 hoc est, 41 b 4 scilicet; **aghaon** 72 b 3; **eghon** 86 a 2

**agra** 118 b 6 *charge*, \*imputare

**aibel** *able, fit*; 176 b 3 \*aptus, 246 b 5 idoneus, **aibel do gabhail** 25 b 3 capax, **aibél do thuigse** 113 b 9 capax

**áicheodh** *deny*; 128 b 4 abnegatio, **aicheodh** 306 a 1 negare

**aidhbhearsoir** *adversary*; gen. **annaighbhearsoira** 73 b 5 diaboli

**áidhearbadh** *attempt*; 230 a 12 conari; pres. **da n'aidhearbham** 118 a 4 tentemus

**aidherb** *attempt*; **a. do thabhairt** 353 b 2 tentando; gen. **aidherbe** 146 a 3, 205 b 8

**aidhne** *mediator*; 51 b 6 mediator, 87 b 3 \*patronus; **aidne** 43 b 2 mediator, 77 b 10 \*intercessor

**aidhneas** *mediation*; 252 b 3 intercessio, 95 a 4, **aidhneasa** 263 a 3 patrocinium

**aigneadh** *mind*; 25 b 3 \*mens, 113 b 1; pl. **aigneadhe** 29 b 4 anima

**áil**, only in phr. *wish, mean*; **is ail le Pól** 96 b 5 quod vult Paulus, **is ail leat** 120 a 1 vis; **do bail le Dia** 33 b 2 Deus velit, **do bail les** 57 b 6 voluit, **muna báil lind** 94 b 1 nisi velimus

**aimhghēr** *dull*; 245 b 2 stupidus; cpv. **aimghére** 113 b 1 rudior, **aimhghere** 254 b 3

**aimideach** *vain, foolish*; 243 a 1 vanus, **go ha.** 113 b 7 perverse

**aimideacht** *foolishness*; **aimhideacht** 293 b 5 vanitas

**aimirt** 244 b 1 *need*, inopia

**aimrid** 27 b 18 *barren*, sterilis

**aimsir** *time*; 55 a 1 *time*, 280 a 5 tempus; gen. **aimsir** 22 b 3

**aindheoin**, only in phr. **da n'aindheoin** 28 b 6 *against their will*, inviti

**aingeal** *angel*; **an Taingeal** 32 b 1 angelus; pl. **ajngle** 239 a 2; gen. **na n'Aingeal** 48 b 6; dat. **ainglibh** 239 b 4

**aingidhe** *ungodly*; 28 a 1 impius, 29 b 3, 109 a 2

**aingidheacht** *ungodliness*; 370 d 1 impietas; gen. **aingidheachta** 150 b 3 iniquitas, 153 a 2

**ainm** name; 32 a 1 nomen; 34 a 1, **an tainmse** 32 b 1 hanc appellationem, **aínm** 260 a 5; gen. **anma** 56 a 2, 82 a 6, 160 b 2; pl. **anmanda** 283 b 2 *debts*, *nomina

**ainmhfheasach** 249 a 3 *uncertain*, incertus; dat. sg. **ainmhfheasaigh** 248 a 2 *unknown*, non intellecta

**ainmhfhios,** only in phr. **ge bé ar bioth cor ar a bfuil an'ainmhfhios dúinn** 107 b 10 . . . *is unknown to us*, utcunque nos lateat, **abheth a'n'ainmhfhiós** 142 b 2 lateat

**ainmhidhe** *beast*; 166 b 6 bos; gen. pl. **na nainmhidhidh** 4 b 2 *brutorum

**ainmighthe**, as adv. **go ha.** *by name, expressly*; 210 a 1 nominatim, **go hainmidhe** 193 a 2

**ainmiughadh** *name*; 158 a 1 nominare; pres. **le nainmhaigheand tu** 96 a 1 nominas; fut. **ainmeochas** 137 b 3 nominat

**áireamh** *count*; **aireamh** 59 a 5 censere, 156 a 8; pres. impers. **go n'aireamhthear** 343 b 3 accepta feratur

**áiridhe** *special*; 168 b 1 separatus, **aírithe** 235 b 2 proprius, **go hairidhe** 138 a 5 peculiariter, 100 b 5 proprie; phr. **gurab airidhe le Dia** 46 a 3 . . . *thinks fit*, dignetur Deus, **os airidhe les sind** 137 b 9 *since he thinks us worthy of*, cum nos dignatur

**airiughadh** 40 a 1 *obtain*, percipere

**ais**, only in phr. 3 sg. f. **tarahais** 27 b 17 *back*; 1 pl. **gairm t'ar air n'ais** 198 a 3 nos revocare; 3 pl. **tara nais** 237 a 12

**áit(e)** *place*; **cia náite as** 13 a 1 unde, **isin áitsin** 46 b 4 eo loco, **an'ait égin** 47 b 2 alibi, **jnar n'aitne** 57 b 5 vicem nostram, **go soich an'ait sin** 77 b 5 illuc, **in gach vile aít** 79 b 4 ubique

**aithbhreth** *be born again, rebirth*; 126 b 7 regeneratio, 325 b 2; gen. **na haith bhrethe** 327 a 1; pres. impers. **aithbherthear sind** 117 a 1 renati simus

**aithéirghe** *rise again*; fut. **aithéreochaidh** 109 b 2 resurgent

**aithghearr ; go ha.** 98 a 2 *immediately after*, continuo, **go haithghear** 256 b 6 *briefly*, breviter

**aithghiorra** 219 a 1 *compendium

**aithle,** in phr. **da aithle sin** 330 b 5 *thereafter*

1. **aithne** *know, knowledge*; 25 b 7 cognitio, 100 a 1 cognoscere

2. **aithne** *commandment*; pl. **ceathre aitheanta** 132 b 2 quatuor praecepta; gen. **-tadh** 155 b 6; dat. **an'dech n'aitheantaibh** 132 b 4 decem praeceptis; pres. impers. **aitheantar** 252 b 2 praecipitur

**aithnidh** *known*; 35 a 1, b 1, 41 b 5, 110 b 7

**aithniughadh** *know, recognise*; 14 a 2 novisse; pres. **ma aithnighim**
7 b 7 si *agnoscamus, **mur naithnighim** 9 b 1 *noverimus; fut.
**aithneochum** 329 b 1 sentio; pres. impers. **aithnighthar é**
6 b 1 cognoscitur; fut. impers. **ni mó aithneochar** 100 b 8 nec
dignoscitur

**aithreamhail** *fatherly*; gen. sg. f. **aithreamhla** 111 b 4 paternae

**aithridhe** *penitence*; 127 b 4 poenitentia, 128 a 1, 360 b 1

**aithris** *relate, repeat*; 49 b 6 recensere; impv. 2 sg. **aithris** 16 a 1
recita, 21 a 1, 18 a 1 recense; pres. impers. **aithristear** 110 b 3
recensentur

**aitreabh** *inhabit*; 79 a 1 habitare, 333 b 7; pres. **aitreabham**
193 b 5 incolamus; fut. **aitreobhchas** 91 b 1 habitat

**álghas** *will*; gen. **álgais** 157 b 8 arbitrio

**allas** *sweat*; **le'r hallas** 277 b 1 *with our sweat*

**allmharach** *alien*; dat. pl. **ina nallmharachaibh** 110 b 8 alienos,
324 b 3 extranei

**allmhartha** *foreign*; **allamhartha** 248 a 3 exoticus

**altachadh** *thanksgiving*; **le ha.** 297 b 5 gratiarum actione

**ám** 210 b 5 *opportunity*, occasio; **isin am sin fen** 58 b 6 *mean-
while*, interea, 61 b 3, 68 b 3, **res anám** 117 a 1 *before*, ante-
quam, **ó nám jnar ghabh** 121 a 1 *since* ..., ex quo amplexus
est

**amach** 58 b 3 *forth*, **o sin a.** 27 b 3 postea, **teacht a.** 112 a 1 prodire

**amas** *attack*; gen. **amais** 294 b 11 *insultus

**amhail** *as*; 19 b 2 tanquam, 23 b 8 prout, 24 a 4 sic, 25 b 5 veluti,
27 b 4 ut, 60 b 1 quemadmodum; **amhaill** 58 b 9, **amhuil** 54 a 4
ita, **amail** 77 b 3 sicut

**ámhaill** *bearing*; dat. pl. **amhailibh** 203 b 6 gestu

**amháin** *only*; 27 b 1 tantum, 56 b 1 modo, **amhain** 27 a 4 *only*, **a
mhain** 27 a 2 dumtaxat

**amhairseach** *doubtful*; **ni ha. lium** 354 b 3 non dubito, **ga hamh-
arseach** 250 a 2 haesitantes

**amhantuir**, in phr. **do amhantuir** 249 a 2 *at random*, *fortuito

**amharc** *regard*; 22 b 1 intueri, 117 b 5, 25 b 6 inspicere, 177 b 4
consideratio; pres. **nach amhairceand** 202 b 2 *immorari

**amharus**; **gan amharos** 180 b 1 *without doubt*, **gan a bheth
an'amharus ar biodh duinn** 251 b 6 ut nihil dubitemus, **ni
hinghabhtha amharus** 354 b 2 minime dubium est; dat. pl.
**droch amhairsibh**, see **droch-**

**amhlaidh** *so, thus*; 27 b 5 ita, 33 b 1 sic, 76 b 1, **amhlaidh sin**
27 b 2 sic; **amhluidh** 9 a 2 qualiter, 6 b 1 ita ut

**amuigh** 47 a 2 *out*, **muigh** 36 b 5 *from without*, externus

**an**, article sg. m. nom.-acc. 4 a 2, 9 a 1, 19 a 3, **an t-** 2 a 1, 4 a 1,
11 a 1; f. nom.-acc. (len.) 17 a 3, 18 b 1, 16 b 5; gen. m. (len.)
7 b 8, 15 a 1, b 1; f. **na** 14 a 1; with preps, **fan** 2 b 1, **ar an** 2 b 1,
**san** 2 b 2, **do n'** 3 a 1, **don** 5 a 2, **on** 16 b 4, 31 b 3; pl. nom.-acc.

**na** 1 b 1, 27 a 2; gen. **na n** 4 b 2, 16 b 1, **na n'** 15 b 5, **na** 8 a 2; dat. **dona** 29 b 3, **do na** 29 b 3

**an** (nas.) interrogative part., **an bfhuil** 99 a 1, **an bhfhuil** 167 a 1, **an lean** 190 a 1 sequiturne, **and dlighid** 352 a 1 an debent

**anacul** 87 b 5 *protection*, clientela, 199 b 6 *watch over*, tueri

**anaisge** 284 a 1 *free*, gratuitus, b 6 gratuito

**anam** *soul*; 65 b 7 anima; gen. **anamna** 65 b 2; pl. **anmanda** 71 b 6, 203 b 1; gen. **anmand** 42 b 7, 110 b 2 mentium

**andóchas** 113 b 5 *ill-founded confidence*, perversa confidentia

**aniogh** *today*; 257 b 8 hodie, **aniú** 279 a 2, **aniuh** 369 b 2

**anmhfhainde** *weakness*; **anmhfainde** 122 b 2 infirmitas, **anmhfaind** 225 b 2 imbecillitas

**anmhfhand** 99 b 2 *weak*

**anmhian** *lust*; gen. **an'anmjana** 29 b 6 libido; pl. **na hanmiana** 216 a 2 malos affectus; dat. **anmhianaibh** 72 b 6 pravae concupiscentiae

**anmhuin** *remain, stay*; 19 b 8 *residere; pres. **anas** 105 b 5 manent, **nach anand** 202 b 3 *immorari; cond. **go n'anfadh sé** 69 b 2 maneret

**anmughadh** 251 b 5 *animate*, animare

**anois** *now*; 15 a 1 nunc, 27 b 6, 30 a 1; **anòis** 16 b 9, **a'nois** 21 a 1 iam

**aoibhneas** *happiness, pleasure*; 107 b 2 *felicitas, **aojmhaineas** 124 a 5 dilectio

**aois** *age*; 334 b 4 aetas, **re n'áois bhfoirfe** 190 a 2 ante iustam aetatem; gen. **na haois oig** 192 b 5 aetatis; dat. **go hois fhoirfe** 334 b 7

**aon**, see **én**

**aonacht** *unity*; 105 b 3 unitas; gen. **na haonachta** 98 b 2 *unitas 345 a 8

**aonar**; **ina aonar** 7 b 8 *alone*, solus, 46 b 8, 103 b 1

**aonghen** 46 a 2 *only-begotten*, unicus

**aontadhach** *agreeable, consistent*; **an dtig so go haontadhach re cert Dé** 154 a 1 an hoc Dei aequitati consentaneum est?; **go ha** 240 a 2 congruenter

**apstal** *apostle*; pl. **na haphstoil** 232 a 3 apostolus; gen. **na n'Apsta** 15 b 5; dat. **Apstolaibh** 368 b 1

1. **ar** prep. *on*; **ar neamh** 16 b 9 in caelum, **ar aghrádh fein** 13 b de amore suo, **ar mac n'Dé** 32 b 2 filio Dei, **ar bhéoghaibh, aga ar mharbhaibh** 16 b 11 vivos et mortuos. Pronominal forms 3 sg. m. **aire** 33 a 2 illi, **air** 43 b 7, **ar fen** 60 b 4 in se; f. **urtha** 18 b 7 in ipsam; 1 pl. **oraind** 52 b 2, 87 a 3; 3 pl. **ortha** 28 b 6 **orra** 90 b 4. With relative, **ar bhféd ar mian bheith** 7 b 6, a **an bhfed sin** 9 a 1, **ar a bhfuil tu** 37 a 1, **ar ar hongadh** 49 b 2 **arar fulaing** 66 a 2

2. **ar** (nas.) gen. 1 pl. pers. pron. **ar n'** 2 b 4 *our*, **ar nuile mhuini ghine** 7 b 1 tota nostra fiducia, **ar Dteghearnaine** 16 b

Dominum nostrum, **re'r dtarbhajne** 40 b 2 ad bonum nostrum
**ar ciond** prep.; **ar c. an bhreatheamhnais** 87 a 2 *on account of the
judgment*
**aran** *bread*; 257 b 8 panis; gen. **arain** 262 b 7, 348 b 2
**ard** *high*; cpv. **aird** 195 b 2 superior; adv. **anairde** 82 a 3 *aloft*,
108 b 6 *up*, **an'airde** 266 b 2 sursum
**ardan** *arrogance, pride*; gen. **ardain** 253 a 2 arrogantia
**ard-aoibhneas** *chief pleasure*; gen. **ardaoibhnis** 319 b 8 solidam
felicitatem
**ardchruas** 286 b 14 *utmost rigour*, summum rigorem
**ardchumhachtach** 265 b 1 *almighty*, excelsum potentem
**ard-éigh** *cry aloud*; pret. **do ardéigh se** 66 b 8 exclamare
**ard-éirghe** *height, pitch*; **go soich ro ardherghe** 230 a 11 ad sum-
mam rectitudinem
**ard-labhairt** *declare*; pret. **do ardlabhair** 58 a 1 *pronuntiat
**ard-lagh** *supreme law*; gen. **an ardlagha** 123 b 4 summi iuris
**ard-mhaith** *highest good*; **á-** 3 a 1 *summum bonum
**ardmhórmhullach** 271 b 4 *apogee*, summum fastigium
**ardriaghlaightheoir** 27 b 11 *chief ruler*, summum moderatorem
**ard-shélughadh** *seal*; pres. impers. **go nardshelaighthear** 91 b 7
obsignentur
**ardshonas** 107 b 2 *chief joy*, *felicitas
**ardughadh** *exalt*; pres. impers. **ardaighthear** 271 b 7 exaltabitur
**argument** *summary, proof*; 134 a 1 argumentum, 242 a 1; pl. **na
hargumente** 360 a 1
**áridhe** *chief, principal*; **aride** 1 a 1 *praecipuus, 17 b 1. Cf. **áiridhe**
**arís** *again*; 27 b 17 rursus, 35 b 3 deinde, 77 b 8, 69 a 1 rursum
**armas** *goal*; gen. **na harmaise** 230 a 7 scopus
**asall** *ass*; 213 b 3, **assal** 217 b 10.3
**asaontadhach, (eas-)** 335 b 2 *discordant*, dissentaneus
**asgara, (eas-)** *enemy*; pl. **asgairde** 222 b 5 inimicus
**aslach** *urge, beseech, wish*; 177 a 2 hortari, **aslách** 236 a 2 im-
plorare, **asluch** 275 a 1 optare
**atach** *request, exhort*; 278 a 2 postulare; pl. **ataigh** 232 a 2 ex-
hortationes
**athair** *father*; 12 b 3 pater, 16 b 10, 18 b 1, **atair** 22 b 6; gen.
**Athar** 39 b 3, 66 b 8, **Athair** 39 b 4, 44 b 4; dat. **o n'aithair**
76 b 2 a patre; pl. gen. **na n'aithreach** 150 b 3 patrum, **aitreadh**
262 a 4 parentes
**athbhreth** 91 b 9 *regenerate*, regenerare
**athchuinche** *request, entreat*; an'athchuinche 259 b 10 in optandis,
pl. **na tri hathchuinchse** 260 a 2 haec tria postulata; pres.
**athchuincheam** 268 b 2 optamus, **achuncheam** 237 a 6 im-
ploremus
**athchuma** 96 b 2 *re-form*, *reformare
**athchumhdughadh** *renew*; pres. impers. **athchumdhaighear**
342 b 7 reficiuntur

**ath-dtoimheas** *measure again*; pres. impers. **ġo n'ath dtoimhstear** 287 b 2 remensum iri

**athfhoirmeadh** *re-form*; 96 b 2 *reformare; pres. impers. **aith-fhoirmthear sind** 117 a 2 reformati simus

**athġhabhail** *receive again*; fut. **aithġhébhaid** 108 b 1 recipient

**athnuadhuġhadh** *renew*; 84 b 2 innovare; pret. impers. **nar hathnaoidheadh** 227 b 1 qui non est regenitus

**bacadh** *hinder, prevent, repress*; 63 b 1 obstare, 162 a 1 cohibere; pres. impers. **masé ġo mbacar** 338 a 2 si arceantur

**baġar** 153 b 1 *threaten*, minari; gen. **baġair** 150 b 1 sanctio

**bail** *validity, success*; **do bhi ar buil** 336 a 3 *was valid*, valuit; gen. **bala** 249 a 3 successus

**baile ; aġ b.** 280 a 4 *at home*, domi

**baisteadh** *baptism*; 323 b 1 baptismus; gen. **an bhaishdiġh** 325 a 3, **do dhenamh baisd** 368 b 2 baptizandi

**1. ball** *limb, member, instrument*; 104 b 7 membrum; du. **ar dha bháll** 269 b 1 duobus membris; pl. **a bhoill** 47 a 4 eius membra; acc. **mar bhalla** 313 b 11 tanquam organis; dat. **edir ballaibh** 98 b 3 inter membra, **ballabh** 184 b 4

**2. ball** *place*; amb. **abfhuil Criost** 356 b 4 *where* . . . , ubi Christus est

**banóġlach** *maid-servant*; 166 b 6 ancilla, 217 b 10.3, **bánoġlach** 217 b 4.6, **banóġlóach** 213 b 3

**barr**, in phr. **ġan mbharr** 97 b 5 *no more*, non plures; **barr eaġla** 153 b 1 *more fear*, plus terroris; **do bhárr** 72 a 2 *moreover*, *prae-terea, **do bhair** 26 a 2, **abharr ar soin** 12 a 1, **creud do bharr** 165 a 3 *what else*, quid amplius; **do bh.** prep. *from*, **do bhárr an domhainse** 190 a 2 ex hoc mundo, **dobharr nimhe** 83 b 3 e caelo

**bás** *death*; 56 b 3 mors, 16 b 8, **-â-** 31 b 3; gen. **báis** 55 a 2, 60 a 3, b 5, **-a-** 65 b 4; **fúair bas** 16 b 6 mortuus est

**bāthadh** 327 b 7 *submerge*, demergere

**beacht** *fixed*; **beachth** 175 a 1 *certus

**beaġ** *little*; **les an mbeaġ chuidse** 27 b 1 hac particula; gen. sg. f. **biġe** 339 a 3 parvulorum; **más beaġ** 227 b 2 ne quidem

**beaġan** *a little*; 41 a 1 paulo, **ambeaġan dfoclaibh** 233 b 9 paucis verbis

**beaġdhrud** 295 a 1 *short conclusion*, *clausula

**beaġnachtadh** 198 a 1 *hint*, subindicare

**beaġuġhadh** *diminish*; pret. impers. **ġur beaġhadh é** 338 a 4 eam fuisse imminutam

**bean** *wife*; acc. **mnaói** 213 b 2 uxor

**beantainn** *relate to, belong*; pres. **beanaidh** 18 b 1 spectabit, **bheanas** 55 b 2 esse proprius, 89 b 1 spectat, **ni bheanjd** 40 b 1 non spectant; past sj. **ġo mbeanadh siád** 98 b 5 spectare

**beandachadh** *bless*; 154 b 7 benedicere, **le bheandaceadh fén** 61 b 4 sua benedictione; pret. **do bheandaiġh** 166 b 11 benedixit, **do beannaiġh** 217 b 4.12; part. **beandaiġhe** 61 b 3 benedictus beatha *life*; 16 b 15 vita, 31 b 4, 37 b 3; gen. **beathadh** 2 b 4, 55 a 3, 74 b 5; dat. **beathaidh** 1 a 2, 7 b 3, 63 b 3; **gurab é ambeatha aige** 123 a 2 *please*, \*ut placeant illi, **nach é beatha na noibrigheadh aige** 121 a 3 \*annon illi accepta sunt opera. See note on 121 a 3

beathughadh *feed*; 189 b 5 alere; pres. impers. **beathaighear** 277 b 3 \*alere, **beathaighth'ar** 320 b 2 \*alatur

béceadhach 292 b 4 *roaring*, rugiens

beith *be*; 1 b 1, 7 b 6, 9 b 2; **beit** 9 a 1, 20 a 2; **beth** 20 a 3, 22 b 3, 24 a 4. See Introduction, p. xxi

beo *alive, living*; **béo** 84 a 3 superstes, 108 b 6; pl. dat. **ar bhéogh-aibh** 16 b 11 vivos, **ar bheodhaibh** 83 b 2

bésach *restrained*; **denamh b.** 214 b 3 moderari

béucail *rage*; fut. **becfaid** 70 b 5 fremunt

béul *mouth*; 15 b 7 os, -e- 7 b 8, 57 b 8; pl. dat. **as ambèlaibh** 308 b 3 ex eorum ore

biadh *food*; gen. **bídh** 277 b 2 victus

biast *worm*; pl. dat. **biastibh** 251 b 9 vermium

biathadh *feed*; pres. impers. **biathar** 277 b 3 \*alimur

bior *dart*; gen. **bear** 70 a 6 aculeus; pl. dat. **le bearraibh** 246 b 7 aculeis

biotaile *victuals*; **bjotaile** 280 a 5 annona

bith, in phr. **ar bith** 166 b 5 ullus; **ar bioth** 20 a 2 *any*, 29 b 2, **arbioth** 40 a 1 aliquis; **arbiodh** 154 a 2 quisquam

bladh *fame, reputation*; 209 b 4 fama, 212 b 7 existimatio

blasacht *taste*; pres. impers. **blaistear** 357 a 4 percipiuntur

bláth *flower*; gen. **bladha** 192 b 4 flos

bó 217 b 10.3 *cow*

bochtan *need, poverty*; gen. **bochtain** 244 b 2 \*inopia

bogadh 313 b 4 *soften*, \*afficere

braise 203 b 9 *wantonness*, \*lascivia

brat 117 b 2 *appearance*, \*species

bráthair *brother*; pl. gen. **bráthair** 47 b 3 fratres, **brathreacha** 206 b 7 fratrum

bréaghacht *fairness, speciousness*; **da bh. brat ar bioth, & scáile da mbía aca** 117 b 2 qualemcunque speciem habeant

breathnughadh *judge, opine*; 115 b 2 censere, **brethnuhgadh** 24 a 3 reputare, **breathnugh** 212 b 2 sentire; pres. **breathnaigheand** 28 a 2 sentire, **ni bhreathnaighmid** 227 b 7 non iudicabimus; fut. **ni breathnocham** 125 a 1 non iudicabimus

brégach 157 b 10 *deceptive*, fallax, **go b.** 209 b 3 *falsely*, falso

r. breith; **do bh. breith** 16 b 11 *to judge*, ad iudicandum; **breth** 50 a 2 *be born*, nasci, 63 a 2, 81 b 1 *take*, \*sumere, 114 a 2 assequi, **aga bh. fen** 78 a 2 se recipiendo, **breth asda** 167 b 2 excipere, **breth orra** 205 b 8 illa occupanda, **breth chuige fein** 240 b 11 sibi vindicabit, **a'mbreath aregin** 205 b 6 *to take them by force*; gen. **o aimsir bhrethe** 55 a 1 a natalibus; pret. **rug buaidh**

62 b 3 *overcame*, vicit, **rug** 71 b 4 reduxit; pret. impers. **rugadh** 68 b 2 redactum fuisse, 79 b 2 *receptum est. See Introduction, p. xxv

**2. breith**; gen. **breith** 16 b 11 *judgment*, **brethe** 83 b 1

**breitheamh** *judge*; **bretheamh** 86 a 3 iudex, **breatheamh** 58 b 2; gen. **breatheamhain** 57 b 7, **bretheamhain** 58 b 7, **an bhreatheamh sin** 87 b 3 eius iudicis

**breitheamhnas** *judgment*; **breatheamhnas** 70 b 4 iudicium, **fooi bhreamhnas Dé** 57 b 4 *obnoxii Dei iudicio, **fan mbhreatheamhnas** 58 b 8, **ambreatheamhnas** 124 b 5; gen. **bretheamhnais** 57 b 9, **breatheamhnaise** 66 b 2; pl. dat. **breatheamhnasaibh** 211 a 3

**bréug** *lie*; **b. do dhénam** 209 a 3 mentiri; gen. **brége** 208 b 1 mendax

**briathar** *word*; pl. dat. **briathribh** 275 b 4 dicto

**brígh** *virtue, power*; **bridh** 19 b 5 *virtus, **-í-** 50 b 5, 74 b 4, 91 b 3, 94 b 3 effectus; **ambhriodh** 45 a 4 vim eorum, **briodh** 95 a 7 effectus, **an bhríóghchédna** 342 b 4 eandem vim; gen. **bríogha** 350 a 4 virtus; pl. **briogha** 342 b 7 vires. Cj. *because*; **bhrígh** 4 b 1 quia, 66 b 1, **do bhriogh** 369 b 1, 370 b 1

**bríoghmhar** *effective*; **briogmhar** 280 b 7 efficax

**briongloid** *dream, invention*; pl. dat. **briongloidibh** 149 b 7 *figmentis

**briseadh** 138 a 3 *break*, frangere; gen. **briste** 138 a 2, 165 a 2; pres. **go mbriseand** 247 b 9 prorumpat; impf. **da mbriseadh** 165 b 4 si profanaverit; pret. **do bhris** 69 b 6 *fregit, 73 b 4 abrupit

**brodadh** *prick, goad*; 70 a 7 pungere, 177 b 4 *stimulare

**brón** *grief*; gen. **bróin** 244 b 4 anxietas

**brostughadh** *urge on, stir up*; 251 b 5 instigare, **le b. comhairle** 91 b 6 eius *persuasione, **brosdughadh** 215 b 6 sollicitare; pres. impers. **le mbrosdar** 216 a 7 qua *stimulantur

**brú** *womb*; dat. **ambroind** 50 b 1 in utero, **o bhroind** 54 a 4 ab utero

**brúchtadh** 125 b 5 *gush*, *emergere

**brúideamhail** *brutish*; pl. gen. **brúdeamhla** 4 b 3 *brutorum

**buachaile** 309 a 2 *shepherd*, pastor; pl. **buachaileadha** 308 a 1

**buachaileacht** 367 b 5 *feed (as a shepherd)*, *pascere

**buaidh** *victory*; **rug b.** 62 b 3 *vicit; gen. **do bhreth buadha** 42 b 6 vincendos, **breth na buadhasa** 63 a 2 hac victoria

**buaireadh** *temptation*; 257 b 11 tentatio, 288 b 2; gen. **buairidh** 294 b 12, **an bhuairig** 293 a 1

**bualadh** *beat*; 192 b 5 plectere; pret. impers. **do buaileadh e** 58 b 5 ipsum plecti, **gur buaileadh é** 67 b 4 percussum fuisse

**buan ; go b.** 309 b 2 *continually*

**buidhe ; ambuidhe do bhreth** 237 b 3 *to give thanks for them*

**buidheach** 238 b 10 *grateful*, gratus

**buidheachas** 238 b 1 *thanks*, gratia, **buidechas** 313 b 8

**buidhean** *company*; **ina bhuidin** 366 b 5 in numerum suorum
**buil,** see **bail**
**bun** 127 a 2 *root*, \*radix

**ca** *what*; **ca-med** 17 a 2 *how many*, quot, **ca méd** 74 a 1 quotuplex
**cadhas** *recourse*; 282 b 11 perfugium; gen. **cadhais** 236 b 6 \*prae-
    sidium
**caibidil; caipghidil** 217 a 2 *chapter*
**caibhneasach** *kind*; **go c.** 251 b 7 familiariter, 261 b 8
**cáil** *quality*; pl. **cájleadh** 108 b 4 \*qualitas
**caismeart** 15 b 5 \*symbolum, see note
**caitheamh** *spend, consume*; **c. na beathadh** 131 a 2 \*vivere, 343 a 1
    vesci, **caithamh** 2 b 4 referre
**call; -á-** 107 b 13 *lose*
**cam** *crooked*; **cám lùbach** 364 b 2 obliquus
**camhal** 213 b 3 *camel*; for **cumhal** *maidservant?*
**Canaan** 193 a 1
**cara** *friend*; pl. **cairde** 222 b 2 amicus
**cathair** *throne*; gen. **cathrach** 66 b 2 tribunal, 87 b 2
**catholic; Catholica** 97 a 2 catholicae
**cathughadh** *fight*; 99 b 1 militare, 240 a 4 pugnare
**cead** *permission*; **le cheadson** 29 b 12 eius permissu
**ceadaigheach** *permissible*; **is c.** 111 b 1 licet, **creud as nách c.**
    145 a 1 cur non licet, **ceadaigeach** 29 b 2 *permitted*
**cealg** *guile*; **celg** 361 b 2 fucus, **tre chélg** 242 b 8 per fictionem, **ris**
    **angcelgse** 248 b 3 hypocrisis
**cealgoir** *hypocrite*; pl. dat. **ris na cealgoraibh** 371 a 1 hypocritis
**ceand** *head, end*; **cédcheand** 8 a 2 primum caput, **c.** 82 a 3 caput, **-á-**
    48 b 5; **dul agceand a chele** 179 b 2 *assemble*, convenire; dat.
    **isin cheand os ciond** 149 b 1 superiore (capite), **agciond an**
    **treas lá** 16 b 8 tertia die, **ar ciond** 87 a 2 *on account of*
**ceandach** *redeem*; pret. **ler cheandaigh** 31 b 3 quo redemerit,
    **do cheandaigh** 89 b 2 \*redemit, 97 b 7
**ceandfeadhna** 64 a 3 *leader*, dux
**ceandsughadh** 273 b 3 *tame*, domare
**ceangal** *bind, bond*; 224 a 6 \*coniunctio; pret. **nir cheanhgail**
    157 b 5 adstrinxit; part. **ceangailte** 71 b 10 tenere
**ceart** *just, right*; **c. go huilidhe** 123 b 9 absolutus, **go c.** 6 a 1 recte;
    **cert** 70 b 4 *just*, **ré cert Dé** 154 a 1 Dei aequitati, **tug Pilatus**
    **amhail cert** 58 a 2 \*pronuntiat
**ceartas** *justice*; gen. **an chertus** 212 b 4 aequitas
**ceartughadh** *correct*; **certughadh** 214 a 3 corrigere
**ceathair** *four*; 158 a 3 quattuor, **agceathra chotannujbh** 17 b 1 in
    quatuor (partes), **ceathre aitheanta** 132 b 2 quatuor praecepta
**ceathramh** *fourth*; **an ceathraimh cuid** 18 b 5 quarta (pars), **an**
    **ceathrugh cuid** 92 b 1, **an ceathrughadh** 150 b 4 in quartam,
    166 a 1

o

1. **céd** *first*; 8 a 2 primus, 18 b 1, 21 a 1, **-e-** 19 b 3
2. **céd** *hundred*; **na gcéd ngenealach** 158 a 2 mille generationes
**cédfaidh** *sense*; **ar n'uile ch.** 315 b 12 sensus omnes nostros
**cédna** *same*; **les an tomhas ch.** 287 b 3 eadem mensura, **an bhre-
theamhnais chedna** 58 b 7 eiusdem (iudicii), **na cuirp chéna**
108 b 2 eadem (corpora); **mar an gcedna** 64 a 6 *also*
**céile** *(each) other*; **abhfochair achele** 56 b 4 coniunctum fuisse,
**-- achéle** 126 b 8 coniungere; **o chéle** 73 b 5 apart, 126 b 10;
**teacht le chéle** 175 b 2 congruere; **gach seachtmhadh lá go
chele** 174 a 2 septimo quoque die
**ceist** *question*; **an chest** 154 b 2 quaestio; gen. **na ceisthe** 84 b 1
**célleamhain** *obedience*; **an gc.** 234 a 4 in obsequiis. [For **géilleamh**;
see note 232 b 2 on **ciulan** for the initial.]
**cém** 195 b 1 *step*, gradus
**ceremonia**; **ar an tch.** 170 a 2 caerimonia, **ris an tc.** 181 b 1; pl.
dat. **ceremoneadhaibh** 168 b 2
**ceremonialta** 169 b 1 caeremonialis
**cesnughadh** *examine*; **-é-** 358 b 2 *probare
**céusadh** *crucify*; **ceasadh** 72 b 3 crucifigere; pres. **go gcésam**
173 b 1 crucifigimus; pres. impers. **go gcésthair** 331 b 2 cruci-
figatur; pret. impers. **do chéusadh** 16 b 6 *crucifixus (est), **do
chèsdadh é** 60 a 1
**cheana** *indeed, hitherto*; 26 b 1 immo vero, 47 b 1 omnino, 71 b 1,
95 a 2 hactenus
**choidhche** *indeed, (not) at all*; 60 b 1 omnino, 67 b 1 nequaquam,
**choighche** 350 b 1 omnino, **choidhce** 33 b 1
**chum**, prep. *to*; **do chum aghlóiresin** 2 b 5 in eius gloriam, **do
chum na críche** 39 b 4 in eum finem, **do chum saorse chonsiasa**
42 b 2 in libertatem conscientiarum; cj. *so that*, **do chum go
glorfluighthe** 2 b 2 quo glorificetur, **do chum gu dtuigfuighthe**
17 a 1 ut intellegantur, **do chum go ndoirteand sé** 45 a 3 ut
transfundat
**cia** *who, what, which*; 292 b 1 quis, 133 a 1; **cia an fhoirm** 149 b 4
quae forma, **cia an seadh** 23 a 1 quo sensu, 39 a 1, **cia náite as**
13 a 1 unde, **cia d'an dtarbhach** 43 a 1 ad quid conducit, **cia
vaidhe** 123 a 1 unde
**ciall** *understanding*; in phr. **cur agcell** *mention, declare* 142 b 4
significat, **c. agcéll** 41 a 1 edissere, **c. agcéill** 98 b 3 indicatur
**ciallughadh** 20 a 1 *mean*, *significare
**cian**, in phr. **angcén** *while, as long as* 91 b 1 dum, **an gcén** 99 b 1
quamdiu, 117 b 4, **an gcion** 105 b 4 quantisper
**cinneadh** *race*; gen. **an chinnjdh** 18 b 4 generis, **-n-** 54 a 7, 154 b 1
**cinneadhach** *relative*; pl. **cindeaghaigh** 222 b 2 cognatos
**cinneamhain** *grow, flourish*; **-nd-** 271 b 3 crescere; pres. **ni chin-
deand** 268 b 1 nec crescit, **chinneas** 331 b 4 vigeat
**ciondas** *how*; 35 a 1 qui, 68 a 1, 48 a 1 qualiter, 123 a 1 qua ratione
**cion** *crime*; pl. **cionta** 58 b 3 maleficia; dat. **le cíontibh** 283 b 3 reatu

**ciontach** *guilty*; 57 b 4 obnoxius, **mar ch.** 58 a 3 pro malefico, **go mbimis c.** 139 b 2 nos reos fore

**ciontughadh** *punish*; 205 b 2 punire; pres. impers. **go gciontaighear jád** 192 b 1 punientur

**ciorrfaidh** 70 a 9 *wound*, sauciare

**ciorrthadh** *hurt, injure*; 209 b 3 laedere; gen. **ciorraighe** 198 b 2 nocendi; pres. impers. **le gciorrthar** 199 b 3 qua laedatur

**ciúlan** *lead*; 232 b 2 \*manuducere, 255 b 4 ducere, 288 b 1 inducere; impv. **na cíulaín** 257 b 11 ne inducas

**cland** *children*; **c. do Dhia** 46 b 1 filii Dei; gen. **cloinde** 263 b 2 filiorum, **na cloinde bige** 339 a 3 parvulorum; dat. **jnar gcloind** 125 b 7 in filios, **ar an gcloind** 150 b 4

**claochlodh** *change*; 84 b 3 mutatio, 228 b 7; gen. **an chlaochloidh** 85 a 1

**claoi** *destroy*; 64 a 7 perire; pret. **do chlaoi** 69 b 7 \*subegit; cond. impers. **go gclaoifidhe jád** 294 b 2 opprimantur; pret. impers. **nar chlaoidheadh** 64 a 5 non \*periit, **nar claoigheadh é** 69 b 4 non fuerit oppressus

**claoidheamh** 70 a 7 *sword*, gladius

**clausa** 295 a 1 *phrase*, haec \*clausula

**clé** *left hand*; gen. **clethe** as adj. 211 a 4 *wicked*, sinister

**cleachtadh** *practise*; 178 b 1 exercere; pres. **nach cleachtand se** 23 b 2 *use*, quam non exerceat

**cló** press; **cur agcló** 303 b 7 *impress*, insculpere

**cloch-shneachta** *hail*; gen. **an chloichshneachta** 27 b 15 grandinum

**cloisdin** *hear*; 15 a 2 audire. See Introduction, p. xxv

**clú** *fame*; gen. **an chlú** 267 b 2 fama

**clùdadh** *endue, clothe*; 276 b 3 vestire, **-u-** 237 a 7 instruere; gen. **cludaigh** 42 b 4 \*instruere; past sj. **muna chludadh** 292 b 8 nisi instrueret

**cnāimh** *bone*; 346 b 4 ossa; pl. dat. **cnamhaibh** 346 b 5 ossibus

**cneasda** *fit, proper*; **is c.** 137 b 10 par est, 161 b 5, **a hadhbhar c.** 161 b 1 ex iusta causa; **is cneasta** 346 b 3 merito

**coigrioch** *stranger, sojourner*; **coigcrioch** 166 b 7 inquilinus; pl. dat. **coicreachaibh** 324 b 4 alienus

**coimeas** *equal*; **gan ch.** 86 b 2 *unequalled*, \*singulare

**coimh-**, see **comh-**

**coimhcheart** *equal*; **go coimhchert** 138 b 3 peraeque

**coimhdhéanamh** *make*; **coimhdhénamh** 113 b 12 \*formare

**coimhdheonughadh** *grant*; pres. **coimhdheonaigheas** 280 b 4 concesserit

**coimhed** *keep*; 27 a 3 tueri, 155 b 5 observare, **-é-** 168 b 3 observatio; pres. **muna coîmedaidh** 104 b 4 colat, **choimheúdas** 217 b 2.10 *keep*; pres. impers. **ar agcoimhédtar** 307 b 8 conservandae

**coimhfhreagarach** 272 b 2 *obedient*

**coimhghealladh** *fulfil*; pres. **ma do choimhgheallas sé** 299 b 7 si praestet

**coimhightheach** 217 b 4.7 *strange*

**coimhiomragha** *mention*; pres. **créud fa ġcomhiomhraigheand tu** 19 a 2 cur commemoras

**coimhleas,** see **cumailt**

**coimhleasughadh** 103 b 3 *compensation*, compensatio

**coimhlíonadh** *fulfil*; pres. **choimhlíonas** 191 a 2 satisfacit; fut. **ġo ġcoimhlíonfaidh sé** 354 b 2 quin impleat; impf. **ġo ġcoimlíonadh sé** 52 a 2 impleret, **nac ġcoilíonadh** 227 b 9 impleverint; past sj. **ġo ġcoimhlíonta** 67 b 3 impleretur, **ġo ġcoimhlíontaighe** 287 b 1 impleatur

**coimhrioth** *flee for refuge*; **coimhriodh** 246 b 5 *confugere

**coimhsheasamh** 132 b 1 *consist*, constare, 269 b 1

**coimhtheicheadh** *have recourse to*; **coimhthetheamh** 237 a 1 confugere, **-thetheadh** 246 b 6; pres. **an tan do chomhthetheam** 234 b 2 cum confugimus

**coimhthioghlacadh** 284 b 5 *condone*, condonare

**coimhthiomain** *drive*; **iar ġc.** 271 b 8 *cogere

**coimhthionol** *congregation*, *collect*; **comh-** 100 b 3 congregatio, 305 b 6 coetus; pret. impers. **coimhthionoladh** 15 b 8 collecta fuerit

**coimpeart** *conceive*, *beget*; **coimpert** 50 a 2 concipere; pret. **do choimpir sind** 112 a 1 *concipimus; pret. impers. **do choimhpreadh** 22 b 2 genita, **do coimpreadh** 46 b 5 *genitus

**coingheallach**; gen. sg. f. **coingheallaighe** 161 b 6 *mutuam, see note

**cóir** *right*; **is coír dhuínn** 237 b 3 nos convenit; gen. **córa** 137 b 4 ius

**coisreaca** *holy*, *consecrated*; **ambeth ġlan c. dhosan** 152 b 7 illi dicatas esse, **coisraca** 328 b 8 sacer

**coisreacadh** *consecrate*, *dedicate*; 36 b 2 consecrare, 300 b 11 dedicare; pret. **ġur choisric** 177 b 3 *dicavit

**coitchiond** 60 a 3 *common*, 97 a 2 universalis, **ġo c.** 317 a 6 promiscue, **ġo coitchionna** 15 b 4 vulgo, **coitcheand** 65 b 1 communis; gen. sg. f. **coitchinde** 179 b 3 publicus

**coitchionnchadh** 336 b 3 *spread abroad*, publicare

**colann** *body*; gen. **codla** 16 b 14 carnis

**comand** *fellowship*, *connection*; 93 b 1 societas, 223 a 1 coniunctio, 222 b 3 *necessitudo, **ġan ch.** 50 b 6 absque *coitu, **o chommand na ġcredeamhnacha** 308 b 7 a societate fidelium; **cumand** 16 b 13 communio (sanctorum)

**comaoineachadh** *communicate*, *share*; 98 b 7 *communio, **comaoineochadh** 343 b 6 communicare, **comaojncohadh** 40 b 3 *communicare; gen. **comaoinighe** 98 a 2 communio, 98 b 2 *unitas, **comaoinghe** 47 b 1 communicatio; pres. **do chomaoinaigheas** 47 b 3 communicare, **le ġcomaoinigheand** 310 b 2 quo communicet

**comas** *power*; 237 a 7 *facultas, 306 b 2, **fo ch.** 180 b 3 sub potestate

**comh-, coimh-,** *as*, *so* (before the equative form of the adj.):

**comhfhoirfe** *so perfect* 115 b 1 adeo perfectus, 231 b 1; **comh-fholaigheach** *so hidden* 142 b 1 tam reconditum; **comhghér** *so acute* 216 a 4 tam exactam; **comhghloireamhla** *so glorious* 268 b 5 ita gloriosa; **coimhiondraic** 282 a 2 *so just,* tam iustus; **coimh menic** *as often* 238 a 2 quoties; **comhmhaith** 205 b 5 *as well*; **comhór** *so much* 157 b 5 adeo, 177 b 7; **comhrighthe** *so prone* 221 b 2 adeo *propensi; **comhshalach** *so defiled* 116 a 2 ita sordidus; **comhtheand** *so liable* 221 b 2 adeo *propensi, **coimh-such strict** 230 a 5 tam exactam; **comhthoileamhail** *so pleasing* 285 b 1 perinde accepti; **comhthric** *as often* 7 b 4 quoties
**comhagalluidh** *dialogue*; **comhaghalluidh** 1.3
**comhaibel** 89 b 4 *capable,* *compos
**comhair** in phr. **fa ch.** *in the presence of, before*; **sind fén do bheth arar gcur fa chomhair** 29 b 6 nos expositos esse, **ata én chadhas arna fhágbhail fa chomhuir a'uile** 282 b 12 unicum omnibus perfugium restat; **ata an domhan fen ar na chur far gcomhair amhail scathain egin** 25 b 5 est mundus ipse veluti speculum quoddam, **ata sé acur f'ar gc.** 177 b 6 nobis proponit, **ata fioghar an bháis arna chur fa'r gcomar andson** 327 b 4 in eo nobis proponitur mortis figura
**comhāireamh** 118 b 6 *impute,* *imputare
**comhairle** *counsel, intent, decree*; 28 b 7 consilium, 195 b 4 *de-cretum, **brostughadh comhairle** 91 b 6 *persuasion,* *persuasio, **le chomhairle dhiamhair fén** 100 b 5 arcana sua electione
**comhanacul** 27 a 3 *preserve,* conservare
**comhaontadhach** 98 b 7 *consentaneous*
**comhaontughadh** 274 b 9 *agreement, consent,* consensio
**comhaonughadh** 104 b 2 *unite,* *coadunare
**comharrdha** *sign, pledge*; 319 b 6 signum, 74 b 2 *pignus; pl. dat. **comhairdhaibh** 100 b 2 indicium, 100 b 8 signum, **comardhaibh** 147 b 4, **comharraighdhaibh** 319 b 2
**comharrdhughadh** *indicate, mean*; 175 a 3 significatio, **comhar-rughadh** 151 b 1 significare; pres. **comharrghidh** 222 b 1 *significat, **chomharrdhas** 186 a 1, **chomharridhas** 32 a 1 sibi vult
**comharsa** *neighbour*; **comairsoin** 199 b 3 proximus; gen. **comh-arsoin** 213 b 2; pl. gen. **comarson** 205 b 6, **comharson** 360 b 2
**comhchaidreamh** *intercourse*; **gan chomand no ch. fir** 50 b 6 absque virili coitu
**comhcholloid** *discuss, treat*; pret. impers. **o dho chomhchoill-oideadh** 234 a 1 quum *disputatum fuerit
**comhchoimhed** *preserve*; **-oj-** 27 b 6 conservare
**comhchoitchiond** *common, universal*; 15 b 3 communis, **-nn** 16 b 13 catholicus
**comhchomand** *fellowship*; gen. **fear comhchomaind** 152 b 2 socius
**comhchongbhail** *hold, contain*; **comhchongmhail** 26 b 1 con-tinere, **comhchondmail** 15 b 1, **comhcongmhail** 29 b 10;

o *

pres. **go gcomchongmhand** 45 a 2 comprehendere, 55 b 3 contineant, **comhchondmhas** 31 a 1 complectitur; part. **comhchondaimthe** 278 b 6 contentus

**comhchothrum** *equality*; gen. **fear comhchothruim** 152 b 1 aequalis

**comhchreapadh** *afflict*; pret. impers. **comhchrepadh** 65 b 6 *constricta fuit

**comhchruindiughadh** *assemble, meet*; pres. **muna comhchruindighidh** 306 a 3 nisi conveniant

**comhchuma** 130 b 3 *invent*, confingere

**comhchumhachdach** 89 b 5 *capable*, *compos

**comhchur ; a c. maraonsa** 224 a 7 *connection*, *coniunctio

**comhdhaingniughadh** *confirm*; cond. impers. **do chomhdhaingneochaighthe** 315 b 14 confirmentur, **goma fearde do chomhdhaingeneoch[aighthe] a bfírinde** 311 b 6 quo earum veritas melius confirmetur

**comhfhās** *grow together*; 97 b 3 coalescere; pres. sj. **go gcomhfhásam** 354 b 7

**comhfh os** *rest*; gen. **comhfhosa** 29 b 8

**comhfhurtacht** *comfort, consolation*; 338 b 5 consolatio, 110 b 2; gen. 86 a 1 *gaudium

**comhghabhail** 317 a 4 *obtain*, concipere

**comhgheallach ; -mgh-** 98 b 7, see note

**comhiodhlacadh** 125 b 8 *bury*, consepelire, **-joth-** 123 b 6

**comhlán** *full*; **go c.** 39 b 5 in plenum

**comhluadh** *mention*; 37 a 2 commemorare; pres. impers. **comhluaidhthear** 110 a 1 commemoratur

**comhlucht ; c. parta** 43 b 8 *participants*, *collegas

**comhnaidh** *dwell*; 19 b 7 *residere; pret. **do chomhnaigh** 217 b 4.11 *rested*

**comhpàrtughadh** *share*; 40 b 4 *communicare; pres. **le gcomhpártaigheand siad** 242 b 4 qua communicant

**comhrabhadh** 139 b 1 *warn*, commonefacere

**comhshnaidhm** 223 b 4 *bond*, vinculum

**comhshnaidhmeadh** *conjoin*; 104 b 3 *coadunare; pret. **ler comhshnaidhim** 223 b 2 quo colligavit

**comhshuidhiughadh** 23 b 6 *establish*, constituere

**cómhthilughadh** 104 b 3 *unite*, *coadunare

**comhthoil** *common mind, agreement*; **aon ch. chredimhe do bheth againd** 363 b 4 nos unum habere religionis consensum

**comhthoirbheart** *bestow*; pret. impers. **do chomhthoirberadh** 107 b 11 collatae

**comhthuigsin** *comprehend*; pres. sj. **go gcomhthuigeam** 91 b 5 concipiamus

**comhullmhughadh** *prepare, adapt*; pres. sj. **go gcomhullmhaigheam** 128 b 6 comparemus

**compánach** *associate*; pl. dat. **companacaibh** 43 b 8 *collegas

compānas 222 b 3 *relationship*, *necessitudo
compānta *kindly, friendly*; go c. 251 b 7 familiariter, 261 b 10*
congbhail *hold, contain*; condmhail suas 295 b 2 suffulcire; pres.
congmhaidh 31 b 1 complectitur, chondmhas 18 b 3; fut.
coindeobham 124 b 2 teneamus; pret. do chondaimh 233 b 8
complexus est; pres. impers. condaimhthear 27 b 8 sustinentur,
165 a 3 continentur
congbhalacht *restraint*; congmhalacht 279 b 2 *continentia
congnamh *help*; pl. conganta 237 a 11 subsidia
coinsias *conscience*; 66 b 4 conscientia, ar ghcosnsiasne 90 b 3;
gen. cinsiasa 70 a 2; pl. coinsiasa 86 a 1; gen. consiasa 42 b 2
contrardha *contrary*; go c. 190 a 1 e converso, contrairdha 109 b 2
diversus, go contrartha 78 b 1 contra
contughadh *avenge*; 150 b 3 vindicare
cor 29 b 1 *condition*, ge bé ar bioth cor 107 b 10 *however*, utcunque;
ar an gcorsa 23 b 2 *thus*, hoc modo, 27 b 4 sic, 43 b 1 hac ratione,
ar chor ele 27 b 7 *otherwise*, aliter, 51 b 5, 52 b 4, ar thoraibh ele
192 b 6 aliis modis, ar chor égin 43 b 9 *in some sense*, quodam-
modo, 55 b 4, ar gach aon chor 51 b 1 *by all means*, maxime
corp 72 b 4 *body*, corpus, 93 b 1, ris angcorp 65 b 2; gen. an
chuirp 79 b 2; pl. cuirp 108 b 2; dat. corpaibh 339 a 6
corpordha *bodily*; corportha 357 a 7, corporridha 79 a 2 cor-
porealis
cōrughadh 29 b 2 *condition*
cosamhlach[t] 81 b 1 *metaphor*, similitudo
cosg *check, restrain*; 28 b 2 *coercere, 206 b 3, 254 b 6 cohibere
cosmhail; cosmhuil 217 b 2.1 *likeness*
cosmhaileas 145 b 1 *likeness*, 324 a 1
cosmhailim *I liken, conform*; pres. impers. go gcosmhailthear
sind 303 b 10 formemur
cosnamh *gain, obtain*; 123 b 2 conciliare, cosnadh 38 b 2 *obtinere,
74 b 1 acquirere; impft. go gcosnadh sé 345 b 5 acquireret; pret.
ler chosain 31 b 3 *acquisierit
cothrum *equity, fairness*; 238 a 3 *aequitas, agcothrum 353 a 1
peraeque
crádh *anguish*; crágh 65 b 3 *dolores
crand *tree*; agcrând 60 b 3 in ligno
crandchor *lot, fate*; crandchar 110 b 6 *sors, 154 b 5
craobh 117 a 4 *tree*, arbor
craobhscaoileadh *spread, scatter*; 19 b 6 *diffundere, 79 b 3, 97 b 5
crathadh *shake, sprinkle*; 90 b 4 *aspergere, 261 b 5 *excutere; pres.
chrathas 328 b 7 *aspergit
créatuir *creature, creation*; pl. créatuir 27 a 2 creaturas, creatúre
91 b 10, creatur 272 b 1; gen. creatuireadha 271 b 9; dat.
creatuiribh 26 a 2, agreatuirebh 113 b 6
creideamh *faith, religion, believe*; creidimh 95 a 9 fides; gen. an
chreidimh 1.2, 15 b 2, credimh 88 b 2; dat. re credeamhajn

94 a 3 creditu; pres. **creidim** 16 b 1 credo, b 12, **credim** 21 b 1,
**go gcred sind** 30 b 1 credere, **go gcredmid** 92 b 2; pres. impers.
**credthear** 100 a 2 creditur

**creideamhnach** *religious, faithful*; pl. **na n'daoine gcredeamh-
nacha** 48 b 5 hominum (piorum), 100 b 4, 63 b 2 fidelibus

**crēud** *what*; 1 a 1 quid, 25 a 1 quorsum, 27 a 1 cur, -**éu**- 19 a 2,
-**eú**- 28 a 2, 38 a 1, **cr'eud** 93 a 1; **créd** 2 a 1 quid, 8 a 2, 22 a 1,
**créd é an t'adhbhur** 4 a 1 *why*, quamobrem, **créd é is modh**
7 a 1 *how*, quaenam est ratio

**crīoch** 1 a 1 *end*, finis, 44 b 3; gen. **na críche** 39 b 4; dat. **gus an
gcriese** 148 a 5 in hunc finem, **gus an gcrisce** 246 a 1 eo

**criochnughadh** *fulfil, perform*; 28 b 8 exsequi, 51 b 6 *peragere,
76 b 3 perfungi; past subj. **go gcriochnaigheadh** 172 b 2 peragat;
pret. **gur chriochnaighe** 49 b 4 perfunctus est; fut. impers.
**criochnochar** 27 b 10 *conficitur; pret. impers. **creud far
chorichnaigheadh sin** 53 a 1 cur id effectum est

**Crīosd** *Christ*; 13 b 2 Christus, 16 b 3, 18 b 2; **Criost** 72 b 2, 90 b 1,
**Croist** 55 a 2, **Criord** 91 b 3

**crīosdaidhe** *christian*; 124 a 1 hominem Christianum, **criostaighe**
364 b 4; pl. gen. **na gcriostaigheadh** 364 b 5; dat. **criosd-
uidhibh** 15 b 3

**criothnughadh** 68 a 2 *shake*, *corripere

**croch** *cross*; dat. **ar an gcroigh** 286 b 5 in cruce

**crochadh** *hang, crucify*; pret. impers. **do crochadh** 16 b 6 *cruci-
fixus, **gur chrochadh** 60 b 2 suspensum (esse)

**croidhe** *heart*; 7 b 7 cor, **jnar gcroidhne** 91 b 2 in cordibus nostris;
gen. **an chroidhe** 142 b 7; pl. **croidheadha** 113 b 5; gen. **croidh-
eadh** 70 a 9; dat. **croidhibh** 91 b 8

**cromadh**; impv. **na cróm** 217 b 2.3 *do not bow*

**cronughadh** *forbid*; 144 a 1 prohibere, 144 b 1 vetare

**cruaidhcharuidheacht** 69 b 5 *wrestle*, *luctari

**cruaidhghlec** 69 b 5 *struggle*, *luctari

**cruas** *severity*; 123 b 5 *severitas, 158 b 3*

**cruinde** *world*; 83 b 4 orbis, **tríd an gcruinde vile** 97 b 4 per totum
orbem, **trés an'uile chruinde** 336 b 4

**cruindiughadh** *gather, assemble*; 179 a 1 convenire, 271 b 8 *cogere,
**cruindeochadh** 337 a 1 colligere; fut. **cruindeochaidh sind**
22 b 5 colligimus

**cruthaightheoir** 21 b 2 creator, **cruithaightheoir** 16 b 2, **cruth-
aighteoir** 25 a 1, **cruthaighteeoir** 27 a 1

**cruthughadh** *create*; 27 a 4 condere, b 2 creare, 177 b 1 creatio;
pret. **gur chruthaidh** 2 b 1 creavit; pret. impers. **ler cruthuigh-
eadh iad** 1 b 2 quo conditi sunt

**cuairt** *turn*; **fa gcuairt** 137 b 10 vicissim, 300 b 9

**cudtrom** *weight*; **an tan leagas sind ar gcudtrom** 123 b 3 *when
we lean*, cum innitimur

**cuibhreach** *chain*; pl. **cuibhrighe** 73 b 5 vincula

**cuid** *part, some*; 18 b 1 pars, 21 a 1, **gach én chuid** 17 a 1 singula,
  **les an mbeag chuidse** 27 b 1 hac particula, **an dara cuid** 30 a 1
  secundam partem, **cuid égin** 84 a 3 aliquos; gen. **codach** 234 a 3
  pars; pl. **cotcha** 52 a 3, 233 b 3; dat. **cotdannâibh** 17 a 2,
  **cotannujbh** 17 b 1
**cuidiughadh** *help*; 11 b 2 adiuvare, 186 b 4 iuvare; gen. **cujdjghe**
  236 a 3 opem, 292 a 1 auxilium; past sj. impers. **muna cúidighthe**
  **sind** 293 b 4 nisi adiuvaremur
**cúigeadh** *fifth*; **an chúigadh jarratus** 281 a 1 quintum postulatum
**cuimhne** *memory*; 71 b 7 memoria, 125 b 8
**cuimhniughadh** *remember*; impv. **cuimhnigh** 166 b 1 recordare,
  **cuimhnidh** 217 b 4.1 *remember*; pret. **far chuimhnigh** 139 a 1
  meminit
**cúimse** 230 a 8 *goal*, *meta
**cuin** 318 a 1 *when*, quando
**cuing** *yoke*; **tabhairt fa chuing** 272 b 1 subigere, **cur fa chuing**
  272 b 3 subiugare; gen. **cuinge** 138 a 2 iugum
**cuireadh** 261 b 7 *invite*, invitare
**cúis** *cause*; **ni fhuil againd cuís do chur gearain ar Día** 154 b 4
  nec est quod de Deo conqueramur.
**cúl** *back*; in phr. **amhail do bheradh Dia cul ris** 68 a 4 *desert*, ac si
  derelictus a Deo esset, **cur ar gcul** 85 a 4 *do away*, *abolitio, **cur**
  **cuimhne ar gcúl** 125 b 8 consepulta memoria, **cur ar gcúl**
  168 b 4 abrogare, **gur cuireadh ar gcul** 71 b 7 deletam esse; gen.
  **tabhairt cuil** 274 a 1 *yield, give way*, cedere
**cuma** *make*; 24 a 1 *fingere; part. **cumtha** 84 a 4 *appointed*, *con-
  stitutum
**cumailt** *sprinkle*; 90 b 3 *aspergere; pres. **antan choimhleas**
  328 b 7 cum *aspergit
**cumhachta** *power*; 23 b 2 potentia, 24 a 2, 42 b 4, **cumhacht**
  68 b 5 vis; gen. **cumhacht** 11 b 2; pl. gen. **chumhachd** 16 b 1,
  **cumhacht** 21 b 1, **na gcumhacta** 79 b 3 virtus; dat. **cumh-**
  **achtaibh** 27 b 19 *imperium
**cumhdach** *preserve, exercise, adorn*; 161 b 7 tueri, 264 b 5 exercere;
  gen. **ar gcúmdaigh** 42 b 3 *instruere; impv. **cumhdaigheadh**
  305 b 1 exerceat
**cumhgach** *pain, anxiety, straits*; 65 b 3 *dolores, **les angcumh-**
  **gachsa** 66 b 4 hac anxietate, **a gcumhgach** 29 b 11 *under re-
  straint*, in arce; pl. gen. **na gcumhgach** 65 b 5 angustias; dat.
  **is na cumhgachaibhse** 66 b 7 in his angustiis, 70 b 2
**cumhgughadh** *torment*; pret. impers. **les gcumhgaigheadh**
  65 b 6 quibus *constricta fuit
**cundradh** *condition*; **ar an gcundradhsa** 191 b 3 sub hac conditione,
  286 a 1
**cúntus** *account*; **go c.** 123 b 3 ad calculum
**cupa** 356 a 2 *cup*, calix
**cur** *put*; 8 b 1 collocare, 25 b 5, 36 b 2 adhibere, **cur as** 71 b 10

*cancel*, abolere; impv. **cuir** 41 a 1 (**aġcéll**) edissere, 57 a 1 *expone; pres. **creud fa ġcuirend tu** 25 a 1 quorsum addis; cond. **ġo ġcuirfeadh se** 39 b 5 poneret, **ġo ġcuirfadh** 84 b 5 induant; pret. **do chuir as** 61 b 2 *abolevit, **do chuireamar síos** 129 a 2 quam posuimus; pres. impers. **ma chuirthear** 7 b 1 si sita est, **nach ġcuirthear** 61 a 1 irrogatur, **ni cuirthear** 61 b 1; pret. impers. **do cuireadh** 62 b 1 impositum erat, **do chureadh** 76 b 2 *iniuncta fuerant, **do cuircaidh les** 65 a 1 adiectum est, **ġur cuireadh ar ġcul** 71 b 7 deletam esse

**cūram** *care*; 27 b 3 cura, -ù- 264 b 6

**cúramach** *careful*; cpv. **ġo madh curamaidhe** 165 b 2 studiosiores

**cúrsa** *course*; **an cúrsasa** 309 a 3 cursum hunc, **ré huile chúrsa** 174 b 3 toto *cursu; gen. **cursa** 27 b 13

**cúrsadh** *curse*; gen. **ar ġcursaidhne** 60 b 3 nostram maledictionem

**cuspoir** 226 b 6 *goal*, scopus

1. **dá** *two*; **an da ainmse** 26 b 2 his duobus nominibus, **les an dá shentensasa** 50 a 1 his duobus sententiis, **isin da chuidse** 127 b 3 duobus his membris, **andá chuid** 132 b 1 duabus partibus, **an'da thabhail** 133 b 1 in duas tabulas
2. **dá ; da bhréaġhach[t]** 117 b 2 however fine
3. **dá** *if*; **da mbeth ceadaiġheach** 29 b 2 si liceret, **da smuainmis** 154 b 1 si reputamus, **da mbriseadh** 165 b 4 si profanaverit, **da ġcleachtadh neoch** 210 b 3 si quis assueverit, **da bfaġhar âm** 210 b 5 si occasio data fuerit, **da raibh fuath aġ duine** 224 a 1 si quispiam oderit
4. **dá** *of his* (len.); **da sháor thrócaire fén** 118 b 1; f. **da substaintse** 50 b 1 ex eius substantia
5. **dá** *to his* (len.); **da mhac** 45 a 3, **umhal da thoil** 74 b 6; pl. (nas.) **da dteaġasġ isin fhírinde** 44 b 4, **da ndênamh** 44 b 5
6. **dá** *to whom* (nas.); **na daoine da dtaobhand siad** 81 b 3 quibus commendant
7. **dá** *of that which, of those who* (nas.); **na nuile da dteaġmhand** 23 b 7, **aoin neith da bfuil** 217 b 6, **ġach tioġhlacadh da dtuġ Dia** 98 b 4, **ġach ní dha n'iarram** 249 b 3 quidquid petierimus, **ġach ní d'iarmid** 250 b 6, **ġach ní dha ndén Dia** 268 b 4 quidquid facit Deus, **maoin da bfuil aca** 280 b 3 nihil eorum quae habent

**daidhbhir** *poor*; **daiboir** 280 b 1 pauper

1. **daingean** *certain*, *reliable*; 111 b 3 stabilis, 113 b 13 *certus, 119 b 2, **ġo d.** 140 b 2 in solidum, **daingain** 215 b 7 firmus; cpv. **ni is daingne ġo mór** 262 b 2 multo certiore
2. **daingean** *protection*; pl. dat. **fa dh'ainġnibh** 290 b 9 sub tutela eius

**dainġniuġhadh** *confirm*; 56 b 1, 161 b 2 *asserere, 312 a 3 stabiliare, **dainġneochadh** 266 b 12 confirmare, 320 a 3 confirmatio; pres. impers. **dainġnithear** 95 a 6 confirmari

**damnadh** *condemnation, condemn*; 56 b 3 damnatio, 57 b 7 damnare,

147 a 2, **fa ndamnadhsa** 69 a 3 huic damnationi subiectus; pret.
**nir damhain sê e** 58 a 2 non damnat; pret. impers. **do dhamnadh
e** 58 b 6 damnatur; part. **damainte** 294 b 8 *reprobus
**dána** *bold*; **ane gurab d. lind** 262 a 1 *dare*, audebimusne
**dánacht** 251 a 2 *boldness*, *confidentia
**daoirse** 138 b 3 *bondage*, servitus, 138 b 4
**daonacht** *humanity*; 158 b 2 humanitas; gen. **na daonachta**
238 a 4, **do rer a dhaonachta** 68 b 1 secundum humanae naturae
affectum
**daonna** *human*; **-aó-** 18 b 4 humanus, **daona** 53 b 1, 154 b 2,
**daonan** 54 a 7
**daortha** *enslaved*; **jna seruontaibh daortha** 294 b 9 mancipati
1. **dár** (7. **dá** + **ro**); **na huile dar labhrais** 45 a 1 *all that thou hast
said*, omnia quae dixisti
2. **dár** *to our* (nas.); **d'ar mbethne ajge** 48 b 2 ut nos habeat, **dar
legean fa scaoil** 57 b 8 ut absolveremur, **dar slanughadhne**
76 b 3 *to save us*
**dara** *second*; **an d. cuid** 18 b 2 secunda (pars), 30 a 1, 132 b 2 alter
**Davidh**; gen. **Dhavidh** 50 b 2 Davidis
**deacair** *difficult*; **da nach d.** 355 b 3 cui difficile non est
**deachtadh** *dictate*; 238 a 4 dictare; pret. **do dheacht** 256 b 5
dictavit
**deagh,** prefix *good*; **deaghbhés** *morals*; pl. dat. **deaghbhésaibh**
373 b 5 *morum; **deaghbhésach** *moral* 373 b 2 bene *moratae;
**deaghmaitheas** 42 b 1 *goodness*, beneficium, **-mh-** 118 a 2 bene-
ficentia; **le dheaghthioglacadhson** 72 b 1 *generosity*, eius bene-
ficio, 137 b 9; **deaghoibrighthe** 127 a 3 *good works*, opera bona,
126 a 2; gen. **deagh thoile** 111 b 3 *good will*, benevolentiae; **a
dheghthoirbhertais** 277 b 15 *beneficence*, beneficentiae suae; **tré
deaghthuillteanas** 111 b 6 *merit*, beneficio
**dealbh** *statue*; dat. **re deilbh** 147 b 2 ad statuam
**dealrughadh** *shine*; past sj. **go ndealraigheadh** 96 b 4 reluceat
**dealughadh** *separation*; **-ll-** 65 b 2 separatio, 105 b 5 dissidium,
b 2 discessionem facere
**déanamh** *do, make*; **dénamh** 29 b 12 (facere), 43 b 8, **-ê-** 44 b 5
efficere, 141 b 1, **-e-** 43 b 2, 51 b 6 *peragere, **denam** 52 b 4 fieri;
gen. **fear dheanta uilc** 58 a 3 *malefico, 59 a 5. See Introduction,
p. xxv.
**dear,** in phr. **to bher sé d.** 337 b 2 *observe*, animadvertet
**dearbh** 240 b 1 *sure*, certus
**dearbhadh** *confirm, prove*; 112 b 3 confirmare, 115 a 3 approbare,
357 a 2 asserere, 358 b 3 *probare, 359 a 1 probatio; pres. **le
ndearbhand tu** 242 a 1 quo probabis; part. **dearbhtha** 74 b 2
certus, **dérbhtha** 111 b 3
**dearbh-chomharrdha** *sure sign*; pl. dat. **le dearbh chomhairdh-
aibh** 100 b 2 certis indiciis
**dearbhdhóchas** 303 b 1 *confidence*, *solida persuasio

**dearbh-shuidhe** *settle, establish*; **jna dhearbh shuidhe againd** 249 a 4 constitutum id nos habere

**dearmad** 264 b 7 *forget*, neglegere

1. **deas** *fit*; **go des** 240 a 2 apte
2. **deas** *right* (*hand*); dat. **ar deis** 16 b 9 ad dextram, **ar des** 80 a 2

**deaslámh** *right hand*; **deslamh** 81 a 1 dextra; dat. **ar an'deaslaim** 81 b 4 ad dextram suam

**deaspóireacht** *discuss, treat*; pret. impers. **o do dhespoireadh** 234 a 1 quum *disputatum fuerit

**definition** 111 a 3 definitio

**definiughadh** *define*; **adehfiniughadh** 111 b 2 definire illam

**deich** *ten*; **an'dech n'aitheantaibh** 132 b 4 decem praeceptis, **go dech bhfoclaibh** 133 b 3 in decem verba

**deicreit** *decree*; **le dheerit** 24 a 5 eius decreto, **o dhecreit** 195 b 4 *decreto

**déigheanach** *last*; **degheanach** 192 b 2 extremus, 213 a 1 ultimus, **dégheanach** 271 b 6

**deilbh** *shape, form*; **ni bfuil tu a cuma no ag deilbh** 24 a 1 non fingis

**deimhin** *certain*; **go demhin** 2 b 3 sane, 14 b 1 omnino, 71 b 2 quidem, 86 b 1

**deimhniughadh** *assure*; part. **demhnighthe** 95 a 8 certior

**deirbh-fhios** *certain knowledge, certainty*; **derbhfios** 86 b 2 certa scientia, **adherbhfhios do bheth aca** 280 b 2 hoc constitutum habere, **go mbiadh adherbhfios againd** 348 b 4 ut certo sciamus

**deireadh** *end*; **dereadh** 39 b 6 finis, 78 b 2

**déis** *after*; **dés toil an Athair d'foillseochadh dô** 39 b 4 patris voluntate exposita, **dés ar dtabhartha do theacht adtír go diadha** 42 b 1 ad pie vivendum vindicati, **dés ar gcúmdaigh & ar gcludaigh** 42 b 3 instructi, 71 b 3, 76 b 1, 124 a 2, 264 b 7, 338 a 8

**deisciobul** *disciple*; pl. dat. **descioblaibh** 44 b 5 discipulos, **desciblaib** 257 b 2

**deoch** *drink*; dat. **ina dhigh** 352 b 4 potum

**deoin** *will*; **do dh. & do thoil De** 312 b 2 ex Dei voluntate, **da ndeoin** 113 b 8 suopte motu

**deonach** *willing*; dat. f. **deonaigh** 275 b 9 voluntariam

**deonaigheach;** **go d.** 344 a 3 *voluntarily*

**deonaightheach** *voluntary*; **go d.** 275 b 5 ultro

**deonughadh** *grant*; pres. sj. **go ndeonaigheam** 227 b 4 *demus; pres. impers. **da ndeonaighthear** 335 b 1 si concessum fuerit

**deoraidh** *stranger*; pl. **deoradha** 107 b 5 inquilinis

**deoraidheacht** *pilgrimage*; **deoruidheacht** 230 a 3 *peregrinatio, **ar d'eoraigheacht** 355 a 3 peregrinemur

**dha** 70 a 6, see 5. **dá**

**Dia** *God*; 2 b 1 (Deus), 5 a 3, 19 a 1, **Diá** 22 b 6, **Déa** 95 a 5; gen.

**Dé** 6 a 1, 16 b 10, 24 a 2, **De** 18 b 6, 29 b 10, **Dè** 46 b 7, **Dê** 57 b 10, 32 b 2; pl. dat. **dona déibh** 136 b 4

**diabhal** *devil*; **diabhol** 290 b 3 diabolus; gen. **an diabhaill** 138 b 6; pl. gen. **na ndiabhol** 28 a 2; dat. **dona diabhluibh** 29 b 3

**diabhlaidhe** *diabolical*; **go hiodholacht diabhlaigh** 152 b 10 ad superstitionem (diabolicam)

**diadha** 25 b 4 *divine*, 109 a 2 pius, **go d.** 42 b 3 pie, **diagha** 15 b 7

**diadhacht** *divinity*; 68 b 3 divinitas, 142 b 6 pietas, **diaghacht** 20 a 3; gen. **na dhjadhachta** 19 b 2 *Godhead*, **diadhachta** 235 b 2 numen

**diaidh**, in prep. phr. **ina dhjajdh sin** 19 b 4 *after that*, deinde, 34 a 1, 43 b 3, **ina dhiaidh so** 71 b 5 deinde, **-á-** 101 a 1, **ina dhiadh so** 125 b 7; 2 sg. **addhiaidh** 55 a 3 *behind thee*

**diamhair** *secret*; 100 b 6 arcanus, **na neitheadh ndiamhair** 183 b 6 mysteria

**dias** *two*; 307 b 4 duo, **edir an diasa** 236 b 2 inter haec duo

**dícheall** *diligence*; **dicheal** 7 b 2 studere, 115 a 3, **-í-** 275 b 6 *propensio, **ané nach jndénta duínn dícheal** 306 a 1 annon adhibenda est a nobis diligentia

**dícheallach** *diligent*; **go d.** 201 b 6 diligenter, 305 b 5 sedulo, **-í-** 212 b 8

**dídean** *protection*, 290 b 10 tutela, 294 b 2 protectio

**dídeanoir** 29 b 13 *protector*, tutor

**díoghailt** 153 a 2 *avenge*, ulcisci

**díoghaltas** *punishment*; 102 b 5 poena, **-us** 62 b 1 supplicium, **go ngébhand & go ndénand sé dioghaltus** 153 b 2 se poenas sumpturum; gen. **ag jmirt dioghaltais** 70 a 4 persequi, **ag joc an dioghaltais** 103 b 2 poenam solvendo

**díoghbhail** *loss, harm*; **tre d.** 206 b 7 iactura

**díoghlaidheacht** *satisfaction, reparation*; **dioluidheacht** 103 b 2 satisfactio, 349 b 2, **ler ndioghluidheact** 103 a 1 satisfactionibus; gen. **do dhenamh dioghluidheacht** 66 b 3 ut satisfaceret

**díol** *pay*; 57 b 1 *defungi, 59 a 2 solvere

**díomhaoin** *vain, useless*; 230 a 4 *supervacuus, 250 b 1 irritus, **-ain** 24 a 2 otiosus, 94 b 2

**díomhaoineach;** **go d.** 159 b 2 *in vain*, frustra, **diomhaoíneach** 125 b 1

**diongantar**, fut. impers. of **déanamh;** 126 b 7, 224 a 6

**diongmhalta** *worthy, fit*; 59 a 2 idoneus, **gurab d. les angabhail chuige** 121 b 2 ea dignatur

**diongmhaltacht** *worthiness*; gen. **-achta** 121 b 3 dignitatis

**diongmhaltas** 115 b 6 *worthiness*, dignitas

**díreach** *right, direct*; 149 b 4 rectus, 262 a 2, **go d.** 319 b 7

**dírgheadh** *aim, direct*; 260 a 4 *collimare, **-i-** 121 a 4 dirigere; past sj. **go n'dírgheadh sê sind** 319 b 6 quo recta dirigamur

**díth** *lack*; **do bhiadh d'ar n'díth** 338 b 5 deesset nobis

**íthughadh** h *deprive*; 154 b 9 privare, **dighughadh** 294 b 5 destituere

**diúltadh** *refuse, reject*; **diultadh** 262 b 5 negare, **-íu-** 316 b 4 respuere; pres. **dhiúltas** 308 b 5 *detrectat; past sj. impers. **da n'diultaighe** 339 b 4 si negaretur; part. **diultaighthe** 269 b 5 *reprobus

**diurughadh** *grant*; prét. **nir dhiuraigh** 239 b 1 neque *attribuit

**dleastannach** *owed, due*; **dlestannach** 6 b 2 debitus

**dligheadh** 278 a 1 *right*, ius; gen. **dlighidh** 134 b 1 *duty*, officium; verb, *owe*; pres. **dhligheas** 135 b 2 debeamus, 225 b 3 debet; pret. **do dhligh** 240 b 8 debuerat; pres. impers. **dlighear dhínne** 162 b 6 debemus, **ar an'dleaghar** 111 a 1 cui debet, **dhleaghthear** 186 b 6 debetur, **dleaghar** 193 b 3 debet; pret. impers. **do dlighead** 57 b 2 debita

**dlightheach** *due, owing*; **nach d.** 178 a 1 debetne, **dligheach** 188 b 1 debitum

1. **do** *thy* (len.); **do dhiadhsa** 136 b 1 Deus tuus, **do bhanóglach** 166 b 6 ancilla tua; before vowels **h-** (th-), **hujle shaothar** 166 b 2 omne opus tuum, **hóglaoch** 166 b 6 servus tuus, **hainmhidhe** 166 b 6 bos tuus; with preps. **dod tathair, dod mháthair** 217 b 5.3 to thy father, mother, **léd chomharsain** 217 b 10.4 with thy neighbour

2. **do,** particle and relative (len.); **do rindis** 8 a 3, **do gabhadh** 16 b 4, **do fhulajng, do crochadh, do ceusadh, do chuaidh, do eirghidh** ibid., **do rachadh** 113 b 10, **do fhêdfadh** 115 b 6

3. **do** *to* (len.); with vbn. 2 b 4, 20 a 2, 25 b 4, 27 a 3 etc., **do Chriosd** 35 b 4 Christo, **do mhac Dé** 44 b 1 filio Dei, **da gach aon** 41 b 4 cuique; pron. forms, 1 sg. **damh** 16 a 1, 18 a 1, **dhamh** 19 a 2, 35 b 1, **dham** 307 a 1; 2 sg. **dhuit** 35 a 1, 50 a 1, **duit** 80 a 1; 3 sg. m. **dó** 6 b 2, 12 b 3, 23 b 1, **dhó** 22 b 4, 34 b 2, **dho** 7 a 2, 23 a 2, **dhósan** 28 b 8; f. **dhi** 15 b 4; 1 pl. **dûinn** 13 a 1, **duinn** 13 b 2, 25 b 2, **d'uinn** 38 b 3, **dhúinn** 19 b 1, 29 b 14, **dhuínn** 29 b 8, 31 b 4, **dhuinne** 22 b 7, 25 b 2, **dhújnne** 27 b 4, **dhuíne** 25 b 7, **dhúnn** 107 b 5; 3 pl. **dhoibh** 28 b 5, 91 b 9, 135 b 2

4. **do** *of, from* (len.); 1 a 2, 17 a 2, 26 a 2, with art. 3 a 1, 36 b 5, 69 a 2; pron. forms, 3 sg. m. **de** 22 b 1, 46 b 7, 64 a 1, **dhe** 22 a 1, 27 b 3, b 11; f. **di** 140 b 3; 1 pl. **dhínne** 57 b 2; 3 pl. **dibh** 102 b 5, **dibhsin** 40 a 2

5. **do** (len.), case of 2. **do**; **amhail do bhiadh sé** 66 b 5, **amhail do bheradh Dia cul ris** 68 a 4 ac si derelictus a Deo esset, **amail do bhédis foirfe** 123 b 8 ac si perfecta essent

**dóchas** *trust, confidence*; 8 b 2 *fiducia, **dòchus** 43 b 6 fiducia, **-o-** 100 a 2 fides, 113 b 13 persuasio; gen. **do dhènamh dochais** 70 b 3 sperare

**dochrughadh** 66 b 4 *torment*, torquere

**dóigh** *confidence*; **jondas nach binbhethe doibh d.** 287 a 4 ne confidant

**doilgheas** *pain, grief, anxiety*; 65 b 4 *dolores, 244 b 3 maeror; gen. **doilghise** 261 b 6 *anxietas

**doille** 294 b 8 *blindness*, caecitas

**doimhne** 202 b 4 *depth*

**doineand** *storm*; pl. gen. **na nd.** 27 b 15 tempestatum

**dóirteach, dórtach** *abundant*; cpv. **ni is doirtaighe** 233 b 11 plenius

**domhan** *world*; 25 b 5 mundus, 27 b 5, **ar an domhansa** 22 b 4 in hunc mundum, **don domhain** 69 a 2 mundi; gen. **an domhajn** 23 b 4, 86 a 3

. **domhnach** *Sunday*; pp. 1, 2, 19, 32, 52, 86, 88, 98, 105; **domhnac** 10, 22, 24, 26, 27, 34, 36, 45, 48, 50, 54, 58, 62, 67, 72, 74, 75, 77, 90; **domhachn** 100; **dom** 4, 17; otherwise **domh**

. **domhnach** *dominical*; dat. sg. f. **ag an orrtha dhomhnaigh** 299 a 1 oratio dominica

**dorcha** *dark*; cpv. **ni budh doirche** 337 b 6 obscurior

**dorchadas** *darkness*; gen. **dorchadais** 270 b 6 tenebrae

**dórtadh** *pour*; 18 b 7, 19 b 6 *diffundere; pres. **go ndoirteand se** 45 a 4 ut transfundat, 156 b 1 effundere; cond. **do dhoirtfedh se** 337 b 8 effudit; pret. **do dhoirt** 349 b 1 effudit; pret. impers. **do doirtadhe** 328 b 3 effusus fuit

**dorus** *door*; **doras** 77 b 6 ianua; gen **dorais** 251 b 13 *aditus

**dréacht** 44 b 1 *office*, *munus

**droch-** pejorative prefix; pl. dat. **droch amhairsibh** 211 a 3 *suspicions*, a malis suspicionibus; gen. **droch cherde** 205 b 2 *tricks*, malas artes; **droch craobh** 117 a 4 *bad tree*, arbor mala; **droch mheas** 117 a 4 *bad fruit*, malos fructus; **drochraiteachus** 210 b 3 *slander*, maledicentiae, **-as** 211 a 2 maledicendo; dat. pl. **droch raitibh** 209 b 4 maledicentia; **droch thoil** 360 b 4 *ill-will*, malevolentia

**rong ;** dat. **don druing** 217 b 2.8 *people*

**rud** *shut*; 295 b 4 claudere, 330 b 2 praecludere; **druideadh** 289 a 1 includere

**ruim** *back*; **tabhradh na criosdaidhe drúim ris angcelgse** 248 b 3 a Christianis facessat haec hypocrisis

**úil** *element*; pl. dat. **isna duílibh** 356 b 7 in elementis

**uine** *man*; 3 a 2 homo, 5 a 2; gen. 1 a 3, 59 a 3; pl. **daoine** 1 b 1, 15 b 4, b 6, **-ó-** 33 a 2; gen. **na ndaoine** 28 a 1, 39 b 3, 48 b 5; dat. **do na daoinibh** 29 b 3, 44 b 2

**ul** *go*; **d. isteah** 43 b 4 *entry*, accessus, **d. eatorra** 53 b 3 *intervene*, intercedere, **d. fa** 58 b 8 *undergo*, subire, **d. ré** 118 a 2 *anticipate*, praevenire, **dull** 83 b 5. See Introduction, p. xxvi

**unmharbhadh** 217 b 6.1 *murder*

**úpalta** *double*; 228 a 3 duplex, **-u-** 77 b 1, 107 b 3

**úsgadh** 74 b 4 *awaken*, suscitare

**úthaigh** *country*; 193 b 4 *regio; gen. (as adj.) **duithche** 245 a 1 *nativus, 293 b 5

**eachtra** *history, account*; **eachetra** 55 a 2 historia; gen. **na heachtra** 56 b 2

**eadar ; edar** 1.3 *between,* **edir** 70 a 2, 98 b 2 inter, 145 b 1; pron. form 3 pl. **etorra** 15 b 3, **eatorra** 53 b 3, **eatoira** 240 b 11

**eadarghuidhe** *invoke, pray*; 141 b 3 invocare, 234 b 1 invocatio; pres. sj. **eadarghuidheam** 236 b 2; pres. impers. **eadarguidhthear** 239 a 2

**éad** *jealousy*; gen. **an'éda** 152 a 2 zelotypiae

**éadmhar** *jealous*; **edmhar** 150 b 2 zelotypus

**éadtraidhtheach** *unfailing*; **edt-** 238 b 5 inexhaustus

**éadtromughadh** *lightening*; **èdt-** 171 b 3 *sublevatio, **edt-** 180 a 2

**éag** *death*; **atamaid ag dul d'ég** 63 a 3 moriamur, **a dhul d'ég** 345 b 3 eum mortuum esse, **gur ég sé** 56 a 2 mortuum fuisse

**éagcoir** *injury, injustice*; **égc-** 146 a 2 iniuria

**éagcosmhaileas** *dissimilarity*; **gan égc.** 303 b 2 *just as,* non secus 324 a 1

**éagcuibhdheas** *absurdity*; **égcnibheas** 20 a 2

**eagla** *fear*; 128 b 3 timor, **éa-** 68 a 3 pavor, **barr e.** 153 b 1 plu. terroris, **cur e. oraind** 87 a 3 nobis horrorem incutere; **d'eagla g** 266 b 3 *lest,* ne, 294 b 2

**eaglach** 64 a 2 *inspiring fear,* formidabilis

**eaglais** *church*; 92 b 2 ecclesia, 16 b 12, **aiglais** 93 a 1; gen. **na heaglajsi** 15 b 6, **na h'eaglais** 18 b 6, **na heaglaise** 82 a 3

**éalodh** *creep up on*; pres. **eloidheas** 215 a 2 obrepant

**earbadh** *hope, trust, entrust*; 271 b 5 sperare; pret. impers. **do earbadh** 76 b 1 quae *iniuncta fuerant

**easbhaidh** *lack*; **ata d'e.** 52 b 2 deest

**éasgaidh** *ready*; **ésg-** 275 b 4 paratus

**éasgaidheacht** *proneness, activeness*; **ésg-** 275 b 6 *propensio 277 b 3 industria

**easlainte** 27 b 17 *sickness,* morbus

**easumhal** *disobedient*; **es-** 192 a 2 contumax

**easumhla** *disobedience*; **es-** 51 b 2 inoboedientia, **as-** 273 b 4 con tumacia

**edir-bhreathamhnas** *exception, distinction*; **gan edirbhreath eamhnas** 355 a 2 absque exceptione

**edir-dhealughadh ; eadardhealughadh** 70 a 1 *difference,* 236 b 1 discrimen; part. **edirdhaluighthe** 20 a 3 distinctus

**éideadh** *armour*; **d'édeagh** 42 b 5 armamenti, **le edíth fein** 292 b suis armis

**éigcneasta** *improper, wrong, absurd*; **egc-** 239 a 2 perperam **egcneasda** 253 b 1 praeposterus, **ègcnesda** 328 b 1 nefas

**éigcneastacht** *absurdity*; **gan égc. ar bioth** 335 a 2 nihil absurdi

**éigeantach** *necessary*; **ég-** 94 a 1 necessarius, **eg-** 241 b 1

**éigeantas** *necessity*; **egcantus** 234 b 2 necessitas, **egeantas** 282 b 5 gen. **do chum an'égentaise** 68 b 2 eo necessitatis

**Éighipht** *Egypt*; gen. **na heghiphte** 316 b 3 Aegypti

**Éighiphteach** *Egyptian*; gen. sg. f. **Egyphtigh** 138 a 3 Aegyptiacae
1. **éigin** *some*; **egin** 25 b 6 quoddam, **é-** 43 b 9, 47 b 2, **méd e.** 122 b 1 nonnihil
2. **éigin** *necessity*; **is egin** 52 b 1 oportet, **do b'égin** 51 b 2 necesse erat, 59 a 5 oportuit, 66 b 4 oportebat, **gur b'égin** 52 a 1 oportuisse, **gurab é.** 54 a 2 oportet
**eile** *other*; **ele** 27 b 16 alius, 40 b 1, **gne [e]le bhais** 60 a 3 alio mortis genere, **ar chor ele** 27 b 7 aliter, **tuilleadh ele** 27 b 9 praeterea, **d'ar ele** 287 b 4 erga alios, **an taon oile** 58 b 1 utrumque, **ní ar bioth oile** 217 b 10.4; pl. dat. **isna helibh** 73 a 1 in reliquis
**éirghe** *rise*; pres. **ergheas** 114 a 1 oritur; pret. **do éirghidh** 16 b 8 resurrexit, **gur erigh se** 73 b 1
**eiséirghe** *resurrection*; 16 b 14 resurrectio, **esérige** 73 b 4, **trés an esérigse** 74 a 2 ex hac resurrectione; gen. **na heseréghe** 331 b 7, **esérghe** 74 b 4
**eisiomlair** *example*; **es-** 177 a 3 exemplum, 368 b 3; gen. **esiomlara** 177 b 6
**eisiondracas** *iniquity*; **es-** 270 b 10 iniquitas; gen. **ar nasiondhracais** 67 b 5 iniquitates nostras
**éisteacht** *listen to, hear*; **es-** 179 b 2 audire; impv. **eist** 136 b 1 audi; pres. impers. **go n'estéar** 249 a 5 exauditum iri, **an'estear, nach éster** 250 a 6 audiantur
**eitheach** *perjury*; **le hethach** 160 b 2 peierando, **go hetheach** 210 b 5 ad periuria; gen. **éthigh do thabhairt** 209 a 1 peierare, **ethigh** 210 a 2 periuria
**element** 314 a 2 elementum
**én, aon** *one*; **én nj** 5 a 2 nihil, 24 a 5, **én** 7 b 4 aliquis, **gach én mhaith** 7 b 6 quidquid bonorum, **a éunmhacson** 16 b 3 filium eius unicum, **as en tobar** 41 b 8 unico fonte, **d'en naduire** 46 b 6 unius essentiae, **gach en ní** 52 b 2 quidquid, **d'en fhocal** 56 a 1 uno verbo, **gach en tshaothar** 168 a 1 quemvis laborem; **aon** 7 b 8 solus, 19 a 1 unus, **gach aon** 12 b 1 quisque, **san aon diaghacht** 20 a 3 in una divinitate, **an taón** 27 b 12 unus, **a'aon mhacson** 30 b 2 filium eius unicum, **aon mhac Dè** 46 b 7 filius Dei unicus, **aoneoch** 165 b 4 quis; gen. **cotcha & oifice gach aoin** 233 b 4 cuiusque partes; **d'èn chuid** 46 b 3 *only*, dumtaxat, **dhen chuid** 169 a 4, **de'nchuid** 110 a 2 sola
**entreas** *entrance, entry*; 43 b 4 *accessus, **én-** 77 b 4 aditus; gen. **entreasa** 251 b 13 *aditus
**eolach** *knowing*; **beith e.** 1 b 2 novisse
**eolas** *knowledge*; 6 a 1 cognitio, **eohlus** 111 b 3*, **le fior eolus** 44 b 4 vera cognitione; gen. **an'eolais** 15 a 1, 267 b 2 notitia
**epithet** 97 a 1 *epitheton, **les an'epithetse** 34 b 1 hoc epitheto
**Esaias** *Isaiah*; **le Hesaias** 67 b 3 per Iesaiam
**Exodus**; gen. **Exoduis** 217 a 3
**experiens** 112 b 2 *experientia, 113 a 1

P

**fa, faoi** *under*; **fa Fpuinge Fphioláid** 16 b 5 sub Pontio Pilato, **fa laimh** 23 b 3 sub manu; with art. **fánadhbhursin** 2 b 1 ideo, **fan mbhreatheamhnas** 58 b 8 sub iudicium, **fa ndamnadhsa** 69 a 3 huic damnationi subiectus; with gen. pron. **fa impeirdhacht fen** 48 b 2 sub imperio suo; **faoi an da ainmse** 26 b 2 his duobus nominibus, **faoi mhallachadh** 61 a 3 maledictioni subiectus, **fooi bhreamhnas** 57 b 4; relative, **fa nâbrann** 2 a 1, **fa saolinn** 4 a 1, **fa ngoireand** 22 a 1, **fa gcuirend** 25 a 1, **fhar fulaing sé** 56 a 3; with pron. 3 sg. m. **fhaoi** 69 b 1, **faoi** 69 b 2; f. **fuithe** 170 a 2

**fad** *length, distance*; **re fad daimsir** 280 a 5 in longum tempus, **abfad or gcuspoir** 226 b 6 procul a scopo (nostro)

**fada** *long*; **go fh.** 113 b 11 longe, **do bfada les** 127 a 4 tantum abest; cpv. **nach faide téd si** 162 a 1 annon longius spectat

**fadheoidh** *finally*; 7 b 6 postremo, 71 b 6, 27 b 19 denique, 29 b 7 demum, **fá-** 19 b 4 postremo

**fad-mharthain** *duration*; gen. **fadmharthana** 189 a 4 duratio

**fadodh** *kindle*; 118 a 5 *subiacere, 244 b 5 aestuare

**fadughadh** *lengthen*; cond. impers. **go bfaideobhthaoi** 187 b 2 prorogentur, **go bhfaidéochthí** 217 b 5.2 *may be prolonged*

**fágbhail** *leave*; 55 a 2 omittere, **-mh-** 251 b 2; pres. **an tan fhágbhus sé** 154 b 4 cum relinquit; pret. **do fhagaibh** 301 b 1 reliquit

**faghail** *get, obtain*; 38 b 2 *obtinere, 103 a 3, **faguil** 71 a 3 percipere; gen. **faghala** 262 b 1 obtinendi. See Introduction, p. xxvi

**faicill** *watch, guard*; **bheth arar bhfaicil** 162 b 7 cavere

**faicilleach** *watchful*; **bheth f.** 369 b 4 cavere

**faicseanach** *visible*; 100 b 1 visibilis, 311 b 1; dat. sg. f. **faicseanigh** 36 b 1, **-aigh** 145 a 2

**faicsin** *see*; **ar bfaicsin** 84 a 4 *seeing that*, quandoquidem. See Introduction, p. xxvii

**faidshleamhnughadh** 240 b 9 *slip, lapse*, *prolabi

**faire** *watch*; **do dhenamh gnath fhaire** 373 b 6 qui *invigilent

**fairrge; an fháirrge** 217 a 4.10 *the sea*

**fallan** 259 b 5 *healthful*, salutaris

**faoigheadh** *send, add*; 22 b 4 mittere; pres. **creud fa bfaoigheand tu** 104 a 1 cur subnectis

**farsaing** *extensive*; **farsing** 256 b 1 *amplus

**fás** *grow*; 271 b 3 crescere; pres. **as abhfásaid** 127 a 2 ex qua *nascantur

**fásgadh** 71 a 1 *deduce*, *elicere

**fastodh** *fasten*; **le bfuilid na buill ag leanmhuin & abhfastodh re gceand** 345 b 9 quo membra cum capite suo cohaerent

**feacadh** *worship*; 141 b 1 *adorare; gen. **feacaidh** 144 b 2 adorandi, **-éa-** 147 a 1 *adorationis

**féachain** *look, see, regard*; **fêchain** 47 b 1 intuitus, **-e-** 118 b 2 respectus, 251 a 1 videre, **-é-** 180 a 2 prospicere; impv. **fecham** 181 a 1 videamus

**féad-** *be able*; pres. **féduidh** 9 b 1 potest, **fédmaid** 71 a 1 possumus,
-**e-** 71 b 1, **fhédas** 69 a 1 potest, 123 b 1, **nach bhféd** 5 a 1, **ar
bhféd** 7 b 6, **ni fhéd** 126 a 1, **nach fédand sé** 152 b 1, **nach
bfhédmid** 118 a 1, **nach bfhedaid** 28 b 3, -**é-** 29 b 11, **nach
féddaid** 122 a 2; cond. **do fhêdfadh** 51 b 5 poterat, 115 b 6, -**é-**
68 a 2 potuit; past sj. **jno dho fhédadh sé** 113 b 2 quam ut queat,
**ina bhfedmaois** 25 b 6 in quo possimus; cond. impers. **do
fhédfuíghe** 115 b 2 posset, 124 b 3; past sj. impers. **go bfedthaoi**
271 b 1 ut possit

**feadh** *course, extent*; 174 b 3 *cursus; **arfeadh abheathadh** 309 a 3
tota vita

**feadhmantas** 369 a 2 *distribution, stewardship*, dispensatio

**féagmhais** *absence*; **abfégmhais** 277 b 6 *without*; pron. forms, 3 sg.
m. **ina fheagmhuis sin** 4 b 2 eo sublato; 3 pl. **jna bfheigmhaisan**
126 a 3

**fear** *man*; **f. dheanta uilc** 58 a 3 *evildoer*, *maleficus; **fear feasa**
142 b 3 *knower*, cognitor, **fer thabhartha an lagha** 206 b 2
legislator; gen. **fir** 50 b 7 vir; **fir thabhrtha an lagha** 202 b 1
legislatoris

**fearadh** *regard, concern*; 56 b 1 spectat; pres. **neoch fhearus** 138 b 7
pertinet, **ar an Spiorad naomh fhearus** 313 b 2 solius Spiritus
est; pres. impers. **an tan fhearar é** 161 b 1 cum adhibetur

**fearg** *wrath*; 118 a 5 ira, **abhferg ris** 66 b 6 infestum, **a bhferge ris**
67 a 1 offensus illi; gen. **ferge** 38 b 4 ira, 71 b 3

**feargach** 70 a 4 *angry*, iratus

**fearr** *better*; 63 b 3 melior, **feárr** 27 a 2 praestantius, **do bhfearr**
36 b 3; **do chum gomadh fearde** 62 b 4 ut melius, **ferde** 258 a 1

**feart** *grave, tomb*; **faoi fheart** 327 b 8 in sepulcrum; dat. **abfiort**
62 b 7 in sepulcro

**fearthain** *rain*; gen. **na fearthana** 27 b 15 pluviae

**feasach** 29 b 8 *knowing*, 253 b 4

**feast** *ever*; 29 b 5 unquam, 61 b 1 *at all*, 71 b 8 unquam, 99 b 3;
**feasta** 162 b 3

**féicheamh** *debtor*; pl. dat. **fécheamhnaibh** 257 b 10 debitoribus

**feidhm** *need*; **ata fedhem againd** 315 b 6 indigemus, **ni raibh
fédhm ar bioth** 76 b 4 nihil opus erat, **gan fhedhm** 160 b 3
praeter necessitatem; gen. **ar bhfeadhmaidhne** 316 a 3 neces-
sitatis nostrae

**féidir** *possible*; **nach budh fhedir** 52 b 4 quod nequit, **nach bfédir**
100 a 1 potestne, **ané go bhfédír** 126 a 1 anne potest, **gurab
fhèdir an'aireamh** 156 b 8 quo censeantur, **nach fhédir do chur
ar gcúl** 223 b 5 quod non aboleri potest, **dearbhthadh an
tsamhdais & an daingnjghe fhédir do chomhghabhail** 317 a 4
quam certa securitas concipi potest, **bfedar leat** 368 a 1 possisne

**féin** *self*; 1 b 1 ipse, 2 b 5, **fèin** 12 b 2 suus, **feín** 23 b 8, **fein** 3 b 1,
13 b 3, 25 b 1 se, 27 a 4; **fén** 6 b 2, 13 b 2, 15 b 4, 19 b 8, **fên**
29 b 6, **fen** 23 b 5, b 7, 25 b 5

**feitheamh** *wait*; **fetheamh** 110 b 6 manere, **feathamh** 236 b 3
exspectare

**feoil** *flesh*; 173 b 1 caro, 42 b 8; gen. **na feola** 72 b 6, 84 b 5, 106 b 1,
**-éo-** 122 b 2, **ar bhfeolaidhne** 49 b 4, **bf-** 51 a 2

**feolamhail** *fleshly*; 266 b 4 carnalis; pl. **féolamhlá** 149 b 8

**fiach** *debt*; pl. **fiacha** 257 b 9 debita; dat. **ata dfiachaibh aige**
**amuigh** 47 a 1 qui illi debeatur

**fiadhnaise** *witness, presence*; **fj-** 58 b 2 testimonium, **ina fhiadhnaise**
43 b 5 in eius conspectu; gen. **dénamh fiaghnuise** 13 b 3 testari;
**abhfjadhnaise** 38 b 2 in conspectu, 57 b 6, b 9 coram, 61 a 3,
66 b 1, **abf-** 71 b 3, **abfiadhnaisi** 87 b 2 ad, **um fhiadhnaisese**
136 b 5 coram me

**fiadhnaisiughadh** *bear witness*; 282 b 8 testari, **-ss-** 236 b 3; pres.
**fiadhnaiseas** 111 b 4 testatur; pret. **do fhiadhnaisigh** 133 b 2
testatus est

**fiafraigh** 257 b 1 *ask*, rogare

**ficheadadh; and sa bhfithcheadadh caipghidil** 217 a 2 *in the*
*twentieth chapter*

**fínit** 373 b 11

**fioghair** *figure, likeness*; **an fh.** 145 b 3 figura, 145 a 2, **fioghar**
327 b 3; gen. **afhioghrachson** 177 b 9 eius imaginem

**fioghrughadh** *symbolise*; 171 b 1 figurare; pres. impers. **fiogh-**
**raighthear** 325 b 1 figuratur

**fíon** *wine*; **les an bfíon** 342 a 2 vino; gen. **an fhiona** 349 a 2

**fiondachtain** 112 b 2 *experience*, *experientia

**fiondfhuarughadh** 171 b 3 *relief, refreshment*, *sublevatio

**fíor** *true*; **fiór** 142 b 6 verus, **flor** 6 a 1, 44 b 4, 103 b 5 merus

**fíor-bhlastacht** *true sweetness*; gen. **fiórbhlastachta** 261 b 4 meram
suavitatem

**fíor-fhuasgladh** *remission*; **go f. fh.** 59 a 4 in absolutionem

**flos** *knowledge*; 111 b 3 *cognitio, **go mbiadh afhios againd** 89 b 2
ut noverimus, **dhfios** 29 a 2 ex cognitione

**fíreanach** *just, righteous*; **fírénach** 115 b 3 iustus

**fíreantacht** *righteousness*; **fíréntacht** 118 b 5 iustitia, 126 a 1,
**firentacht** 74 b 1; gen. **fíréntachta** 118 b 4, **-en-** 333 b 11

**fíreanughadh** *justify*; **firénughadh** 96 b 2 iustificare, 119 a 1,
**fírenughadh** 114 b 3 iustitia, **feírenughadh** 114 b 1 iustificare,
**fírénachadh** 124 b 3, **-en-** 124 a 2; pres. impers. **firenaighthar**
115 a 1 iustificantur

**fírinde** *truth, good faith*; 44 b 4 veritas, **-i-** 36 b 5, 87 b 4 fides

**fírindeach** *true*; 104 b 7 verus, 129 b 2, **fir-** 103 b 1, **firrindeach**
62 b 5, **-nn-** 15 b 8 fidelis, **go fiorindeach** 199 b 7 fideliter; gen.
sg. m. **fírindigh** 111 a 4

**fiú** *worthy*; **fiúth** 11 b 1 dignus; **is fiú** 34 a 1 valet, **gurab fiú les**
46 b 3, **gurab fíu** 46 a 2 *dignetur, **les nach fíu** 308 b 5 *de-
trectat, **les an adhbharsin fein do bfiu** 336 a 3 causa quae
*valuit

**flaitheas** 27 b 20 *kingdom, rule,* \*imperium

**fobhar** *favour;* 116 a 4 \*gratia, 123 b 1, 122 a 2 favor, **abfhobhair** 71 b 4 in \*gratiam; gen. **fobhair** 38 b 3

**focal** *word;* 37 b 2 verbum, 56 a 1, **les an fhocalsa** 65 b 5 hoc nomine, **focal** 97 a 1 \*epitheton; pl. **na focail** 83 b 2, 137 b 8; gen. **na bfocalsa** 80 b 1

**fochaidbheadh** *mockery;* **fochaidmhe do dhénamh** 248 b 1 ludere

**fochair** *proximity, presence;* in phr. **a bhfochair achele** 56 b 3 coniunctam fuisse, **cur a. a.** 126 b 8 coniungere; pron. forms, 3 sg. m. **jna fhochair fein** 273 b 2 apud se; 1 pl. **inar bhfochair** 52 b 2 apud nos, **-ne** 137 b 6

**foghluinte** 1.5 *pupil*

**foghlum** *learn;* 54 a 1 discere; pres. **foghlumas** 229 b 1 discunt

**fóghnadh** *suffice, serve;* 307 b 1 sufficere; pres. **fhoghnas** 42 b 5 \*sufficiat, **abfoghnand** 178 a 3 an sufficit; pret. **do fhoghain** 350 b 3 quod \*sufficeret

**fógra** *exile;* **foghra** 230 a 2 \*peregrinatio

**foighidneach** *patient;* **go f.** 107 b 14 patienter

**foillsiughadh** *show, reveal, demonstrate;* 20 a 1 \*significare, 49 b 1 ostendit, **-l-** 11 b 3 ostendere, **foillseochadh** 39 b 5 exponere; gen. **an fhoillsighe** 107 b 14 revelationis; cond. **do fhoillseochadh sé** 62 b 5 patefieret; pret. **do fhoillsigh se** 25 b 1 patefecit; pres. impers. **foillsighthar** 113 b 3 revelatur; pret. impers. **do fhoill-sigheadh** 22 b 4 declarare

**foireigin** *tyranny;* **ó fhoirégin** 138 b 5 \*tyrannide

**foirfe** *perfect;* **go f.** 9 b 2 perfecte, **fojrfe** 41 b 2 perfectus, **forfe** 99 a 2, **forrfe** 123 b 9

**foirfeach** *an elder;* pl. **foirfidh** 373 b 4 \*seniores

**foirfeacht** *perfection;* 216 a 4 integritas; gen. **foirfeachta** 176 b 1 perfectio

**foirm** *form;* 149 b 4 forma, **an bheag fhoirmse** 256 b 5 formula, **-oí-** 15 b 2

**foirmeadh** *form;* 177 b 8 formare, **foirmthadh** 113 b 12\*; pret. impers. **gur fhoirmeadh é** 50 b 1 formatum fuisse

**foirneart** *tyranny;* **ó fh.** 138 b 5 \*tyrannide

**folach** *hide;* **ar bhf. alochta** 123 b 6 obtectis eorum vitiis; in phr. **abhfolach** hidden: **do bhi abfolach** 68 b 4 delitescebat, **cor ar a bfuil abf.** 107 b 11 utcunque absconditus sit

**folaigheach** *hidden;* 142 b 4 occultus, 370 d 1

**folamh** *empty;* 230 a 4 \*supervacuus, 262 b 6 inanis

**follas** 5 a 1 *clear, obvious,* **go f.** 83 b 3 palam, **-us** 13 a 1, 83 b 5, 270 b 5 lucidus, **gomadh lan follas** 58 b 3 ut testatum fiat, **gomadh follus** 58 b 8 ut palam fiat, **gurab fhollus** 157 b 10 constet; gen. sg. m. **follais** 70 b 6 apertus

**fos** *rest;* **do ghabh se f.** 166 b 11 quievit; gen. **fosa** 168 b 3 quietis, **gabhail f.** 113 b 7 acquiescere

P *

**fós** *yet, also;* 18 b 3 etiam, 22 b 2 et, 27 b 18, 107 b 10 adhuc, -o-
27 b 10 etiam, 61 a 3, 42 b 5 quoque, 56 b 2

**fosgladh** *open, explain;* 31 b 2 explicare, 95 a 8, -sc- 247 b 6; pres.
impers. **foscailtear** 193 b 2 patet, **foscaoiltear** 305 b 5 explicatur;
part. **foscaoilte** 43 b 4 patefactus, 77 b 6 apertus, **fosgailte**
77 b 5 patefactus

**freagarach** *obedient;* 137 b 11 *obsequens, 186 b 2

**freagairt** *answer;* pl. gen. **freagradh** 350 a 1 responsiones; pret.
**do fhreagair** 257 b 2 respondit

**freagra** 129 b 3 *obey,* *obsequi

**fréamh** *root;* **an fh.** 127 a 2 *radix; pl. **freamha** 303 b 8

**freastal** *administer, ministration;* -sd- 367 b 7 administrare, **tre
bfreasdalson** 237 b 5 eorum ministerio; past sj. **go bhfreast-
aileadh** 48 b 3 *administret

**friothaileamh** *administer;* past sj. **go bhfrithoileadh** 48 b 3
*administret

**fuadach** *snatch, expel, dispel;* 199 b 2 arcere, 261 b 5 *excutere,
270 b 7 *discutere

**fuáidhm** 261 b 4 *sound*

**fuaidhmughadh** *sound, declare, mean, mention;* 283 b 1 sonare,
351 b 3 see note, **fuadhm-** 194 b 1

**fuasgladh** *solve, release;* 84 b 1 solvere, -uá- 60 b 4; gen. **fuasglaidh**
126 b 4 *liberatio; pres. **no go bfuasglaidh** 283 b 4 donec liberet;
part. **fuascoojlte** 57 b 8 *absolutus, **fuascailte** 154 b 2 solutus

**fuarughadh** 246 b 3 *grow cold,* frigere

**fuath** *hatred;* 128 b 2 odium, **aga bfuil imfuath** 150 b 6 qui me
oderint, see note

**fuathughadh;** pres. **fuathuigheas** 217 b 2.8 *hate*

**fuigheall** *remainder;* **abhfuil d'f.** 106 a 1 quod superest; pl. **na
fuighil** 75 a 1 reliquus, **fuighile** 258 b 4; dat. **fuighlibh** 99 b 4
reliquiis

**fuighleach** *remains;* **bheth d'f.** 183 a 1 restare, 251 a 1

**fuil** *blood;* 71 b 5 sanguis, 90 b 1

**fulang** *suffer, bear;* 57 b 1 *defungi, 152 b 2 ferre, **le fulaing** 62 b 3
perferendo; pres. **dfuilngeas** 212 b 6 patitur; fut. **nach fuileon-
gaidh** 64 a 7 patietur, **nach bfuileongam** 262 b 6 sustinemus;
pret. **do fhulaing** 16 b 5, **do f-huilaing** 62 b 2 *pertulit, 70 a 2
sustinuit, **gur fhulaing** 65 b 3 perpeti, -ui- 65 b 1, **fhar fulaing
sé** 56 a 3 sub quo passus sit

**fundameint** *foundation* 14 a 1 fundamentum, -ment 95 a 3, 111 a 1,
249 b 1

**furail** *urge, offer;* 253 b 5 commendare; pres. **furaileas** 126 b 3
*offert; pres. sj. **go bhfuraileam** 43 b 6 offerre; pres. impers.
**furailtear** 91 b 11 *offeruntur, 120 a 2 *offertur

**gabhail** 25 b 3 *grasp,* 29 b 7 *take,* 49 b 4 assumere, 60 b 4 suscipere,
81 b 1 *sumere, 113 b 3 *capere, 118 b 3 amplecti, **gabail** 52 b 3;

gen. **gabhala** 320 a 1; pres. **gabhmaid** 91 b 13 recipimus; fut.
**go ngébhand sé** 153 b 2 sumpturum; pret. **do ghabh** 87 b 4
suscepit; impv. **gabhaibh** 351 b 3 accipite; past sj. **gongabhmjs
tamh** 167 a 2 quiescamus; pres. impers. **gabhthar** 102 b 5
*exigatur; pret. impers. **ris ar gabhadh** 79 b 2 *receptum est

**gach** *each*; **g. én mhaith** 8 b 6 quidquid bonorum, **g. én chuid**
17 a 1 singula, **g. aon againd** 12 b 1 quisque nostrum, **ar g. aon
mhodh** 33 b 3 prorsus, **da g. aon** 41 b 4 cuique, **gach vile** 39 b 6
omnibus, **g. uile mhaith** 41 b 8 quidquid bonorum, **roimh g.
tús uile aimsir** 22 b 3 ante omne tempus

**gadoidheacht** 205 b 1 *theft*, furtum

**gairbhe** *severity*, *harshness*; 158 b 3 *severitas, **an ghairbhese**
67 b 1 hanc severitatem, **suil bhias gairbhe oraind** 251 b 10
ne horreamus

**gairdiughadh** *rejoicing*; gen. **gairdighe** 86 b 1 gaudium, **garrdighe**
86 a 2*

**gairm** *call*; 124 a 3 vocare, **ar an gairmse** 46 a 3 hac appellatione,
**goirm** 33 b 2 nuncupari; gen. **garma** 233 a 2 vocatio; pres.
**goirim** 22 b 1 (nomino), **goireand** 22 a 1 nominas, 39 a 1, 32 a 1
appellas, **goirceand** 27 a 1 nuncupas, **gaoridhe** 15 b 4 vocant,
**ma ghaórmimnj air** 7 b 4 si eum invocemus; pres. impers.
**goirthear** 46 b 7 vocatur, **goirthar** 102 b 3 vocentur

**gairtiughadh**, [**goirt-**] *hurt*; **do thabhairt ghairtighe** 209 b 5
noxam afferre

**gan** *without* (len.); **g. chomand** 50 b 6 absque *coitu, **g. choimeas**
86 b 2 *singulare, **gan mbharr** 97 b 5 non plures; as negative to
the vbn., **gan dteacht adtír** 5 a 2 non vivere, **gan égcnibheas
ar bioth do bheit** 20 a 2 nihil absurdi esse, **gan Dia do bheth
rointe** 20 a 4 Deum non dividi, **g. abheth arna shalchadh**
54 a 6 nulla (labe) inquinatus, **g. sind do thabhairt párta** 140 b 2
neque partem transferamus

**gaois** *skill, cunning*; 293 b 1 astus, **tre gháois** 205 b 7 per
vafriciem

**gáol** *love*; 128 b 2 amor, 291 b 3, 360 b 2

**gaolughadh** 218 b 5 *love*, diligere

**gaorm**, see **gairm**

**garbhghlacadh** *seize*; 68 a 3 *corripere; pret. impers. **do gharbh-
ghlacadh é** 69 b 2 correptus fuit

**garda** 290 b 8 *guard*, praesidium

**gé** *though*; **ge tigdis** 122 b 1 *although they should come*, **ge taid**
321 b 4 *although they are*; **ge bé ar bioth jad** 105 b 1 quicunque,
107 b 9 utcunque, **ge bé ar biodh rand** 193 b 4 quamcunque
regionem, **ge be ghérrandsaigheas** 337 b 1 qui expendet

**geall** *pledge, promise*; 74 b 2 *pignus; pl. **gealltha** 119 b 1 promis-
siones, **geallta** 311 b 4; gen. **gealta** 113 b 14; dat. **gealltaibh**
315 b 13

**gealladh** *promise*; 125 b 1 polliceri, -éa- 126 b 3 promittere; pret.
do **gheall** 29 b 13 receperit, 78 b 2 recepit
**geanmnuidheacht** *purity*; **geanmuidhacht** 152 b 6 *castitas
**géar** *sharp, keen*; cpv. **nj budh ghére** 177 b 5 acrius
**gearan** *complaint*; **cur ghearain** 154 b 4 conqueri
**gearradh** *cut, carve*; 105 b 2 scindere, 105 b 4 praecidere, 144 a 3
sculpere, 308 b 7 cut off
**géar-randsughadh** *examine*; pres. **ghérrandsaigheas** 337 b 1
expendet
**gearrthoireacht** *sculpture*; **gearrtoiracht** 148 a 2 sculptura
**geata** *gate*; pl. dat. **dod ghetaibh** 166 b 8 portas tuas
**géilleadh, géilleamhain** *worship*; **gélladh** 149 b 3 colere, **gel-
léamhain** 186 b 3; impv. **na géll** 143 b 4 neque coles; pres. sj. **go
ngélleam** 148 a 7 colamus. See also **célleamhain**
**géilliughadh** *obey*; **geilludhadh** 7 b 3 obsequendo
**geinealach** *generation*; gen. **geinalaig** 53 a 3 generationis; pl. gen.
**genealach** 155 b 3, **na gcéd ngenealach** 158 a 2 mille generationes
**geineamhain** *beget, conceive*; **geneamhain** 277 b 13 ingenitus,
**gineamhain** 244 b 3 *generare, **anghenemhain** 53 b 3 in genera-
tione; pret. **do ghen sind** 112 a 1 *concipimus; pret. impers. **do
gheneadh** 46 b 5 *genitus
**geinearalta** *general*; **go generalta** 31 a 1 praecipue
**gen** *if . . . not, although . . . not*; **gen go bfuil se ga ngujbhernoracht**
28 b 1 quamquam eos non gubernat, **gen go bfuilid na focail ag
fuadhmughadh** 194 b 1 quamquam verba non sonant, **gen go
dtig** 215 b 2 etiam si non accedat, **gen go scuirid** 321 b 3 tamen
non desinunt
**gidheadh** *however*; 19 b 7 tamen, 22 b 5, 28 b 2, 50 b 4
**gineamhain,** see **geineamhain**
**glan** 96 b 8 purus, **go g.** 74 b 6 *pure*
**glanadh** *purify*; 51 b 3 *expiare, 90 b 1 purgatio; gen. **glanta**
328 b 6 purgationis; pret. **ler ghlan sé** 71 b 2 quo expiavit; pres.
impers. **le glantar** 71 b 6 quo purgentur, 99 b 3 purgabitur; past
sj. impers. **go nglantaoi jad** 90 b 2 ut abluantur
**glanmhíniughadh** 232 b 1 *exposition, gloss*, expositio
**glic** 373 b 13 *wise*
**gliocas** *wisdom*; 27 b 13 sapientia, 113 b 2, **aghljocas son** 19 b 4
sapientia eius, **aghlioceason** 22 b 2
**gloine** *purity*; 53 b 5 puritas, 54 a 3, 123 b 7, 152 b 5 *castitas
**glóir** *glory*; gen. **aghlóire** 2 b 5 eius gloriam
**glóireamhail** *glorious*; 96 b 8 gloriosus, 162 b 5
**glóiriughadh** *glorify*; **da ghloireadh** 299 b 10 ad eum glorifi-
candum; cond. impers. **go glórfluighthe é** 2 b 3 quo glorificetur,
**go ngloirfidhe** 260 a 5, 268 b 6
**glórmharrdha** *glorious*; **gloirmharrdha** 266 b 9 gloriosus
**gluasacht** *move, stir*; 28 b 4 movere, 215 b 5 titillare; impv. **glua-
iseam** 83 a 1 transeamus, 92 a 1 pergamus

**glún** *knee*; pl. gen. **na nglún** 147 b 4 genuum

**gnáth** *custom*; **neoch danab gnáth** 81 b 3 qui solent; pl. **gnátha** 342 b 9 usus; **do ghnáth** *always*; 19 b 8 perpetuo, **-a-** 24 a 4 semper, **aghnáth** 15 b 6

**gnáth-** prefix *continual*; **gnáth chogaidh** 290 b 4 assiduum bellum (gen.); **gnáth chúraim** 366 b 6 continenter curam (gen.); **ar gnathnaímhdibh** 42 b 7 ad perpetuos hostes (dat.)

**gnáthach** *customary, usual*; gen. sg. m. **do rer anosa ghnathaighe** 58 b 5 solenni ritu; dat. **le modh gnataidh** 53 a 2 usitata forma

**gnāthughadh** *use*; 35 b 2 accommodare, 137 b 1 uti; gen. **do chum an ghnathaidhse** 247 b 7 in hunc usum, **gnáthaighe** 320 a 2; pres. **go ngnathaidheand sé** 155 b 2 uti; pret. **do ghnáthaigh** 264 b 3 usus est; fut. **go gnáthocham** 333 a 2 utamur

**gné** *kind*; **creud an gné ola** 36 a 1 quo olei genere, **gné [e]le bhais** 60 a 3 alio mortis genere, **an gné bháis úd** 60 b 5 genus illud mortis, **gné** 326 b 1 species

**gnīomh** 116 b 2 *act*; gen. **gniomhdha** 221 b 9 operum; pl. **gniomharrdha** 128 b 7 actiones; dat. **gniomharrthaibh** 203 b 7, **ina ghniomharuidhe dhósan** 313 b 7 ipsius opus

**gnóthughadh** *business, profit*; **gnomhughadh** 161 b 4 negotium; gen. **creud ghnodhaighidh no creud an tarbha do ghebhid** 250 a 3 quid sint profecturi

**1. go** (forming adv.); **go demhin** 2 b 3 sane, **go lór** 5 a 1 satis, **go foirfe** 9 b 2 perfecte, **go coitchionna** 15 b 4 vulgo, **go spesialta** 29 b 12 praesertim

**2. go** *to*; **go hifreand** 16 b 7 ad inferos, **go fior fhuasgladh** 59 a 4 in absolutionem; with art., **gus an dara cuid** 30 a 1 ad secundam partem, **gus'an mbeathaidh** 63 b 3 in vitam, **gus na trí hoificibhse** 35 b 1 ad hos tres usus; pron. forms, 2 sg. **chugadsa** 29 a 1 ad te; 3 sg. m. **cuige** 43 a 1, **chuige** 87 b 4; 1 pl. **chugaind** 42 a 2, 63 a 2, **chugand** 72 a 2

**3. go**, cj. *that* (nas.); **go bfuil** 22 b 7, **go gcuirfeadh** 39 b 5, **go glórfluighthe** 2 b 3, **gu dtuigfuighthe** 17 a 1; with ro giving **gur, gur chruthaidh** 2 b 1, **gur shuithidh** 2 b 2, **gur ghradhuigh** 12 b 2, **gur thelg** 27 b 3, **gur hongadh** 34 b 2, **gar cuireadh argcúl** 181 b 2

**goid** 204 b 1 *steal*, furari

**goire** *proximity*; **angoire** 242 b 6 propinquus

**goirm**, see **gairm**

**goirrid** 218 a 2 *short*, brevis

**1. grádh** 195 b 1 *degree*, *gradus

**2. grádh** *love*; 13 b 3 amor; gen. **gradha** 154 b 6 dilectionem, 161 b 5 caritatem

**grádhach** *loving*; **-a-** 155 b 1 amabilis, **gabhail go grádhach** 121 a 2 amplecti

**grádhughadh** *love*; 118 b 3 acceptos habere, 125 b 9 *prosequi; pret. **gur ghradhuigh** 12 b 2 diligere

**grafadh,** *engrave, engraft;* 339 a 5 *\*insculpere;* 184 b 3 *\*insero
**grafaint** 143 b 1 (*graven*) *image,* simulacrum
**grás(a)** *grace;* **grás** 116 a 4 *\*gratia,* **an grásasa** 95 a 6 hanc gratiam,
**a'ngrás** 95 a 5 in amorem, **angrása** 71 b 5 *\*in gratiam; gen.
**gras** 46 b 3, **grasa** 38 b 3
**greandughadh** *evoke, provoke;* 118 a 3 provocare, 201 b 3
**guibhearnoir** *governor;* gen. **an ghuibhearnoir** 56 a 3 praesidis
**guibhearnoracht** *govern, rule;* **guibhernoracht** 23 b 4 gubernare,
28 b 1,   27 b 20   *\*imperium; gen.   **guibhernorachta** 373 a 2
gubernatio; past sj. **go nguibhernoraigheadh sé** 80 b 3 ut
gubernet; past sj. impers. **go nguibhernoraighthe sind** 172 b 2
ut gubernemur
**guidhe** *prayer;* **an ghuidhe** 241 b 3 *\*oratio; gen. **na guidhe** 62.13
oratione
**gur,** see **3. go**
**guth** *speech;* **an'guidh** 247 b 10 in vocem

**iadhadh** *shut;* part. **jata** 77 b 7 clausus, **játa** 319 b 5 inclusus
**iar, ar** *after* (nas.); **jar dul** 84 b 3, **iar ndul seacha & iar bhfag-
bhail** 259 b 11, **ar mbheth** 29 b 8, 68 a 1; with gen. pron. 3 sg.
m. **ar na** 19 b 6, 22 b 4, 25 b 5, 27 b 6, 29 b 9; f. **ar na** 15 b 1,
36 b 2, 27 b 1, **ar no** 18 b 7; 1 pl. **ar ar** 29 b 6; 3 pl. **ar na** (nas.)
26 b 1, 29 b 10, **arna n'** 49 b 6
**iarraidh** *seek, ask, require;* **jarraidh** 226 b 1 *\*exigere, **ag iarruidhe**
7 b 5 quaerens; pres. **iarradh sé** 140 b 1 exigit, **jarris** 140 a 1,
**creud as an'jarraind** 226 a 1, **iarmaid** 250 b 6 petierimus; pres.
sj. **go niarram** 148 a 5 quaeramus; past sj. **go n'iarrdis** 280 a 3
petant; pret. **do iarr se** 368 b 3 iussit; pres. impers. **o do jartharr**
320 a 1 cum requiratur
**iarratas** *request;* **jairratus** 289 b 1 petitio, **ar jaratus** 32 b 2 iussu;
gen. **iarrtais** 267 a 1 postulati; pl. dat. **is na trí hiarratasaibh**
260 b 3 in tribus (postulatis)
**iasacht** *loan;* **do ghabhail aníasacht** 52 b 3 *borrow,* mutuari
**arnaghabhail an'iasacht** 81 b 2 *\*sumpta
**iasachtach** *borrowed;* gen. sg. f. **jasachtaighe** 161 b 6 *\*mutuam
see note
**ibhe** *drink;* **re hi.** 349 b 5 bibendum
**ifreand** *hell;* **go hi.** 16 b 7 ad inferos, ani. 65 a 2; gen. **ifreann**
69 b 6 inferorum
**imfhilleadh** 107 b 8 *involve,* implicare
**imirce** *move, pass, depart;* **dul jmerge** 176 b 7 migrare; gen
**jmjrge** 107 b 7 migratione; pret. **do jmirighidh** 239 a 3 demi
grarunt
**imirt** *inflict, exercise;* **i. dioghaltais** 70 a 4 persequi; pres. **imrea**
**dioghaltus** 299 b 6 vindictam exerceat; pret. **do imir sé** 67 b 1
exercuit
**imneadh** *care;* pl. dat. **le himneadhaibh** 107 b 9 cogitationibus

**impadh** 184 b 2 *graft,* *insero

**impeirdheacht** *rule, government, authority;* **jmpeirdhacht** 23 b 4
*potestas, 48 b 2 imperium, **imperdheacht** 195 b 4

**in-,** prefix of necessity, see **ion-**

1. **ina, inar,** see **4. a**
2. **ina** 4 b 2 *than,* quam, 57 a 1, 60 a 2, 91 a 2; **ino** 27 a 4, 33 a 1,
113 b 2; **na** 41 a 2, **no** 5 a 2

**indisin** *tell;* imper. **indis** 66 a 1 cedo

**indtleacht** *mind, understanding;* 173 b 2 ingenium, **intleacht** 245 a 1

**inghean** 217 b 4.5 *daughter,* inghin 166 b 5

1. **ino,** see **2. ina**
2. **ino go,** cj. *until;* **jno go raibhe sí ag lan leanmhuin** 99 b 4
donec ad plenum adhaereat, **no go reach sí** 271 b 4 donec per-
venerit

**intind** *mind;* **le hindtind** 64 a 4 animo, **ina intinde fèin** 12 b 2
cum animo suo; pl. dat. **ina ninttindoibh** 215 a 3 ipsis in mentem

**íoc** *pay;* **joc** 103 b 2 solvere

**íochtrach** *low;* cpv. **is iochtraigh** 339 b 5 *inferior, subordinate,*
inferius

**iodhalacht** *idolatry;* **iodholacht** 152 b 10 superstitio, 240 b 10
idololatria, **iothalacht** 148 a 9

**iodhbairt** *sacrifice;* **jo-** 71 b 2 sacrificium, **iodhairt** 43 b 7, **jobajrt**
348 b 1; gen. **na hiodhbarta** 38 b 4; pl. **jodhbartha** 231 b 7

**iodhlacadh** *bury;* pres. impers. **go n'jodhlaicthear** 331 b 3 sepelia-
tur. Cf. **adhlacadh**

**iomallach** *extreme, utmost;* acc. sg. f. **imalaighe** 109 b 4 extremam

**iomarcach** *abundant;* **go hi.** 307 b 2 abunde

**iomarcaidh** *abundance;* **le hi. truaighe** 189 a 2 tot aerumnis

**iomchar** *bear;* pret. **do iomachair** 62 b 3 *pertulit, **do imechradar**
108 b 3 gestarunt

**iomchubhaidh** *fitting, suitable;* **do bheth jomchubhaidh dhuinn**
41 b 6 nobis *convenire, **do b'jomchubhaidh** 51 b 1 *necesse erat,
**do budh jomchubhaidh** 53 b 2 decuit, **go hi.** 7 a 1 rite, **go
hiomchuibhaidh** 129 a 4

**iomdha** *many, frequent;* 251 a 4 tot, **go hi.** 256 b 2 passim

**iomfhosgladh** *explain;* 261 a 2 *explicatio; gen. **do chum iom-
fhosglaidhe** 8 a 1 ut explicentur

**íomhaigh** *image;* 143 b 1 imago, **jomhagh** 217 b 5; pl. **iomh-
aigheadh** 144 a 2

**íomhaigheadh** *imagine;* pres. **nj jmhaigheam** 356 b 1 (non
imaginor), **ni hiomhaigheand tu** 356 a 1 non imaginaris; pres. sj.
**go niomhaigheam** 319 b 3 imaginemur

**iompodh** *turn;* pres. **jompoidheam** 147 b 1 convertimus; pres.
impers. **go ni ompoidhear** 259 b 7 vertatur

**iomrádh** *mention;* 110 a 2 mentio, **jomradh** 158 a 3 nominare

**iomshlan** *whole;* **jom-** 212 b 8 integer

**ion-, in-,** prefix denoting necessity or obligation, frequently used as equivalent to the Latin gerund(ive); **ni hinagarrtha** 253 a 1 non accusandus est; **jonamhairc** 19 b 1 intueri convenit; **inatreobh-tha** 107 b 5 incolendum; **lenab ionbhaistigh** 340 a 1 qua baptisandi sunt; **ionbhethe uaimhneach** 64 a 1 exhorrendam, **ni hion bhethe naimhneach** 87 a 1 non reformidare convenit; **jnbhreaghnaighthe** 228 b 1 *statuendum; **n'ar bhionchoimheda** 307 b 4 non quem servarent; **jonchondaimhthe** 201 b 4 *abstinendum; **jonchurtha** 14 a 2 collocandae; **indeanta** 64 b 1 agendum, **jndéanta** 135 b 1 *agendum; **jn eadarghuidhthe** 235 a 2 invocandum; **le nab inearbtha** 251 b 1 quibus standum est; **infheadhma** 25 b 7 useful, **do binfeadhma** 49 b 5 necessaria, **gur bhinfeadhma** 51 a 1 erat operae pretium; **infethme** 262 b 8 exspectandum; **jonghabhtha** 27 b 4 habendus, **jnghabhtha** 120 a 3 recipere; **jonghérghuidhe** 124 b 4 deprecemur; **jnghnáthaighe** 303 a 1 utendum est; **jnghreamaighthe** 319 b 1 *inhaerendum; **jniartha** 25 b 2 quaerendus, **jniarrtha** 115 b 5 quaerenda, **jn jorrtha** 177 b 7 expetendum; **ion leanta** 64 a 3 sequendum, 319 b 2 *inhaerendum; **inlêgthe** 336 a 1 admittendi sunt; **ge hin thaothraighthe** 277 b 1 tametsi laborandum; **jonsheachanta** 201 b 4 *abstinendum; **insheólta** 230 a 7 collimare convenit; **nach jontairgthe** 305 a 2 annon enitendum est; **iontillidh** 206 b 1 redeundum; **jontuicte** 79 a 3 intelligendum, **intuicte** 27 b 12 intellegere convenit, **jn-** 58 b 1 animadvertere convenit, 68 b 1 habendum

**ionad(h)** *place*; **jonad** 91 b 9 locus, **jn gach aon jonadh** 233 b 7 passim; pl. dat. **an'jonadaibh ele** 233 b 11 alibi, **anjonadaibh** 355 b 3

**ionand** *same*; **gurab jonand agcor** 194 b 4 eadem ipsorum est ratio, **is jonand é** 265 b 1 perinde est

**iondas**, cj. *so that*; **jondas go dtabhair** 28 b 6, 40 b 5, 41 b 6, 43 b 5, **jondas gur** 27 b 3; neg. **jondas nach** 27 b 6, 28 b 3, 29 b 11

**iondracas** *righteousness*; **jon-** 37 b 3 iustitia; gen. **jondracais** 128 b 2, **iondraccais** 270 b 8

**iondsuidhe** 292 b 2 *assail*, imminere

**iongantach** *wondrous*; dat. sg. f. **jongantaigh** 50 b 5 mirificus, 355 b 1

**ionmhuin** *dear, beloved*; **gomadh i. le Día é** 124 a 4 ut a Deo diligatur

**ionnarbadh** *dispel*; **-n-** 270 b 7 *discutere

**Íosa** *Jesus*; **a Níosa** 16 b 3 in Iesum, **josa** 18 b 2, **Iosa** 22 b 6, **iosa** 22 b 1, **íosa** 32 a 1

**is,** copula; see Introduction, p. xxiii

**Israel; i-** 136 b 1

**Israelta** *Israelite*; 138 a 4 Israeliticum; pl. dat. **ris na Hisrael-iteathaibh** 193 b 1 ad Israelitas

**is-teach; -sd-** 77 b 3 *into*, **dul isteah** 43 b 4 *accessus; **taobh istoigh do** 177 b 2 *within*, intra

**ithe** *eat*; 351 b 6 vesci, **iththe** 277 b 10; impv. **ithaidh** 351 b 4
manducate; pres. sj. **go n'icheam** 276 b 6 comedamus
**ithiomradh** *detraction*; **ithiomragh** 209 b 4 obtrectatio
**Iúdan** *Jew*; pl. dat. **ris na hjudanaib** 169 a 2 ad Iudaeos
**iúl** *direction*; **gan amholadh do chur íul ele** 313 b 9 ne laus alio
  transferatur

**Jehovah; jehouah** 136 b 1 Iehova, **Iehouah** 137 b 3, **Iehova** 150 b 2

**lá** *day*; 84 a 1 dies, **lâ** 107 b 14, **la** 73 b 1, **gach laoi** 280 a 6 in diem;
  pl. **láidhe** 187 b 2, **shé laitheadh** 167 b 1 sex dies; dat. **laithibh**
  166 b 2, **laithaibh** 217 b 4.9, **laidhibh** 217 b 4.2
**labhairt** 79 b 1 *speak*, 134 b 1; fut. **nach laibheoram** 163 b 1
  loquamur; pret. 2 sg. **labhrais** 45 a 1 dixisti; imper. **labram**
  234 a 5 disseramus, **lábhram** 241 a 1 *tractemus; pret. impers.
  **do labhradh** 94 b 3 relatum est
**lagh** *law*; 131 b 1 lex, 136 a 2; gen. **lagha** 47 b 3 iure, 35.9 lege
**laghamhail** *lawful*; **-m-** 129 b 2 legitimus, **go laghamhail** 333 a 2
  rite, **-ll** 161 a 2 legitimus
**láidir** 150 b 2 *strong*, fortis
**laitheamhail** *daily*; **laotheamhail** 257 b 9 quotidianus, **laoidh-
  eamhail** 279 a 1
**lámh** *hand*; 70 a 4 manus, **alham** 24 a 3 manus (eius); gen. **a
  laímhe** 27 b 17 manum suam; dat. **le laimh** 27 b 8 manu, 67 b 4,
  **fa laimh** 23 b 3 sub manu, 27 b 10, **gabhail do laimh** 118 a 4
  aggredi; pl. **lámha** 206 a 1; gen. **lamh** 277 a 3; as prep. **lámh re'r
  láimh** 277 b 9 nobis ad manum, **lamh riu** 237 a 12 apud illos;
  **gabhail dho lamh** 231 b 5 suscipere
**lámhscríobhtha** *indenture*; **lamhscriobtha** 71 b 9 chirographum
**lāmhughadh** *handle, treat*; 55 b 1 tractare; impv. **laimhaigheam**
  241 a 1 *tractemus; pret. impers. **gur lamhaigheadh** 95 a 1
  tractatum fuisse
**lán** *much, great quantity*; **ar a lán do mhodhaibh** 115 b 5 multis
  modis; **a lan do thabhairt fuind**, see **slán**
**lán-**, prefix *full, entire*; **lan chomaontughadh** 274 b 9 plenam
  consensionem; **gomadh lan follas** 58 b 3 ut testatum fiat; **ag lan
  leanmhuin** 99 b 4 ad plenum adhaerere; **go lan lionand** 270 b 4
  ut prorsus impleverit, **do chum go lan lionadh se** 61 b 4 quo
  perfunderet
**lár** *ground*; **air legean fa lár** 251 b 2 *let fall*, omissa, **do chur fa lár
  ó gcroidhe** 287 a 3 *put down*, ex animo (suo) deponere
**lasadh** *kindle, blaze*; 118 a 5 *subiacere, 244 b 5 *aestuare
**lasan** *passion*; 203 b 9 *lascivia
**láthair** *presence*; **do lathair** 77 b 8 *present*, 156 b 7
**lātharrdha** 276 b 2 *present*, praesens
**látharrdhacht** *presence*; **-d-** 79 a 2 praesentia
**le** 5 a 3 *with*, 7 b 7, **lé** 16 b 4, prefixing **h-** 36 b 1, 38 b 4; with art.,

**les an mbeaġchuidse** 27 b 1 hac particula, **les an'epithetse**
34 b 1 hoc epitheto, **les an Spjorad** 41 b 1; rel. **le bhfuil tu**
23 a 1, **le nġoireand tu** 32 a 1, **les ġcumhġaiġheadh** 65 b 6;
**ler chruthuiġheadh** 1 b 2, **ler cheandaiġh** 31 b 3, **ler honġadh**
**é** 36 a 1; with gen. pron. 3 sg. m. **le phrovidens** 23 b 5, **le neartsan**
27 b 8, **le spioraid fén** 28 b 1; pron. forms, 1 sg. **leam** 15 a 1,
**liom** 120 b 1, **lium** 341 a 2; 2 sg. **leat** 120 a 1; 3 sg. m. **les** 25 a 1,
27 b 5, 38 b 4, **leis** 12 b 3, **lis** 27 b 6, **leason** 47 a 1; 1 pl. **lind**
94 b 1, 239 b 6, **linde** 239 b 3; 3 pl. **leó** 37 b 3, **leo** 69 b 4, 128 b 3,
**leosan** 147 b 5

**leabhar** 217 a 3 *book*

**leanamh** 1.7 *child*; pl. **na lenimh** 340 a 2 infantes; dat. **do na**
**leanbaibh** 339 b 4 infantibus

**leanmhuin** *follow, stick to*; 49 a 1 sequi, 92 b 1, 103 a 1, 125 b 9
prosequi, 345 b 9 cohaerere, **-ain** 64 a 1 sequi, 73 b 1; pres. **an**
**lean** 190 a 1 sequiturne, **ni leanand** 190 b 1, **leanas** 101 a 1; fut
**leanfaidh** 27 b 10 *conficitur; impv. **lean** 62 a 1 prosequere
**leanhmaid** 75 a 1 persequamur

**leasġ** *slack, slow*; 246 b 3 piger, **lesġ** 158 b 5 *tardus

**leath** *side*; dat. **leith**; **fo leth** 41 b 4 separately, 287 b 3, 264 b 6
**ar leth** 168 b 1 peculiaris; **leth amuiġh do neaġlais** 105 a 2
extra ecclesiam; **jnar lethne** 77 b 2 nostro *nomine

**leathan** *broad*; cpv. **lethne** 193 b 2 latius

**leathoir** *side*; **do lethoir** 306 a 2 *privately*, singuli

**leiġean** *let (go), release, allow*; **legean** 57 b 8 *absolvere, 107 b 7
sinere; pres. **legeas** 28 b 4 permittit, **an tan leaġas sind an**
**ġcudtrom** 123 b 2 cum innitimur, **légas** 236 b 8 permittit; fut
**legfeam** 149 a 1 referemus

**léiġheadh** *read*; **léġhadh** 305 a 3 legere; past sj. **da léġhadh** 306 a 2
si legant

**léiġheoracht** *reading*; **léġhoracht** 305 b 2 lectio

**léim, ling-** *leap*; pres. **lémeand** 55 a 1 transsilis, **lingeas aréġir**
205 b 5 violenter involare; fut. **lingfaidh** 70 b 6 prosiliunt

**1. léir** *entire*; **go lér** 137 b 2 totus, **ler** 139 b 3, **aġttacht go lér**
314 a 4 totam manare

**2. léir** *clear*; **jondas gomadh ler é** 162 b 5 ut appareat

**léirġheadh** *make clear*; **lerġheadh** 49 b 1 *ostendit; pres. impers
**lérġhoir** 271 b 7 eminebit

**leisġe** *sloth*; **dul alesġe** 246 b 2 *grow sluggish*, oscitare

**leitheid** *like, such*; **ina lethed sin** 24 a 3 talem, **jnalethedsin** 33 b 3
**le lethed sin d'eaġla** 68 a 3 eiusmodi pavore, **jnalethed sin de**
**dheallughadh** 105 b 5 in eiusmodi dissidio, **ata lethéd sin de**
**mhímhodh jondaind** 254 b 5 ea intemperie laboramus

**leithsġeal** *excuse*; **lethsġêl** 228 b 4 excusatio

**leomhan** *lion*; **leoġhan** 292 b 3 leo

**lia,** cpv. *more*; **ni is lía** 233 b 11 fusius

**líon** *quantity, full number*; **an l. ata do chreatuiribh** 26 a 2 quidquid

creaturarum exstat, **an l. bheas beo** 84 b 2 eos qui supererunt,
**an l. do bhadar marbh roimhe sin** 108 b 1 qui ante mortui
fuerint

**líonadh** *fill*; pret. impers. **do lionadh** 41 b 1 replere; cf. **lán-
lionmhoireacht** *fullness*; **as a lionmhureachtson** 40 b 5 ex eius
plenitudine

**locht** *fault*; **arna daoinibh do ní an l.** 153 b 3 de iis qui offenderint;
gen. **lochta** 210 b 1 vitii, 99 b 4 vitiorum, 123 b 6; pl. gen. **ar son
ar lochtne** 58 b 4 ob nostra maleficia

**lochtach** *faulty*; pl. **lochtaigh** 149 b 7 vitiosis

**loigheadughadh** *lessen, diminish*; **loighadhughadh** 337 b 6 im-
minuere; pres. impers. **le loigheadaighthear** 162 a 3 quibus
imminuitur

**loigheide** *the less*; **nach l.** 63 a 3 nihilominus, **loighide** 224 b 3

**lór** *enough*; 10 a 1 satis, **is lór dúinn** 42 b 6 *sufficiat, **ní is lór**
151 b 2 satis; adv. **go lór** 5 a 1 satis

**lot** *wound*; pret. impers. **gur loiteadh** 67 b 5 vulneratum fuisse

**luach** 33 a 1 *value*, 116 a 3 *pretium

**luadh** *mention*; 151 a 1 mentionem facere, **l. adtosach** 139 a 2
praefari; fut. **luáidhfeas** 217 b 3.3

**luaidheacht** *pardon*; **luadhaigheacht** 286 a 4 venia

**luaidheachtughadh** *forgive*; **luidheachtughadh** 102 b 2 ignoscere

**luath** *swift*; 84 b 3 subitus, **go lúach** 55 a 1 protinus; cpv. **luaithide**
190 b 3 eo citius

**luathghaire** *rashness*; gen. 253 a 1 temeritatis

**lúbach** *subtle, indirect*; 205 b 9 obliquus, **cám lùbach** 364 b 2
obliqua

**lūbadh** 147 b 4 *bending*, flexio

**lucht-** *people, ones*; **l. briste** 165 a 2 transgressores; **l. comhparta**
337 b 3 participes; **ameasg lochta deanta uilc** 59 a 5 inter
maleficos; **lucht freasdail** 28 b 5 ministros; **luchtghabala parta
& coda** 259 b 9 participes

**lugha,** cpv. *less*; **is ro lugha** 227 b 3 minimum

**lughadh** *swear*; 160 b 3 iurando; gen. **lughaidh** 162 b 1

**má** *if* (len.); **ma** 7 b 1 si, b 2, b 4, b 7

**mac** *son*; 19 a 3 filius, 19 b 4, 22 b 5, **a éunmhacsan** 16 b 3 filium
eius unicum, **ar mac n'Dé** 32 b 2 filio Dei; gen. **a mhic** 18 b 2
filio eius, 58 b 3, **a mhec** 351 a 3 filii sui; pl. dat. **jnar macaibh
ochta** 366 b 2 adopted sons

**macacht,** in phr. **m. ochta** *adoption*; **do thaobh macacht ochta**
46 b 2 adoptione

**macnas,** in phr. **m. meanman** *figment of the imagination*; **ó gach
vile mhacnasmeanman** 149 b 7 ab (omnibus) *figmentis

**mac-samhla** *like, equivalent, a sort of*; **mhecsamhla** 36 b 1 quale,
**ata sé agnathughadh mhec samhla tionscanta égin** 137 b 1
quadam veluti praefatione utitur, **mac samhla** 358 b 1 qualis

**maighistir** *master*; 262 b 3 magister, 44 b 2, **maighiser** 1.4; gen. **amhaigistir** 307 b 12

**maighthe; ambhethson maráon fo mh.** dhoson 28 a 3 eos quoque illi subesse, a ghost-word for **fomhámaighthe** *subject.* Cf. R.I.A. Dict. **fomámaigthe**

**maille** *together (with)*; 3 sg. m. **maille ris** 71 b 5 cum eo; 1 pl. **m. rind** 78 a 3 nobiscum, 78 b 2, 124 b 5; 3 pl. **m. leó** 37 b 3 secum

**maith** *good*; 2 b 4 aequus, 59 a 1 bene, **maidh** 9 b 2 bonus; pl. **maithe** 125 a 2; as noun, **an m. is mo** 4 a 2 summum bonum, **gach én mh.** 7 b 6 quidquid bonorum, **re'r majth** 40 b 2 in *bonum nostrum, **gach uile mh. Spioradalta** 41 b 8 quidquid bonorum spiritualium, 77 b 1 *fructus

**maitheamh** *forgive, forgiveness*; 16 b 14 remissio, 102 b 2 condonare; pres. **amhail mhaithmaidne** 257 b 10 sicut nos remittimus; impv. **maith** 257 b 9 remitte

**maitheamhnas** *forgiveness*; 101 b 1 remissio, 102 b 1 bonitas (for **maitheas**); gen. **an mhaitheamhnais** 102 a 1 remissio, 103 a 2 venia, **do thabhairt mh.** 158 b 5 ad ignoscendum

**maitheas** *goodness*; **le mh.** 27 b 13 bonitate (eius); gen. **a mhaithis** 11 b 3 of his goodness, **an'uile mhaithís** 7 b 9 bonorum omnium; pl. **na maitheasa** 238 b 4 bona

**mall** *slow*; **ro mh.** 158 b 5 *tardus

**mallachadh** *curse*; **le m.** 60 b 5 exsecratione, **faoi mh.** 61 a 3 maledictioni subiectus, **on mhallchadh** 58 b 11 a *reatu; gen. **an mhallaighe** 61 b 1 maledictio; part. **mallaighe** 153 b 4 maledictus, **mallaidh** 201 b 2, **mallaighthe** 269 b 4 *reprobus

**maoin,** usu. with neg. *nothing*; **maóin** 72 a 1, 118 a 5, **maoin** 116 b 3, **gan mh. do shuím no do luach** 116 a 3 adeo nullius pretii sunt, **nach fhuil maon do chosmhaileas** 145 b 1 nihil simile est; gen. **maoine do bhárr** 202 a 1 nihil praeterea; pl. **maoine** *goods* 205 b 4 bona; dat. **maoinibh** 209 b 6 bonis

**Maoise** 133 b 2 Moises, 335 b 3

**maothughadh** 313 b 4 *soften,* *afficere

**maraon** *also*; 25 b 2 quoque, 27 b 14 simul, 60 b 1 etiam, **maráon** 22 b 7 quoque, 33 b 2, **maraón** 31 b 2 simul, 46 a 3 quoque, **mar áon** 28 a 3, **mharâon** 51 b 4; **araón** 27 b 17 simul, **araon** 315 b 4

**marbh** *dead*; pl. gen. **na marbh** 16 b 15 *of the dead*; dat. **ar mharbhaibh** 16 b 11 mortuos, 83 b 2, **o mharbhaibh** 73 b 2 ex mortuis

**marbhadh** *kill, mortify, murder*; 128 b 4 mortificatio, 196 b 1 occidere, **-á-** 327 b 1 mortificatio, **marbmhadh** 197 a 2 caedes; gen. **mairbthe** 198 a 2 caedis, **marbhaidh** 333 b 10 mortificatione

**marbhthach** 70 a 7 *deadly,* lethalis

**marthain** *remain, survive*; **go mbia cuid égin do na daoinibh beó ino ar marthain and sin** 84 a 4 tunc ex hominibus fore aliquos superstites; fut. **mheras** 175 a 3 lasts, 176 b 3; pres. sj. **muna mhaire thu go buan** 309 b 2 nisi perseveres

**marthanach** *lasting, eternal;* 16 b 15 aeternus, **go m.** 104 b 5 perseveranter

**maseadh** *therefore;* 45 a 1 ergo, 47 a 1, 52 a 1, 51 a 1 igitur; **masead** 54 a 1 ergo

**máthair** *mother;* gen. **amhathar** 54 a 5 of his mother, **na máthair** 194 b 2 matre

**mé** 1 sg. pers. pron. 66 b 9; **mese** 136 b 1, **meis** 217 b 1, .4, **meisi** 217 b 2, .5

**meadhon** *middle, midst;* 310 a 1 medium, **a m. bhladha** 192 b 4 in medio flore

**meadhonach** *intermediate;* **le ballaibh m.** 277 b 15 organis, **mar bhalla m.** 313 b 11 tanquam secundis organis

**mealadh** *enjoy, possess;* 280 b 8 *possidere, **meladh** 343 b 5; pret. **do mealadar** 338 b 5 qua fruebantur

**meall** 315 b 6 *weight, mass,* moles

**mealladh** *cheat, deceive:* 209 b 2 calumniari, 329 b 4 frustrari; gen. **mealta** 205 b 2 fraudandi

**meallta** 157 b 10 *deceptive,* vanus

**mealltoracht** *trickery;* 293 b 1 fallaciae, -1- 210 b 4 calumniae, **tre mhealtaracht** 205 b 7 per dolum

**mear** *excited, cheered;* **mar nithear mear chroidhe na ndaoine les an bhfion** 342 b 6 sicut vino exhilarantur hominum corda

**1. meas** 117 a 5 *fruit,* *fructus

**2. meas** *consider;* pres. **go measand sé jád** 123 b 8 eo loco *habeat

**measarrdhacht** *moderation;* **measarrdheacht** 279 b 1 *continentia

**measg** *midst;* **a m. daoine** 39 b 3 apud homines, **ameasg lochta deanta uilc** 59 a 5 inter maleficos, **amesg mòrain brâthair** 47 b 3 inter multos fratres, **measg na n'uile dhaoine diagha** 15 b 6 inter omnes pios

**measgadh** 122 b 2 *mix,* admiscere

**meathadh** *diminish;* pres. **ni mhethand sí** 268 b 1 nec minuitur

**méd** *amount, quantity, greatness;* 11 b 2 greatness, 247 b 8 *vehementia, **m. égin** 122 b 1 nonnihil, 180 b 2 aliquid, **an med** 96 b 1 quoscunque; **an mhéd** *inasmuch as, as far as* 28 b 4 quoad, 236 b 8, 33 b 1 cum, 35 b 1 quoniam, 60 a 1 quod, 103 b 3 quantum, **an med** 27 b 9 cum, 63 a 3, 125 b 6 quia, **an mhed** 19 a 1 cum, 27 a 2, 25 b 6 quatenus, 27 b 8, 26 b 2 quod, **an mheud** 87 b 1 quando, **an mhédh** 84 a 1 cum; **da mhéd truaighe** 189 b 1 *however much wretchedness,* quantiscunque miseriis

**médughadh** *increase;* 270 b 1 augere; pres. impers. **mèdaighar** 320 b 4 augescat

**meisneach** *courage, confidence;* gen. **gan sin do cháll ar mesnighe** 107 b 13 ne despondeamus animos

**mencughadh** 179 b 3 *frequent,* frequentare

**menic** *frequent;* **go m.** 133 b 3 saepe, **cleachtadh go m.** 183 b 5 frequentare

**meirle** *theft;* **merle** 206 b 3 furta; gen. **merle** 205 a 1

Q

**mí-amhantar** *evil fate*; **míamhantar** 110 b 6 *sors

**mian** *desire*; **mián** 198 b 2 cupiditas, **gach én mhaith ar bhféd ar mian bheith** 7 b 6 quidquid expeti potest bonorum; gen. **do rér a mhiana** 23 b 6 *arbitrio suo, **do rér amhian** 157 b 8; pl. dat. **mianaibh** 202 b 5 affectibus, 220 b 3 desideriis; **is mian leo** 242 b 5 which they desire, **budh mhian leam** 15 a 1 velim

**mí-bhés** *evil conduct*; pl. dat. **mjbhésaibh** 373 b 5 *morum

**mí-chédfaidh** *dislike*; **michédfaidh** 128 b 1 *displicentia

**mí-chleachtadh** *misuse*; **michleachtadh** 160 b 1 abuti; pres. **go míchleachtam** 148 a 8 abutamur

**míle** *thousand*; **gus an mhíle genealach** 155 b 3 *en mille générations*; pl. dat. **arna míltibh** 217 b 2.9 *upon thousands*, **amílltibh** 282 b 11 in mille

**milleadh** *destroy, ruin*; cond. impers. **do mhillfidhe sind** 292 b 7 actum de nobis foret; pret. impers. **nar milleadh** 64 a 5 periit

**mí-náire** *shamelessness*; **mínaire** 203 b 11 impudicitia

**minic** *frequent*; **go m.** 35 b 4 saepe. Cf. **menic**

**minisdir; minisder** 1.6 *minister*; pl. dat. **ministribh** 237 a 9 ministros, 309 b 4

**ministreacht** 228 b 6 *ministry*, ministerium

**míniughadh** *explanation, expound*; **min-** 289 b 1 explicatio; gen. **mínighthe** 91 a 2 expositio; impv. **minigh** 57 a 1 *expone, **mín-** 180 a 1

**miond** *oath*; **m. do thahhairt** 161 b 5 iurare, **ad tabhairt mar mhionda** 161 a 2 in iureiurando; pl. gen. **míond** 162 a 2 iuramenta

**míorbhuileach** *miraculous*; **go m.** 108 a 7 mirabiliter; dat. sg. **miorbhuiligh** 355 b 2 *mirifica

**miosgais** *hatred*; gen. **miosgaise** 199 b 2 odium

**miosur** *measure*; gen. **an mhjosuir** 41 b 4 mensura, 230 a 10 modo

**mí-thuillteanas** *demerit*; **nach do chionta mhituillteanasa fen** 58 b 4 non ob propria maleficia

**modh** *means, way, method*; 7 a 1 ratio, 9 a 1, **a modh coitcheand daoine ele** 62 b 7 instar aliorum hominum, **ar modh ele** 113 b 10 alioqui, **ar mhodh jondas** 157 b 9 sic . . . ut, **ar gach aon mhodh** 33 b 3 prorsus, **ar an modh sin** 104 b 6 eoque modo; gen. **an modha** 31 b 2 modum, **an mhodha** 49 b 1, 129 a 3 rationem

**modhamhail** *well-behaved, respectful*; 373 b 2 bene *moratae, -ll 186 b 2 morigeri

**moiment** 292 b 8 *moment*, momentis

**moladh** *praise*; pres. impers. **moltar é** 267 b 2 celebratur

**mór** *great*; **ro mhòr** 29 b 1 plurimum, **go mór** 4 b 1 *much*, 27 a 2 multo; cpv. **an maith is mo** 4 a 2 summum bonum, **is mo** 27 b 4 potius, **gurab mho** 33 a 1 pluris, **nj mó** 51 b 5 nec vero, **an mó** 60 a 1 an plus, **ni is mó** 64 a 2 amplius; **is mo is nemh shonna** 5 a 2 infelicius; **gomadh moide** 210 b 1 quo maiorem, **-ó-** 337 b 8 abundantius

**móran** *great number*; gen. **amesg mòrain bràthair** 47 b 3 inter multos fratres

**mórdhalacht** *majesty*; **morghalacht** 141 b 4 maiestas, 146 a 2

**mór-mheall** *great quantity*; pl. dat. **tugadh dó jna mormheallajbh** 41 b 2 cumulatus fuit

**mothughadh** *feel*; 244 b 1 sentire, 244 b 2 sensus; pres. **modh-uighéas** 246 b 2 sentiunt, **go mothuigheam** 91 b 3 ut sentiamus

**múchadh** *quench*; **-ù-** 316 b 5 exstinguere

**muinighinn** *confidence, trust*; **ar nuile mhuinighine** 7 b 1 tota nostra fiducia; gen. **air n'uilé mhuinighinn** 8 b 1 totam nostram fiduciam, **na muinigin** 14 a 2 fiduciae, **ar n'vile mhuinine** 236 b 6 totum nostrum praesidium

**muintear** *people*; **don mh.** 150 b 5 eorum, **don mhuintir** 250 a 1 his

**muir** *sea*; **an m.** 166 b 9 mare

**Muire; Mujre** 16 b 5 Maria, **le Murie Oígh** 50 a 3 ex Maria virgine

**muna** *unless, if not* (len.); **muna toirbheram sind** 139 b 3 nisi addixerimus, **muna bheth** 189 b 3 were it not, **muna mhaire thu go buan** 309 b 2 nisi perseveres, **muna báil lind** 94 b 1 nisi velimus, **muna raibhe sê** 104 b 1 quin fuerit

**1. mur, mar** *as*; **mur** 7 b 8, **mar chiontach** 58 a 3 pro malefico; **mur sin** *so, thus*, 5 b 1 sic, 57 a 2, **mur sin féin** 20 b 1 ita, **mursin** 27 b 10 sic, **marsin** 41 a 2 so, **mar sin** 43 b 7 ita, 45 b 1 sic; **mur budheadh** *as it were* 28 b 3 tanquam, **mur budhe** 27 b 8 quasi, **mur budheadh** 29 b 10 tanquam, **mar udheadh** 52 a 2

**2. mur** *when* (nas.); **mur a n'aithnighthear é** 6 b 1 ubi cognoscitur, **mur naithnighim & mur dtuigim** 9 b 1 ubi noverimus, **mur a nochtand sé** 13 b 1 ubi exponit, **mur a bhfuil se dénamh fiaghnuise** 13 b 2 ubi testatur

**Murie,** see **Muire**

**1. nã** neg. impv. 217 b 1.1, .2.1, .2.3, .2.4, 307 b 10, **ná** 217 b 3.1, .4.4

**2. nã** *nor*; 217 b 2.1, .2.2, .2.3, .4.5, .10.1, **ná** 217 b 4.5, .4.6, .4.7

**1. nach** interr. neg. (nas.); **nach dtuigeand tu** 26 a 1 an non intelligis, **nach fédmaid** 71 a 1 -ne possumus

**2. nach** neg. cj. (nas.); **nach bhféd** 5 a 1 non posse, **nach fhuil** 19 a 1 non sit, **nach cleachtand se** 23 b 2; with **ro, amhail nar chlaoidheadh & nar milleadh** 64 a 5 sicut non periit

**náduir** *nature, essence*; 19 b 2 *essentia, **anadúir** 51 b 4 in natura, **d'en naduire** 46 b 6 unius essentiae; gen. **na naduire** 27 b 14 naturae, 47 b 3, **naduíre** 46 b 1, b 9, **na céd nadúire** 85 a 4 primae naturae

**nãdurdha** 245 a 1 *natural*, *nativus

**náimhdeanas** *enmity*; **an aimhdeanas** 67 b 2 severitas

**náireach** 203 b 4 *modest*, pudicus

**naoidheacht** *newness*; 74 b 5 novitas, 126 b 7

**naomh** *holy*; 19 b 5 sanctus, 36 b 4, 41 a 1, **-áo-** 16 b 4, b 12,

**naoimh** 19 a 3; pl. gen. **na náomh** 16 b 14 sanctorum, **naomh** 98 b 3

1. **naomhadh** *hallow, sanctify*; **naomhthadh** 54 a 2 sanctificare; pret. **do naomh sé** 166 b 12 (sanctificavit), **gur naomh** 96 b 6 sanctificare; pres. sj. **go naomhtha tú é** 166 b 1 ut eum sanctifices; impers. pres. **ó naomhthair í** 99 b 5 a quo sanctificatur

2. **naomhadh** 208 a 1 *ninth*, nonus

**naomhghloine** *holy purity*; gen. **naomhgloine** 203 b 3 castam puritatem

**naomhtha** *holy*; 54 a 5 sacer, 96 a 2 sanctus, **go n.** 74 b 6 sancte, **-ào-** 16 b 13, **-aó-** 18 b 5

**naomhthacht** *holiness*; **naomhdhacht** 96 b 3 sanctitas, **naomhtachta** 99 a 1

**neamh** *heaven*; **ar n.** 16 b 9 in caelum, **tre n.** 26 a 1 per caelum; gen. **nimhe** 21 b 2, 25 a 2, 27 b 12, 80 b 2, **nejmhe** 16 b 2; pl. dat. **ar neamhdhaibh** 257 b 5 in caelis

**neamh-, neimh-** negative prefix; **neamhbhridh,** see **nemhfní**; **nemhbhriste** 307 b 9 *unbroken*, inviolabilis; **neamhbuidhchus** *ingratitude* 139 b 2 ingratitudo, gen. **nemhbhuidhechais** 238 b 11; **neamhcheadaigheach** 141 a 1 *forbidden*, nefas; pl. **neamhchearta** 211 a 4 *unjust*, iniquis; **nemhchiontach** *innocent* 58 a 2 insons, 115 a 2 innocens; **nemhchiontaighe** *innocence* 58 b 2 innocentia, 96 b 3, 156 a 1; **neamhchongmhalach** 145 b 2 *incomprehensible*, incomprehensibilis; gen. **nemhchredimh** 240 b 2 *irreligion*, *infidelitatis; **neamhchriochnaighthe** 152 b 4 *infinite*, infinitus; **nemhdhiongmhalta** *unworthy* 251 a 4 indignus, 339 a 6; **neamhdhochus** *despair, lack of faith* 70 b 5 desperatio, **-ó-** 113 b 5 diffidentia, gen. **-dochais** 240 b 1 *infidelitatis; **neamheasbhuidh** 230 a 11 *perfection*, rectitudo; **neamhégeantach** 316 a 7 *unnecessary*, non necessarius; **neamhfhaicsinach** 373 b 13 *invisible*, invisibilis; **neamhfoirfeacht** 362 a 1 *imperfection*, imperfectio; **nemhghreamaighthe** 265 b 2 *incomprehensible*, incomprehensibilis; **nemhionbhriste** 223 b 4 *inviolable*, inviolabilis; **neamhindsineach** 245 b 4 *unspeakable*, inenarrabilis; **neamh nadurdha** 191 b 5 *unnatural*, praeposterus; **tug go nemhfní** (*brought to*) *nothingness* 73 b 6 redegit in nihilum, **cur aneamhfini** 72 b 4 abolere, **dul a neamhbhrídh & as** 84 b 4 aboleri, **do nemhf-nigh sé** 61 b 2 *abolevit; **neamhrésunta** 4 b 3 *irrational*; **nemhshalach** 328 b 4 *undefiled*, impollutus; **neamh shona** *unhappy* 4 b 1 infelix, **nemh shonna** 5 a 2; **neamhthaitneamh** *displease* 116 b 3 displicere, **do nid neamhthaidhneamh** 243 b 2 displicebunt; **do ní neamhtharbha** 206 b 4 *damage*, incommodet; **neamhtharbhach** *useless, unprofitable* 125 a 3 inutilis, **nemh-** 332 b 2 infructuosus; **neamhthoil** *hatred* 128 b 1 *displicentia, **do nid a n.** 243 b 1 *displicebunt; **nemhthruailligheach** 373 b 12 *immortal*; **neamhthruaillaidheacht** *incorruption, immortality* 84 b 5 incorruptio, gen. 74 b 3 immortalitas; **neamhthuigseach**

*ignorant* 245 b 2 *stupidus, cpv. **neamhthuigsighe** 254 b 3
*rudior; **neamhuamhnach** *fearless*, dat. sg. f. **nemhvamhnaigh**
64 a 4 intrepidus; **neamhullamh** *unprepared*, cpv. **neamh-
ullamha** 246 b 4 minus bene comparatus
**neamhdha** 26 b 2 *heavenly*, caelestis
**neart,** *strength, power, virtue*; 27 b 13 potentia, 50 b 5 *virtus, 69 b 6
potestas, **le neartsan** 27 b 8 eius virtute, **nert** 19 b 5 *virtus,
23 b 3 *potestas
**neartughadh** *strengthen*; impf. sj. **muna neartaigheadh sé** 292 b 9
nisi roboraret
**neoch,** indef. pron. *someone*, but used chiefly as relative; 15 b 5, b 7,
18 b 3, 22 b 2, **neach** 107 b 3 cuius, **nech** 82 a 1, a 2, **noch** 16 b 4,
**neoc** 27 b 16, 77 b 7, 113 b 3, 123 b 1; **neoch d'an tossach é
féin** 2 b 5 cuius ipse est initium, **neoch trés agcluintear é**
253 a 5 per quem exaudiatur, **neoch is fá chumhachtaibh & fâ
ghuibhernoracht & fhlaitheas ataid na huile** 27 b 19 cuius
imperio subiaceant omnia, **neoch is dupalta toradh & tarbha
afhios** 107 b 3 cuius cognitionis duplex est utilitas ac usus
**1. ní,** indef. pron. *something*, and noun *thing*; **nj** 5 a 2, **ní** 29 b 2, **ni**
29 b 11, **an' uile ní** 27 b 7 omnia, **a'níse** 41 a 1 hoc; as rel. 28 b 7,
65 a 1, 110 b 2; gen. **anechse** 29 a 2 eius rei, 66 a 1 huius rei,
**a'neith** 49 a 1; pl. **na nethese ujle** 40 b 1 haec omnia, 40 b 3,
**na neche sin** 49 b 5; gen. **na nuile ní** 19 b 3 omniun rerum, **na
neithesa** 8 a 2 haec **na netheadh** 113 b 10; dat. **gus na nechibh
ele** 83 a 1 ad alia
**2. ní** negative; 24 a 1, 25 b 2, 27 b 1, 40 b 1; with **ro, nir** 58 a 2,
61 b 3, 70 b 3
**nighe** *wash, washing*; 326 b 1 lavacrum, 329 a 2 ablutio; pret. **gur
nighe** 71 b 5 lavare; pres. impers. **nighthar** 326 b 3 abluuntur
**nimhchathaoir** *throne*; gen. **nimchathrach** 57 b 9 tribunal
**1. nó** *or*; **no** 1 a 1, 3 a 1, 15 b 2, 17 b 1; **ino** 84 a 3, **jno** 85 a 3,
113 b 5; **ina** 11 b 2. Sometimes lenites
**2. nó** *than*; see **2. ina**
**3. no go** *until*; see **2. ino**
**nochtadh** *show*; 11 b 1 exserere, 68 b 4, 129 a 3 ostendere; pres.
**mur a nochtand se** 13 b 1 ubi exponit; cond. **go nochfadh**
73 b 2 demonstravit; pres. impers. **nochtar** 27 b 1 indicatur,
34 b 1 exprimitur; pret. impers. **gur nochtadh** 95 a 3 ostensum
**nós** *custom*; gen. **do rer anosa ghnathaighe** 58 b 5 solenni ritu
**nota** *mark, sign*; pl. dat. **le notaibh** 100 b 3 notis
**nuadh** *new*; gen. sg. f. **na naduíre naoidhe ele** 85 a 5 alterius
novae naturae; pl. **nuaidhe** 91 b 10 novas


**ó** *from* (len.); **o thossach** 15 b 5 ab initio, **o bhéul** 15 b 7 ab ore, **o
sin amach** 27 b 3 postea, **o Athajr fen** 40 b 3 patre (suo); with
art., **ón Spiorad** 16 b 4 e Spiritu, **on Atair** 34 b 2 a patre; with
Q *

rel. **o dtigid** 27 b 18 a quo proveniant; with cop. **ó sé Diá** 22 b 6
cum Deus sit; with pron. 2 sg. **vait** 15 a 2 abs te; 3 sg. m. **uaidhe**
22 b 3 ab ipso, 60 b 2, b 4, **ata vaidhe so** 91 a 1 indiget, **uaidhson**
52 b 3; f. **uaithe** 57 b 3 ab ea, **vaithe** 117 a 5; 1 pl. **vaind** 78 a 1
a nobis, **vainn** 112 a 1, **vainde** 125 b 10 ex nobis; 3 pl. **uathadh**
105 b 4. Also cj., **o do gheall sé** 29 b 13 *since he has promised*

**obair** 116 b 1 *work*; pl. **oibrighe** 27 b 2 opera, 116 a 1, **oibrighthe**
172 b 3; dat. **oibrighibh** 25 b 1, 118 b 2, 167 b 2 laboribus

**ochtmhadh** *eighth*; **gus anochtmhadh aithne** 204 a 1 ad octavum
(praeceptum)

**ofrail** 38 b 4 *offering*, oblatio

**ógh** *virgin*; **lé Murie Oigh** 16 b 5 ex Maria virgine, **Oígh** 50 a 3;
gen. **na hóige** 50 b 1 virginis

**ogha**; pl. dat. **na hoghaibh & na hiaroghaibh** 150 b 5, see note

**óglach** *servant*; **óglaoch** 166 b 6 servus, **oglách** 217 b 10.3 man-
servant

**oibriughadh** *work, bring about*; 53 b 2 opus, **re hoibruighadh**
24 a 4 operi; impv. **oibrigh** 166 b 2 operaberis; fut. **oibréochas**
**tú** 217 b 4.1 labour; pret. impers. **gur hoibrigheadh** 50 b 4
effectum fuisse

**oific** *office, function*; 34 b 1 officium, 38 b 1, **oifice** 228 a 3, **anoi-**
**ficese** 309 b 4 hanc functionem; pl. **na trí hoificeadha** 45 a 3 tria
officia; dat. **oificibh** 35 b 2 usus

**oighre** *heir*; pl. **oighreagha** 340 b 1 haeredes; dat. **jnar noigh-**
**readhaibh** 114 b 2

**oileamhain** *feed, nourish*; 276 b 3 alere; gen. **oileamhna** 366 b 7;
pres. impers. **oiltar** 320 b 3 *alatur

**oineach** *generosity*; 283 b 4 liberalitas; gen. **oinigh** 238 b 6

**óir** *for*; **oir** 25 b 2 enim, 29 b 1, 34 b 1, 58 b 1, 33 b 1 nam, 40 b 2,
**óir** 91 b 4

**oirdherc** *special, outstanding*; **oirrdherc** 112 b 2 singularis, 338 b 5
eximius, **ro oiirdherc** 86 b 1 *singularis; gen. f. **oirrdherce**
171 b 2 special

**oiread** *so much*; **ata an oireadsa vaide** 127 a 3 tantum abest, **is**
**ojread js fíu na focailse** 137 b 7 perinde valent haec verba, **an**
**oireadsa do dhóchas** 251 a 2 tantum confidentiae, **go soich**
**anoireadsa do mhaith** 301 a 2 ad tantum bonum, **airead** 232 a 2
tot

**ola** *oil*; **le hola** 36 b 1 oleo, 36 b 3; gen. **ola** 36 a 1

**olc** *evil*; 29 b 1 malus, 117 b 4 pravus; sg. gen. m. (noun) **fear**
**dheanta uilc** 58 a 3 *maleficus, 59 a 5, **an uilc amuigh** 203 b 5
externi flagitii; pl. **daoine olca** 317 a 5 mali

**olcmharacht** *wickedness*; **le holcmareacht** 223 b 5 pravitate

**ongadh** *unction, anoint*; 36 b 5 unctio; gen. **ongtha** 35 b 3;
pret. impers. **gur hongadh é** 34 b 2 eum unctum esse, 36 a 1,
49 b 2

**onoir** *honour*; 6 b 2 honor, 47 a 2; gen. **onora** 140 b 1, **na ho.** 186 a 1

onorughadh *honour*; gen. onorvighthe 7 a 1 honorandi, onoraigh 129 a 3 colendi; impv. onoraigh 185 b 1 honora; pres. go nonoraigheam 148 a 6 colamus

ordughadh *order, sequence, organisation, ordain*; 108 a 1 series; gen. ordaighthe 27 b 14 ordo, 171 b 2 *politia; pret. gur ordaidh 177 b 3 dicavit; pres. impers. ordaighthear 183 b 8 ordinare; pret. impers. do hordhaigheadh ê 48 b 1 constitutus, gur ho. 82 a 2; part. ordaighthe 84 a 4 *constitutus, 167 b 3 destinatus

orghan *organ*; pl. dat. le orghanaibh 314 b 3 per organa

ornis *pledge, earnest*; gen. ornise 357 b 3 pignus; (cf. ME *ernes*)

orrtha 241 b 3 *prayer*, oratio

ós *above*; os an'vile 117 b 4 praecipue; ósciond 113 b 11 *above*, os ciond gach vile vachtaranachta 82 a 4 supra omnes *principatus, os ciond gachvile anma 82 a 5 supra omne nomen

osnadh *groan, sigh*; pl. gen. osnaighe neamhindsineach 245 b 3 inenarrabiles gemitus

pailteas *abundance, generosity*; da fhior phailteas 103 b 5 ex mera eius liberalitate

páirt; gen. parta 43 b 8 *part*

páis *passion*; an fpháis 16 b 5, an pháis 56 a 3

paiteadh 144 a 2 *paint*, pingere

paiteoracht 148 a 1 *painting*, pictura

pardun 286 a 4 *pardon*, *venia

párent; pl. gen. parentadh 195 b 3 parentum; dat. parentaibh 186 b 2 parentibus

patrun *patron, protector*; ina phatrun 77 b 10 patronus, 87 b 3

peacach *sinner*; 59 a 1 peccator; pl. peaccaigh 70 a 3; gen. ar scáath peacach 66 b 3 pro peccatoribus; dat. jnar bhpeacahaibh 57 b 4

peacadh *sin*; ar an bpeacadh 42 b 7 peccatum, trid an bpeachadh 77 b 8 propter peccatum, on phecadh 58 b 11 a *reatu; gen. peacaidh 59 a 3, 71 b 3, 128 b 2; pl. gen. na bpeacthadh 16 b 14 peccatorum, ar bpeacadhne 67 b 4 peccata (nostra), ar n'uile pheacadh 71 b 7

peacughadh 117 a 3 *sin*, peccare

Peadar 65 b 4 Petrus

peandaid *penalty, punishment*; gen. peandaide 59 a 2 *poena

pearsa *person*; dat. inar bpearsainde 52 a 3 in persona nostra; pl. dat. adtri persannaib 20 a 2 tres personas

persuasion 91 b 6 *persuasio, 303 b 1*

pháith *prophet*; phait 39 a 2 propheta, jna Phaith 34 b 3; pl. Phaithe 232 a 3; gen. phaitheadh 36 b 3, na bphaitheadh 50 b 4

pháitheadoracht *prophecy*; ar gach vile Phajtheadarachta 39 b 6 omnibus prophetiis, phaithedoracht 44 a 1, phaitheadorhacht 50 b 3 vaticinium

**pian** *torment, penalty*; 70 a 2 tormentum; gen. **na péne** 57 b 1 poena,
158 a 3, **-e-** 59 a 2
**pianadh** *torment*; pres. impers. **le bpiantar** 70 a 3 quo cruciantur
**piseach** *increase*; **ar bpiseach** 156 b 6 *prosperare, see note
**pobal** *people*; **ré phobal Dé** 104 b 4 populo Dei, 137 b 11
**Pól** 60 b 1 Paulus, **-o-** 82 a 2; gen. **Phóil** 335 b 6
**politia** *polity, system*; gen. **Politia** 171 b 2 *politiae, **na p.** 180 b 4;
dat. **re politía** 183 b 3 politiam
**ponc** *point*; gen. **an phoinc** 227 b 3 apicem; pl. dat. **poncaibh**
175 b 3 points
**pósadh** *marry*; **bean fphósda** 217 b 10.2 *wife*
**prap** *sudden*; **go p.** 138 a 1 continuo, 190 a 2 cito
**prímhghen** 47 b 2 *first-born*, primogenitus
**priondsa** *prince, ruler*; 29 b 14 praesidem, 266 b 14; pl. gen. **pri-
ondsadh** 195 b 3 principum; dat. **o phrionsadhaibh** 81 b 2 a
principibus
**priondsipalta** *principal, chief*; 1 a 1 *praecipuus, **priondsapalt**
17 b 2
**priondsipaltacht** *principality*; gen. **priondsipaltachta** 82 a 5
*principatus
**profánadh** *profane*; pres. impers. **le bprofánar** 162 a 2 quibus
*profanatur
**providens; le phr.** 23 b 5 *providentia sua
**pudhar** *harm, injury*; **pughar** 199 b 3 noxa
**puindseon** 262 b 7 *poison*, venenum
**Puinge Piolaid; fa Fpuinge Fphioláid** 16 b 5 sub Pontio Pilato,
**Pilatus** 58 a 1
**purpois; an t'én phurpoise** 275 b 1 hoc unum propositum

**qualiteadh** 108 b 3 *quality*, *qualitate

**rabhadh** *warning, admonition*; **go dtabharthaoi r. dhuinn** 107 b 1
ut admoneamur; gen. **ag tabhairt rabhaidh** 60 b 2, **raibhthe**
96 b 6; pl. **raibhthe** 232 a 2 admonitiones
**rádha** *say*; **ragha** 44 a 1 *mention*, 58 b 6 *sententia. See Intro-
duction, p. xxvii
**ráison** *reason*; gen. **an ráison** 211 b 2 rationem
**rand** 193 b 4 *region*, *regio
**randadoracht** *division*; 129 a 2 divisio, 133 a 1, **randadareocht**
8 a 3 partitio
**randsughadh** *seek, look for*; pres. **randsaigheas** 359 a 1 inquiret;
impf. **nach randsaigheadh** 123 b 4 quod nolit exigere
**ráth** *surety*; **rádh** 59 a 2 vas
1. **ré** *to*; **re Dia** 18 b 1 ad Deum, **re ní ele** 40 b 1 *to anything else*,
**re sé laithibh** 166 b 2 sex diebus; with art., **ris an bpobal**
138 a 3 ad populum, **ris an gcorp** 138 b 1 ad corpus; with gen
pron., **rer slaunghadne** 55 b 3 redemptionis nostrae; pron.

forms, 1 sg. **riom** 113 a 1 mihi; 3 sg. m. **riosan** 47 b 2, 138 a 4,
**ris so** 89 b 1 huc; 1 pl. **rind** 71 b 4, **rinde** 40 b 4, 47 a 4; 3 pl.
**ríu** 29 b 9

**2. ré** *before*; **ré ndereadh an tsaoghail** 84 a 2 ante finem saeculi,
**dul ré ndia** 118 a 2 Deum praevenire; with art. **re an bhás**
64 a 2, **do dhul rés an mbaisteadh** 334 b 2 ut baptismum
praecedant. Cf. **roimh**

**reachtaire** *steward*; dat. **ina reachtair** 39 b 3 interpretem

**réd** *thing*; **én réd ele** 231 b 2 nihil aliud

**ré-fhaicsin** *providence*; **le re fhaicsin fen** 23 b 5 *providentia sua

**réidh** *easy*; **go re** 247 b 3 facile

**réidhiughadh** *reconcile*; **rethughudh** 71 b 4 placare; gen. **rêtigh**
43 b 3 *reconciliare; impf. **go redhigheadh sé** 344 a 5 ut re-
conciliaret

**réir ; do rér** 23 b 6 *according to*, 29 b 9, **do re'r an mhjosuir**
41 b 4 pro mensura, **do rer lagha** 47 b 3 iure, **do rer anosa**
58 b 5 ritu

**réite** *reconciling*; gen. **rête** 51 b 7 conciliationem

**ré-rádha** *predict*; pret. impers. **do re raigheadh** 50 b 3 praedictum
fuerat

**résun** *reason*; **is maith an resún** 2 b 4 aequum est

**résunadh** *discuss*; gen. **do chum résunaigh** 8 a 1 ut discutiantur

**reverens ; reuerens** 308 b 4 reverentia

**reverensach** *reverent*; **go reuerensach** 186 b 3 reverenter

**riachtanas** *need*; 7 b 5 necessitas; gen. **riochtanais aleas riocht-
annas** 276 b 5

**riaghail** *rule*; 129 b 2 regula; gen. **rjaghla** 123 b 5, -ia- 298 b 2

**riaghladh** *rule, govern*; 23 b 7 imperare, 27 b 13 regere, 128 b 5,
28 b 2 *coercere

**rigmaoid, riogar,** see Introduction, p. xxviii

**rígh** *king*; dat. **jna rígh** 34 b 2 in regem; pl. gen. **na sean rioghradh**
36 b 2 antiquis regibus

**ríghe** *kingdom*; 259 b 8 regnum, -i- 257 b 6

**righthe** *prone*; part. cpv. 293 b 7 propensior

**riocht,** in phr. **a riocht** 85 a 2 *like*, *instar

**ríoghacht** *kingdom*; 110 b 9 regnum, -io- 37 a 1, b 1, 42 a 1, 48 b 4

**ríribh,** in phr. **da riribh** *really, seriously*, 95 a 8 ex re ipsa, 237 b 5
re vera, **dariribh** 313 b 2, **do riribh** 244 b 6 serio

**ro** intensive prefix (len.); **ro mhòr** 29 b 1 plurimum, **ro fhoirfe**
53 b 5 perfectissima, **ro vrasa** 158 b 4 *facilem, **ro mhall** 158 b 5
*tardum, **go ro dhaingean** 263 b 1 firmissimum, **rolaghamhail**
46 b 7 optimo iure, **rochuramach** 251 b 14 anxii, **romhaith**
262 b 10 summe bonus

**rochtain** *reach*; 205 a 4 procedere, 226 b 5

**ro-chúram** *anxiety*; gen. **rochúraim** 261 b 6 *anxietate

**ród** *way*; gen. **an roíd** 330 b 2 viam

**roimh** *before*; **r. gach tus uile aimsir** 22 b 3 ante omne tempus,

**ro láimh** 180 a 2 *beforehand;* adv. **roimhe** 67 b 3, **rhoimhe** 77 b 7; pron. forms, 2 sg. **lean romhad** 62 a 1 persequere; 3 sg. m. **roimhe sin** 108 b 1 ante; f. **roimpe** 308 a 2; 1 pl. **romhaind** 130 b 4, 150 a 1, **romhain** 255 b 2

**roimh-,** prefix *pre-;* **roimhiadhaidh** 228 b 3 *preclude,* praecludere; **-ordughadh** *predestine,* pret. **roimhórdeigh** 93 b 2 praedestinavit; **-scríobhadh** *prescribe,* **roimhscriobhadh** 176 a 2 praescribere, gen. **do rér aroimhscriobhadhson** 225 a 4 secundum eius praescriptum, pret. **do roimhscriobh** 130 b 4 *praescripserit; **-ullmhughadh** *prepare,* pret. **do roimhullmhaigh** 110 b 4 praeparavit

**roinn** *divide, share;* **roindeam** 258 a 2 partiamur; fut. **roindfeam** 240 b 13; pret. **roindeamar** 17 a 2 dividemus; part. **rointe** 20 a 4 divisus

**ro-shaint** *strong desire;* **ro shaint** 244 b 7 *ardorem

**ro-tharraing** *draw, lead on;* past sj. **gen go rotharngdis** 215 b 6 ut tamen non pertrahant

**ruathar** *attack;* gen. **ruáthair** 294 b 11 *insultus

**sabbóid** *sabbath;* 217 b 4.4 sabbatum, **sabboite** 166 b 3; gen. **na sabboite** 166 b 1

**sacrament; an tsacacrament** 311 a 1 sacramentum; pl. **sacramente** 310 b 1; gen. **sacramente** 88.19 and running title, **sacramentádh** 318 a 1; dat. **sacramentibh** 313 a 3

**sagart** *priest;* 351 b 2 sacerdos, **jna Shagart** 34 b 3 in sacerdotem; pl. gen. **sagart** 36 b 2

**sagartacht** *priesthood;* 38 a 1 sacerdotium, 43 a 1, b 8

**saidhbhir** *rich, full, abundant;* **saibhir** 256 b 2 copiosus; pl. **saibhre** 280 a 3 divites; cpv. **ni bhus saibhir** 8 a 2 fusius, **go madh saibhride** 337 b 7 luculentius

**saidhbhreas** *wealth, richness;* **sajbhreas** 41 b 2 opulentia, **dul asaibhreas** 206 b 7 ditescere; pl. dat. **le shaibhreasaibh** 42 b 4 eius divitiis

**sailiughadh** *corrupt;* cond. impers. **nach sailedhchaighte é** 53 b 4 ne attingeretur [for **saileochaighthe**]

**saint** *greed;* **antsaint** 206 a 2 cupiditas; gen. **sainte** 254 b 6

**sal** *stain;* 54 a 3 macula, 54 a 6 labes

**salchadh** *stain, pollute, profane;* 54 a 6 inquinare, 152 b 8 polluere; pres. impers. **le salchar** 122 b 3 quo *vitiantur, 162 a 2 quibus *profanatur

**salchar** *stain, spot, dirt;* 122 b 2 inquinamentum, 203 b 11 sordes, **o nuile sh.** 71 b 6 omnibus maculis, **ó gach vile sh.** 96 b 9 ab omni macula, **les an tsalcarsa** 53 b 4 hac contagione; gen. **salchair** 123 b 7 sordes; pl. dat. **on salcharaibh** 326 b 2 suis maculis

**sámhach** *quiet, secure;* 29 b 5 tranquillus, **-á-** 29 b 8 *peaceful,* **-a-** 276 b 7

**sámhdas** *security*; gen. **an tsamhdais** 317 a 3 securitas

**santughadh** *covet, be greedy*; 206 b 6 expetere; impv. **na santaigh** 213 b 1 non concupisces, **sandaigh** 217 b 10.1

**saobh-chreideamh** *heresy, superstition*; **le saobh chredeam** 105 b 3 factionibus, **saobhchredeamh** 149 b 6 *superstitio

**saoghal** *world*; 2 b 2 mundus, 42 b 8; gen. **an tsáoghail** 78 b 3 saeculi, -ao- 84 a 1; pl. dat. **gus na saoghalaibh** 257 b 13 in saecula

**saoil-** (vbn. does not occur) *think, suppose*; pres. **an saoleand tú** 338 a 1 putasne, **créd é an t'adhbhur fa saoilinn tú** 4 a 1 quamobrem tibi habetur

**saoirse** *liberty*; gen. **saorse** 42 b 2 libertas

**saor** *free*; 54 a 3 immunis, **go sáor** 121 b 3 liberaliter, **da shaor mhaitheamhnas** 102 b 1 gratuita sua bonitate, **da sháor thrócaire** 118 b 1 mera sua misericordia; gen. sg. m. **saoir** 103 b 6 gratuitum

**saoradh** *set free, redeem*; **sooradh** 57 b 2 eximere; gen. **saoruidh** 18 b 3 redemptionis, **an tsaortha** 89 b 6, -aó- 126 b 4 *liberatio; impv. **saor** 257 b 11 libera; impf. **go saoradh se** 58 b 10 *liberare; pret. **do shaor** 89 b 3 *redemit, 138 b 3 *asseruit

**saothar** *work, exertion*; 166 b 3 opus, 238 a 2 officium

**Satan** 42 b 8; gen. **Shatain** 270 b 7

**sáthadh** *thrust, fix*; 205 b 7 iniicere; impf. **go saitheadh se** 256 b 3 ut *praefigeret; part. **sáite** 303 b 8 fixus

**sbiondamhail** *confident, strong*; cpv. **ni as sbiondamhla** 320 a 4 certiores. Cf. **spionnadh**

**sbiondughadh** *strengthen*; 320 b 7 roborare; pres. impers. **spiondaighear** 342 b 8 roboratur

**scáile** 117 b 2 *appearance*, *species

**scandail** *reproach, blasphemy, defamation, scandal*; 61 a 1 contumelia; gen. **scandaile** 70 b 6 blasphemias; pl. dat. **scandailibh** 373 b 6 offendiculis; **tabhairt sc.** 210 b 6 infamare

**scandalach** *disgraceful*; dat. sg. fem. **scandalaidh** 192 b 6 ignominioso

**scandalughadh** 212 b 3 *defame*, infamare

**scaoil; legean fa sc.** 57 b 9 *let go, set free*, *absolvere

**scaoileadh** 247 b 7 *set free*, *explicare

**scaradh** 126 a 2 *separate*, separare

**scáth,** in phr. **ar sc.** *on account of*; **ar scáth lochta** 154 a 3 propter noxam, **ar scàth peacadh** 62 b 2 peccati causa, **ar scath bhear** 70 a 6 *as a goad*, vice aculei, **arar scath** 77 b 3 nostra causa, **ar scáath peacach** 66 b 3 pro peccatoribus

**scáthan** *mirror*; gen. **scathain** 25 b 5 speculum

**sciúrsadh** 294 b 4 *punish*, punire

**scríobhadh** *write*; -io- 60 b 2 scribere, **as an scriobhadhson** 15 b 8 ex eorum scriptis; part. **scriobhtha** 124 b 2 scriptus, 133 b 1 descriptus

**scrioptur** *scripture*; 35 b 2 scriptura, 176 b 2, **scriobtur** 233 b 7, **scriorhtur** 112 b 1; gen. **an scrioptur** 368 a 2

**scrios** *destroy*; 105 a 2 exitium, 269 b 4; impf. **go scriosedh se** 270 b 9 \*aboleat

**scuir** *cease*; pres. **scuiream** 184 b 4 desinamus; pret. **nir scuir** 61 b 3 nec desiit, 70 b 3

**1. sé** *six*; 166 b 2 sex, **a sé** 132 b 3; ord. **seaseamh** 196 a 1 sextus

**2. sé**, pers. pron. 3 sg. m. 13 b 1, 28 b 5, **se** 13 b 2; f. **sí** 89 a 1, b 1, **si** 68 b 4, 74 b 2; nom. with copula, or acc. **é** 2 b 5, 4 a 1, 2 b 3, 6 b 1, **e** 25 b 1; **í** 47 a 4, **î** 99 b 1; with augment, **seision** 12 b 2, **eissan** 27 b 11, **eision** 7 b 8, 9 b 1, **esean** 91 b 8, 235 a 2

**seach** *past, beyond*; 29 b 4 \*praeter, **iar ndul seacha** 259 b 11 \*praeterita

**seachna** *avoidance, prevent*; 203 b 4 abstinentia, 373 b 7 cavere

**seachran**, in phr. **ar s.** *astray*; **dul ar s.** 152 b 9 deflectere

**seacht** *seven*; ord. **seachtmhadh** 166 b 3 septimus, 166 b 10, **seachdmhadh** 217 b 4.11

**seadh** *meaning, sense*; 34 b 1 significatio, 49 a 1, **cia an s.** 23 a 1 quo sensu, **creud an s.** 80 a 1, **seodh** 272 a 2

**seal** *time*; **ré seal** 70 a 5 temporarius

**sealaigheach** 169 a 3 *temporary*, \*temporarius

**sealbhughadh** *possess*; 193 b 7 possidere, **sel-** 343 b 5, **selbheochadh** 280 b 8; fut. **selbheocham** 356 b 2 potiamur

**sealladh** *sight*; **jna sh.** 251 a 6 coram ipso

**sealmhadh** 315 b 9 *appearance*, aspectus

**sean** *old*; 36 b 2 antiquus, 72 b 3 vetus, 168 b 2

**seanoir** *elder*; pl. **seanora** 373 b 4 \*seniores

**sean-tiomna** *Old Testament*; **isin tseantiomna** 339 a 2 sub veteri testamento

**sealg** *hunt*; pres. **selgeam** 205 b 3 \*aucupamur

**séalughadh** *seal*; **sélughadh** 113 b 13 obsignare, **sel-** 311 b 3

**séanadh** *deny*; **sénadh** 364 b 2 abnegare

**searbhant** *servant*; pl. **serbhontadha** 239 a 3 servos; **searbhfhoghantaighe** 217 b 4.6; gen. **serbhontadh** 136 b 3 servitutis, **serbhantadh** 180 a 2 servorum, **serbhonatadh** 171 b 4; dat. **seruontaibh** 110 b 5

**searbhantacht**; gen. **na searbhfhoghantachda** 217 b 3 *bondage*

**searmon**; pl. gen. **sermona** 305 b 4 *sermons*

**searmonachadh** *preaching*; **ser-** 310 b 1 praedicatio

**seasamh** *stand, establish*; 132 b 3 constare, 151 b 2 vindicare, 161 b 2 \*asserere; pres. **seasand** 27 b 7 stare, **seasam** 87 b 1 stabimus

**seicreid** *secret*; **le brídh jongantaigh shécrede** 50 b 5 mirifica arcanaque virtute

**seicreideach** *secret*; **na neitheadh ndiamhair secreteacha** 183 b 6 mysteria

**séimhidheacht** *kindness, gentleness*; **sémhuidheacht** 158 b 2 beneficentia; gen. **sémhidheachta** 286 b 7 clementia

**seirbhis** *service*; **serbhis** 7 b 2 cultus; **seruis** 235 b 2, **don tservis** 234 a 3; gen. **na serbhise** 134 b 1 *pietatis

**seirbhisiughadh** *serve*; **ser-** 367 b 5 *pascere

**seirc** *love*; **sérc** 291 b 3 desiderium; gen. **serce** 220 b 1 *zeli

**sentens** *sentence, phrase*; 58 b 7 sententia; du. **les an dá shentensasa** 50 a 1 his duabus sententiis

**seolughadh** 260 a 4 *aim at*, *collimare

**siad,** pers. pron. 3 pl. 81 b 3; **iad** 1 b 3, **jad** 27 b 9, 28 b 4, **iád** 18 a 1, **jád** 108 b 7

**signiughadh** *meaning, signify*; **-nju-** 175 a 2 *significatio; pres. **signighidh** 222 b 1 *significat; fut. **shigneobhas** 81 a 1

**sileadh** *flow* 125 b 6 *emergere; pres. **shíleas** 238 b 4 *fluunt

**sin,** demon. adj. and pron. *that*, 1 b 2, 3 b 1, 4 b 2, **-sin** 2 b 2, b 6

**sind,** pers. pron. 1 pl. 2 b 2, 7 b 5, 22 b 6, **-i-** 89 b 3, **mar jnd fein** 218 b 5 perinde ac nosmet ipsos; with augment, **sinne** 2 b 4

**síneadh** *extend, offer*; **-i-** 193 b 3 extendere, 262 b 7 porrigere

**síol** *seed*; 53 b 1 semen, 340 b 2, **-io-** 50 b 2

**síorruidhe** *eternal*; **siorujdhe** 19 b 4 aeternus

**síos,** adv. *down*; **do chuaídh sios** 16 b 7 descendit, **cur síós** 98 b 1 ponere, 100 b 2 describere, **cuir sios** 57 a 1 *expone, **do shluig siós** 73 b 4 deglutivit

**síothchain** *reconciliation, reconcile, concord*; **an tsiothchain** 348 b 5 reconciliatio; gen. **siothchana** 43 b 2 *reconciliare, 161 b 6 concordiam

**síothchanughadh** *reconcile*; **-io-** 38 b 3 placare, **siothchanachadh** 51 b 4 *expiare, **-ió-** 126 b 5 reconciliatio, **siothchanchadh** 115 b 7 conciliare, **síothchainachadh** 348 b 2 reconciliare

**sír** *long*; cpv. **nj budh sia** 76 b 5 diutius, **ni sía** 108 b 5 amplius, **ni is sia** 321 b 10 ulterius, **ni is siadh** 193 b 4 further

**sireadh** *seek*; pres. **siream** 352 b 5 quaeramus

**siurtaidheacht** *adultery*; 201 b 1 scortatio, **na'déna s.** 200 b 1 non moechaberis

**sláinte** *health, salvation*; **-ai-** 27 b 17 sanitas, 69 a 2 salus; gen. 7 b 5, 12 b 4

**slán** *defiance*; **a lán do thabhairt fuind** 201 b 4 in nos provocare

**slánaightheoir** *saviour*; 31 b 1 servator, **-aj-** 32 b 1 salvator, **-a-** 111 b 6

**slánughadh** *salvation, save*; 76 b 3 salus, 109 b 3, **-a-** 9 b 3, **slaunghad** 55 b 3 redemptio, **slanugh** 319 b 4 salus; gen. **slánaighe** 95 a 2, 113 b 14, **-a-** 29 b 14, 89 b 6, **ar slanaigene** 52 a 3

**sleamhnughadh** 290 b 1 *slip*, labi

**slighe** 301 a 1 *way*, via

**sliocht** *offspring*; 153 b 4 soboles; gen. **sleachta** 154 b 7 posteritati

**slugadh** *swallow, devour*; **slugedh** 292 b 5 devorare; pret. **do shluig siós** 73 b 4 deglutivit

**sméideadh** *nod*; **smédadh** 272 b 3 nutus, **smédeagh** 27 b 21

**smuaineadh** *think, thought*; 29 b 5 cogitare, 107 b 6; pl. **smuainigh**

215 a 2 cupiditates; gen. **smuaineadh** 142 b 4 cogitationum; dat.
**smuainibh** 214 b 4 affectibus; pres. **smuaineam** 163 b 1 cogitemus; past sj. **da smuainmis** 154 b 1 si reputamus

**snaidhm** *bond*; **les an tsnaidhinsin** 223 b 2 eo vinculo

**snighe** *flow*; pres. **shnidheas** 238 b 5 *fluunt, **shuidheas** 116 b 1
manare

**so, -sa, -se,** demon. adj. and pron. *this*; **so** 2 a 1 hoc, **and so** 19 a 2
hic; **san saoghalsa** 2 b 2 in hoc mundo, **is na cumhgachaibhse**
66 b 7 in his angustiis

**sochoireach** 158 b 4 *easy, willing*, *facilis

**soich,** in phr. **go soich** *to, until*; **go soich an treas cuid** 88 a 1 ad
tertiam partem, **go s. so** 45 a 2 huc, **go s. an'ait sin** 77 b 5 illuc,
**go s. ar n'áicheodh fén** 128 b 3 ad abnegationem usque nostri,
**go soith** 217 b 2.7, 295 a 3

**soilleir** *clear, evident*; **soiller** 270 b 5 conspicuus, **go soillar** 338 b 1
evidenter; pl. **soillere** 252 b 2 disertis; cpv. **beagan ni' is soillere**
41 a 1 paulo fusius, **in is soillere** 57 a 1 clarius, **nj is s.**
91 a 2, **ni is soillaire** 339 a 12, **gomadh soilleridhe** 325 a 1 quo
clarius

**soillsiughadh** *enlighten, illuminate*; **soillseochadh** 44 b 3 illuminare, 91 b 4 illuminatio

**soineand** *good weather*; gen. **na soinend** 27 b 16 serenitatis

**soisgeal** *gospel*; **trés an soisgel** 111 b 5 per evangelium, **seoisgel**
346 b 3; gen. **an tsoisgeil** 1.6, **an thosgél** 119 b 2, **an tsoisgel**
127 b 2

**solathar** *provide, obtain*; pret. **ler sholathair** 31 b 4 quo *acquisierit

**so-leadradh** *shatter*; pret. **do soledair** 69 b 7 *fregit

**sollamhanta** *solemn*; **sollumhonta** 183 b 7 solennes

**solūbtha** 286 b 13 *flexible*, flexibles

**son,** in phr. **ar son** *for, because*; 19 b 1 quoniam, 25 b 1, 43 b 1 quod,
**arson** 39 b 1 quia, **ar son an mhed** 25 b 6 quatenus, **arar son**
77 b 2 nostro *nomine, **ar ar soindne** 77 b 7 pro nobis, **ar son**
**báis** 85 a 2 *instar mortis

**sona** *prosperous*; **dénamh s.** 277 b 5 prosperare

**sonas** *happiness*; 109 b 3 beatitudo, **-nn-** 3 a 1 *summum bonum

**sondradhach** *special*; **sondraghach** 175 a 2 *certus

**sotheagaisgthe** 303 b 4 *teachable*, dociles

**sothuitimeach** 210 b 4 *liable to fall*, proclivem lapsum

**spéis** *importance*; **spés** 60 a 2 *momenti, **gan spes do bheth do**
**gach ní** 94 b 2 pro nihilo ducere quidquid, **gan spése** 243 a 2
nihili; gen. **méd spése** 165 b 1 quanti faciat

**spesialta** *special*; **go sp.** 29 b 13 praesertim, 183 b 3

**spionnadh** *might*; **-n-** 151 a 1 fortitudo. See also **sb-**

**spiorad** *spirit*; 16 b 4 spiritus, 16 b 12, 19 a 3, **le spioraid fén**
28 b 1 suo spiritu; gen. **spioraid** 18 b 5, **spiorad** 36 b 4, 50 b 6,
53 b 2, 91 b 4

pioradalta *spiritual*; 41 b 8 spiritualis, 42 b 4, 138 b 4, **spioratalta**
37 b 1, **spiortalta** 113 b 2

poradh *spur*; 177 b 5 *stimulare; pres. impers. **sporthar** 216 a 7
*stimulantur

rian *bridle*; 28 b 3 frenum, 29 b 9, 254 b 7

ruth-shileadh *flow*; **sruthshileadh** 314 a 3 *manare; **-shnighe**
*flow*, pres. **shruthsnidhesh** 245 a 1 manat

ruthan *stream*; pl. **sruthain** 238 b 6 rivos

taid *condition, state*; 4 b 1 conditio, 109 b 1, 27 a 3 status

tatuid 240 a 2 *statute*, *ordinem

tuider *zeal, eagerness, enthusiasm*; o **stuiderson** 127 a 5 ab eorum
studio, **do ni'd stuidér** 115 a 3 student; pl. dat. **do stuideraibh**
220 b 4 studiis

uaicheantas *sign*; **suaigheantas** 286 b 10 tessera, **suagheantus**
311 b 3 signum

uairighe *contempt*; **do dhenamh s.** 183 b 1 *negligere

uarach *trivial*; **is beag s.** 309 b 1 parum est

uas, adv. *up*; **do chuáidh súas** 16 b 9 ascendit, **suas** 27 b 9 *up*;
**thuás** 217 b 2.2 *above*; **tainic se anuás** 39 b 1 descendit, **-ua-**
77 b 4

ubstaint *substance, essence*; 19 b 1 *essentia, 46 b 5 substantia,
50 b 1, **a shubstainte** 55 b 4 eius substantiam; gen. **substainte**
25 b 4 essentiae

úd, demon. adj. 287 b 2 *yon*, illud

uighscel *evangelist*; pl. **na suighscel** 368 b 3 evangelistae

uidhe *sit*; **ata na sh.** 16 b 9 sedet, **jna sh.** 80 a 2 sedere, **suidhe**
81 a 2 sessio

uidhiughadh *set, establish*; 81 b 4 collocare, 105 a 1 constituere,
157 b 8 *temperare (note), **a shiuthughadh** 12 b 1 statuere; pret.
**gur shuithidh** 2 b 2 collocavit

úil *eye*; pl. dat. **súilibh** 100 b 7 oculis, 107 b 11, 117 b 3

uil, cj. *before*; **s. go dtégheam jmerge** 176 b 6 donec migremus,
**s. téd** 358 b 3 priusquam accedat; *lest*, **suil goirthar jád** 102 b 3
ne vocentur, **suile bhearthar & ghabhthar dioghaltas dhibh**
102 b 4 ne exigatur illis poena, **suil dhearnam tarcaisne air no
suil do bhéram adhbhar tarcaisne** 162 b 7 ne ipsum con-
temptui habere aut occasioni contemnendi praebeamus

uim *sum, value, importance*; 18 b 3 summa, **suím** 15 a 1, b 1,
116 a 3 *pretii, **an tsuímse** 161 b 4 momentum

uimeamhail *summary, compendious*; **go s.** 290 a 1 summatim, **ag
suimamhail** 233 b 9

uiper 323 b 1 *supper*, cena

uperstition 148 a 8 superstitio, 149 b 6*

uthain *everlasting*; 70 a 5 perpetuus, 93 b 3 aeternus, 114 b 3

ymbol; **-ô-** 15 b 4 *creed*, *symbolum, **-o-** 348 a 1 *sign*, *symbolo

**tábhacht** *importance, value*; **-a-** 60 a 2 *momenti, 98 a 1 significance* 247 a 1 usus

**tabhaill** *table, tablet*; gen. **na céd thaibhle** 134 a 1 prioris tabulae du. **an'da thabhail** 133 b 2 in duas tabulas

**tabhairt,** see Introduction, p. xxviii

**tairgse** *offer, try*; 332 b 2 offerre; pres. **go dtairgheammain** 226 b 3 enitamur, **thairgheas** 126 b 2 *offert, **thairgeas** 282 b 9 con tendet; impf. **go dtairgeadh** 230 a 9 eniti; pres. impers. **tairg-thear** 91 b 11 *offeruntur, 120 a 1 *offertur

**taisbeanadh** *show, represent*, (refl.) *appear*; 38 b 1 sistere, 57 b 6 66 b 1, 77 b 8 comparere, 146 a 3 repraesentare, 157 b 3 exhibere pres. **go daisbeanand** 326 a 2 repraesentet; impf. **do thais-beanadh** 147 b 5 repraesentaret

**taisge; cur adt.** 237 a 12 *lay up*, deponere, **adtaisgidh** 280 a 5 repositus

**taiteannach** 5 a 3 *pleasing*

**taitneamh** *please*; pres. **ní haitneand** 231 b 6 *does not please*, g**e** **dtaitnaid** 123 a 2 ut *placeant; fut. **thaiteonas** 130 b 2 ill**i** probatur

**talamh** *earth*; 27 b 7 terra, 27 b 16, **ar t.** 76 a 2 in terra, **tallamh** 26 a 1; gen. **talmhan** 16 b 2, 21 b 2, 25 a 2, 27 b 12, **talmhain** 80 b 2; dat. **ar talmhain** 77 b 4 in terra, 107 b 2

**talmhaidhe** *earthly*; 26 b 3 terrenus, 81 b 2, **talmhaidh** 266 b 4, **talmaidhe** 57 b 7

**támh** *rest*; **jondas gongabhmjs tamh** 167 a 2 ut quiescamus, d**o** **bheth inar dtámh** 246 a 2 resides; gen. **támha** 167 b 4 quieti, 168 b 3

**támhadh** *rest*; pres. **thamhmaid** 172 b 1 feriamur

**tan; an t.** cj. *when*; 39 b 1, 44 b 1, 61 a 2, 123 b 2, 129 a 2

**taobh; do th.** 46 b 1 *as regards*, 46 b 8, **do th.** ele 115 b 6 *from elsewhere*, aliunde, 140 b 3 *elsewhither*, alio, **don t.** istoigh 166 b 7 *within*, intra, **d'ar draobh** 13 b 3 *toward us*, erga nos

**taobhadh** *entrust*; pres. **da dtaobhand siad** 81 b 3 quibus vices commendant; pret. impers. **rer taobhadh** 369 a 2 quibus com-missa est

**taosga,** cpv. (of **taoiseach**), ni is t. 264 a 2 *rather*, potius, **-sc-** 274 b 7

**tar,** prep. *over, contrary to*; **t. a gcomhairle fén** 28 b 7 praete**r** suum consilium, **t. a thoil** 273 a 2, **t. no ósciond** 113 b 11 ove**r** or above, **thar ainm** 217 b 3.1; pron. forms, 3 sg. m. **thairis** 55 a 1 trans-, 83 a 1, **dul tairis** 63 b 3 transitus; 3 pl. **tarrta** 280 a 4

**tarbhach** 25 b 7 *profitable*, **cia d'an dtarbhach** 43 a 1 ad quid conducit, **an mhed is t. dhuín** 249 b 4 quatenus nobis conducet, **is t. dhúinne** 256 b 9 nostra refert

**tarbh(th)a** *use, gain*; **tarbhtha** 29 a 1 utilitas, **tarbhtba** 29 b 1, **tarbtha** 42 a 1 benefit, **tarbha** 63 a 1 utilitas, 107 b 3 usus,

228 b 7, **re'r dtarbhajne** 40 b 2 in *bonum nostrum; gen. **tarba**
40 a 1 fructus, **tarbha** 72 a 2 utilitatis

**arcaisne** *contempt, despise*; 162 b 8 contemptus; gen. 162 b 8
contemnendi

**arcaisneachadh** *despise*; 308 b 4 contemnere, **-eo-** 308 b 6

**ar éis** *after*; **tarés ar ngabhala** 366 b 4 postquam nos adscripsit

**arraing** *draw*; 27 b 17 reducere, 40 b 5 haurire, 41 b 7, 71 a 1
*elicere, 111 a 4, **t. o chéle** 126 b 10 distrahere; pres. **tharngeas**
214 b 5 trahunt; pres. sj. **go dtairnge sè** 155 b 1 alliciat; impf.
impers. **nach dtairngaidhe** 247 b 3 ne abstrahatur

**art** *drought*; gen. **an tarta** 27 b 15 siccitatis

**eacht** *come*; **t. adtír** 5 a 3 *live*, vivere, 42 b 2, 74 b 5, 115 a 2,
131 a 1, 225 a 3; **t. ar** 100 b 4 *mean, refer to*; **t. ré** 121 b 1 *please*,
*suit*; **t. thar** 217 b 3.1 *repeat*. See Introduction, p. xxviii

**eachtaire** *ambassador*; dat. **ina theachtair** 39 b 2 legatum, **ina th.**
77 b 9 *intercessor

**eagasg** *teach, teaching*; 44 b 4 erudire, 112 b 1 docere, 127 b 1
doctrina; gen. **teagaisg** 179 b 2, **an teagaisge** 160 a 1; pres.
impers. **teagaisgthear sind** 97 b 1 docemur

**eagh** *house*; 213 b 1 domus, **teach** 217 b 10.1, **a teach** 217 b 3 *out
of the house*

**eaghas** *house*; **ateaghas** 136 b 3 ex domo

**eaghlach** *household*; adt. 324 b 5 in familiam; gen. **teaghlaig**
44 b 5

**:eampul** *temple*; pl. dat. **teampluibh** 203 b 1 templa

**.eand** *violence*; 220 b 1 *vehementia. adj. 158 b 1 *inclined*, *pro-
pensus, 303 b 1 *firm*, solidus; cpv. **tende** 113 b 4 *inclined*, *pro-
pensiora, 293 b 7

**eandadh** *demand, press*; 226 b 1 exigere; pres. **teandas** 7 b 4 urget

**.eand-shaint** *fervent desire*; **teandshaint** 244 b 5 vehementi
desiderio

**teanga** *tongue*; 241 a 3 lingua; dat. **teangaidh** 243 a 3

**tearbadh** *separate*; part. **tearbaighthe** 291 b 7 segregatos

**teas** *heat*; 220 b 1 *vehementia, 244 b 7 *ardor; gen. **teasa** 171 b 4
heat

**easadh** 334 b 7 a ghost-word, see note

**easargain** *save*; impf. **go dteasargadh se** 58 b 10 *liberare, **go
dteasairgeadh** 345 b 4; pret. **do theasairc** 89 b 3 servavit,
138 b 4 *asseruit, **do theasraic** 96 b 7 *redemit

**egeamhadh ; do t.** 249 a 1 *by chance, at random*, *fortuito

**egmhail** *happen*; **-é-** 5 a 2 contingere; pres. **na nuile da dhteag-
mhand** 23 b 7 *tout ce qui se fait*, **teagmhas** 190 b 1 accidit,
250 a 1 fiet

**eineamhail** *fiery*; pl. **teanneamhla** 246 b 7 igneis

**elgean** *cast, throw, reject*; 116 b 4 reiicere, **t. uaidhe** 157 b 7 re-
pudiare; pres. **telgeam** 147 b 2 prosternimus; pret. **gur thelg se**
27 b 3 ut abiecerit

R

**temperadh** 157 b 8 *temper,* \*temperare

**temporarrdha** 169 a 3 *temporary,* \*temporarius

**tesdis** *testimony;* **le t.** Phóil 335 b 6 teste Paulo, **le testis** Phòil 346 b 2

**tí,** pron. *(the) one;* **antí** 130 b 2 quem, 130 b 3, **edjr an tí** 145 b 2 inter eum, **an tí** 253 a 2 qui, 308 b 4; **anté** 217 b 3.3

**tighearna** *lord;* **ar Dteghearnaine** 16 b 3 Dominum nostrum, **ardtigearnane** 30 b 2, and passim

**timchioll** *circuit;* **gon timchiol** 56 a 1 *directly,* simpliciter; **a dt.** prep. *about,* **adtiomchioll** 18 b 2 de, b 4, **adtimchioll** 18 b 5, **adtimchiol** 1.1, 28 a 1, **a dtimchiol** 79 a 2, **dtimichiol** 229 b 10

**timchiolladh** 315 b 5 *surround,* circumdare

**timchiollughadh** *surround, overreach;* **timchiolachadh** 70 b 2 obsidere, gen. **timchiollaighe** 205 b 3 circumveniendi

**timchioll-teascadh** *circumcision;* **timchiolteascadh** 335 b 4 circumcisio, 336 a 3

**tind** *sick;* **da bhfuilid go tind** 321 b 3 qua laborant

**tinde,** [**teinne**] *severity;* gen. **do rér tinde** 123 b 5 \*severitatis

**tind-iarraidh,** [**teinn-**] *demand;* **tindiarraidh** 242 b 2 exigere, **-iair-** 235 b 1

**tiodhlacadh** *give, bestow, gift;* **tjoghlacadh** 41 b 3 \*impertire, **-io-** 44 b 1 \*munus, 98 b 4 beneficium; gen. **tioghlacaidh** 103 b 6; pl. **tioghlaice** 91 b 5 beneficia, **tioghlaicte** 110 b 4 \*praemia; gen. **tioghluiceadh** 18 b 6 beneficiis, **tioghlajccadh** 41 b 2 donorum; dat. **le tioghlacaibh** 36 b 4 gratia; pret. **do thioghlaic** 152 b 3 donavit; pret. impers. **do thighlajceadh** 40 b 2 donare

**tiondscna(dh)** *begin;* **tiondsgna** 227 b 2 incohari; **tionosgna do dhénamh** 309 b 1 coepisse, **tiondsgnadh** 176 b 5 incohari; gen. **tiondscanta** 137 b 2 praefatione; cond. **o do thiondsgeonamaois** 174 b 1 coeperimus; pret. **gur thiondsgain** 271 b 2 incohari

**tionol** *gather;* 70 a 1 colligere, 118 a 1 constituere; pres. **adtionoil-eam** 124 a 1 colligemus, 124 b 1

**tobar** *well;* 41 b 8 fons, 125 b 5

**tógbhail** *raise, build, edify;* 182 b 3 excitare, **-o-** 266 b 2 sursum erigere; fut. **tóigheobhaidh** 108 b 6 excitabit; pret. **gur thoigaibh** 195 b 1 extulerit; pres. impers. **ar adtógaibhthear** 307 b 7 aedificare; pret. impers. **gur tógbhadh** 82 a 3 evectum esse

**togha** *choose, choice;* 373 b 4 deligere, **gan togh** 369 a 3 absque delectu; pret. **do thogh** 96 b 1 elegit, 100 b 5 adoptavit; part. **tóghtha** 269 b 3 electus

**toil** *will;* 29 b 4 voluntas, 39 b 4, **dha thoil sin** 7 b 3 voluntati eius 74 b 6, **gurab dtoil leis** 12 b 3 velle; gen. **toile** 28 b 6 voluntatis, 29 b 9 arbitrio, **a th. fen** 23 b 7 \*arbitrio suo

**toileamhail** *pleasing, contented;* 38 b 4 acceptable, 240 b 2 contentus, 278 b 7, **nac t. les** 121 a 2 annon illi accepta sunt, **is t. les jád** 121 b 1 placent illi

**toiliughadh** 296 b 4 *please,* placere

**toilteanas** *merit*; **le t.** 95 a 4 meritis; see also **tuillt-**

**toirbhert** *deliver, hand over*; 269 b 4 tradere; pres. **go dtoirbheram**
128 b 5 tradamus, 139 b 3 addixerimus, 184 b 5 resignemus, **da
deoirbheream** 303 b 4 praebemus; impf. **go dtoirbheradh**
275 b 8 addicat; pret. **do thoirbhir** 133 b 1 tradidit

**toirmeasg** 168 a 1 *forbid*, interdicere

**tomhas** *measure*; 287 b 3 mensura; gen. **tomhais** 266 b 6 moduli;
fut. **go dtoimheosam** 266 b 5 metiamur

**toradh** *fruit, gain*; 71 a 2 fructus, 77 b 1, 117 a 5\*, 107 b 3 utilitas;
gen. **ca méd toraidh** 74 a 1 quotuplex fructus, **lán toraidh**
280 b 6 fructuosus

**torrach** 27 b 16 *fruitful*

**tossach** *beginning*; 2 b 5 initium, 15 b 5, 14 a 1 principium, 19 b 3
origo, **tosach** 85 a 4 initium; gen. (as adj.) **dó ghloine tosaigh**
54 a 4 puritate originali

**tráchdadh** *treat of*; pres. **trachdaidh** 18 b 1

**trásta** *the present time*; **go ntrasta** 94 b 3 *hitherto*, hactenus

**tré, tríd** prep. *through*; **tré** 27 b 21, 113 b 4, **tre** 26 a 1; **tríd** 25 b 1,
**trid** 77 b 7; with art. **trés** 64 a 6, 89 b 3, b 6, 90 b 2; pron. forms,
3 sg. m. **tréson** 24 a 5, **thrídson** 43 b 3; f. **trithese** 74 b 1

**treas** *third*; 16 b 8 tertius, 18 b 4, 73 b 1, 88 a 1, 150 b 4

**tréd** 156 b 9 *flock*, grex

**trégeand** *desert*; 66 b 5 derelinquere; pret. **thrégis** 66 b 9 dere-
liquisti

**treorughadh** *lead*; 232 b 2 \*manuducere; pres. **threoraigheas**
128 b 3 adducant; pret. **do threoraigh** 316 b 2 eduxi

**trí** *three*; 158 a 3 tres, **gus na trí hoificibhse** 35 b 2 ad hos tres usus,
**na trí hoificeadha** 45 a 3 tria officia, **adtri** 74 b 1 triplex, **adtri
persannaib** 20 a 2 tres personas, **na dhtrise** 35 b 3 haec tria

**triúr** *three persons*; **-iu-** 307 b 5 tres

**trócaire** *mercy*; **-o-** 155 b 3 misericordia, **trocair** 13 b 1, **da sháor
thrócaire fén** 118 b 2 mera sua misericordia

**trócaireach** *merciful*; **-o-** 157 b 3 misericors

**tromdhacht** *heaviness*; gen. **tromdhachta** 171 b 4

**trostamhlacht** 186 b 1 *modesty*, modestia

**truaighe** *wretchedness*; **truaidhe** 109 b 4 miseria; gen. **truaighe**
244 b 2

**truailleadh** *corrupt*; pres. impers. **le dtruaillthear** 122 b 3 quo
\*vitiantur

**truaillidhe** *corrupt, corruptible, mortal*; 124 b 3 mortalis, **-gh-**
145 b 3 corruptibilis, 53 b 1 corruptus

**truaillidheacht** *corruption*; **truailaidheacht** 108 b 5 corruptio,
**do chruaillaidheacht** 84 b 4

**tú**, pers. pron. 2 sg.; **tú** 4 a 1, **tu** 2 a 1, 19 a 2, 22 a 1, 23 a 1, 24 a 1,
26 a 1; **thu** 309 b 2, **thú** 319 a 1, **thusa** 136 b 2

**tualaing-** *be able*; pres. **ni tualaingid** 116 b 3 non possunt, **nach
dtualaingeam** 117 a 3 non possumus

**tuarastal** *reward, gain*; 125 b 5 merces; gen. **-ail** 125 b 2 \*mercedem

**tuigse** *understand, think, understanding*; 24 b 3 \*mens, 241 b 3 intelligentia, 25 b 4 understand, 47 a 1 intellegere, 113 b 3 \*capere, **-uí-** 65 b 5 intellegere; pres. **tuigjm** 26 b 1 *I understand*, **tuigim** 52 b 1 sentio, 59 b 1 intellego, **chuigim** 85 b 1 sentio, **a dtugeand tu** 273 a 1 sentisne, **nach dtuigeand tu** 26 a 1 annon intelligis, **thuigeas tû** 48 a 1 intelligis, **mur dtuigim** 9 b 1 \*noverimus, **go dtuigeam** 89 b 1, **o thuigmid** 111 a 1 tenemus; impf. **go dtujgmis** 56 b 2 sciamus; cond. impers. **gu dtuigfuighthe** 17 a 1 ut intellegantur, **thuigfidhe** 258 a 1 intellegamus

**tuil-égcoir** *great injustice*; **an tuil égcoir** 339 b 6 aperta iniuria, **tul égcoir** 353 b 1 summum nefas

1. **tuilleadh** *reward*; pl. **tuillidh** 110 b 4 \*praemia
2. **tuilleadh** *deserve*; 58 b 9 mereri, 103 a 2 promereri, 116 a 4, 122 a 2
3. **tuilleadh** *addition*; **t. ele** 27 b 9 *moreover*, praeterea, 28 b 5 quinetiam, **do th.** 72 a 1 \*praeterea

**tuillmheadh** *reward*; gen. **tuillmhidh** 125 b 2 \*mercedem

**tuillteanach** *deserving*; **go t.** 316 a 4 merito, **-en-** 364 b 1, **-lt-** 115 b 3

**tuillteanas** *desert, merit*; **le t.** 121 b 3 merito, **-lt-** 118 a 2 meritis

**tuitim** *fall*; 240 b 10 \*prolabi; fut. **tuitfaidh** 70 b 5 ruunt

**tul-aire** *close watch*; **ata tulare aige** 202 b 4 intentus est

**turraidhe** *channel*; pl. **tre thuiraidhe** 238 b 7, see note

**tús** *beginning*; 19 b 2 principium, 22 b 3; **ar t.** 22 b 1 primum, 27 b 5, **artús** 325 a 3 deinde

**uachtar** *top, upper part*; **go dtiseam as no anuachtar** 327 b 9 ut emergamus

**uachtaranacht** 72 b 5 *supremacy*, **rug ua.** 62 b 4 \*vicit, **va.** 80 b 2 imperium; gen. **uachtaranachta** 42 b 6 *supremacy*, **va.** 82 a 4 principatus

**uaibhreach** *proud*; **bheth u.** 229 b 12 superbire

**uaibhreachas** *pride*; gen. **vaibhreachais** 316 a 5 arrogantiae

**uaigneach** *private*; **go hu.** 233 b 4 privatim, 305 b 3; gen. sg. f. **uaignighe** 233 a 2 privata

**uaimhneach** *afraid*; 64 a 2 exhorrens, **bheth naimhneach** 87 a 1 reformidare

**uair** *time*; **én vair** 27 a 4 *once*, semel, **en v.** 27 b 2, **jar n'uair** 336 b 3 *once, formerly*, olim, **uaire égin** 247 b 8 *sometimes*, interdum; cj. *when*, **an vair credthear** 100 a 2 cum creditur, **an'uair** 122 a 1

**uamhan** *fear, terror*; **suil bhias u. oraind** 251 b 10 ne horreamus; pl. dat. **les na huamhnaibh sin** 69 b 3 istis pavoribus

**uamhnach** *fearful*; **va.** 65 b 5 horribiles

**ucht**, see **mac, macacht**

**úd**, demon. adj. **do chum na críche úd** 39 b 4 in eum finem, **an gné bháis úd** 60 b 5 genus illud mortis; **súd** 98 a 1 illud

**ughdar** *author*; 12 b 4 auctor, 133 a 1, **v.** 7 b 8, 27 b 14, **ughdair** 95 a 2 *causa

**ughdaras** *authority*; **-us** 195 b 3 auctoritas; gen. **-ais** 137 b 4

**uile** 2 b 4 *whole, all*, 7 b 1, b 3, b 9, **an'uile ni** 27 b 7 omnia, **na huile** 27 b 20; pl. gen. **na nuile chumhachd** 16 b 1 omnipotens, 23 b 7

**uile-chumhachtach** *almighty*; **vile ch.** 9 b 2 omnipotens; gen. sg. m **vilechumhachtaigh** 23 a 2

**uile-thruaillidhe** *wholly corrupt*; **uile thruaillighe** 53 b 1 penitus corruptum

**uilidhe** *entire*; **go hu.** 17 a 2 penitus, **ceart go hu.** 123 b 9 absoluta

**uime**, pron. prep. 3 sg. m. *about*; **ujme** 49 b 4, **vimé** 51 a 2; **vime sin** 5 a 1 *therefore*, ergo, 14 a 1, **uime sin** 20 a 4 propterea, 25 b 4 igitur, 58 a 2 itaque; 1 pl. **umaind** 42 b 5; 3 pl. **cur úmpa** 84 b 5 *put on*, induere

**uimhir** *number*; **vi.** 176 b 1 numerus; gen. **uimhire** 270 b 1

**uireasbhuidh** *need, lack*; **ata duireasbhiudh air** 91 a 1 indiget, **vi.** 99 b 3

**uisge** *water*; 326 a 1 aqua; pl. dat. **n'uisgeadhaibh** 143 b 3 in aquis

**ullamh** *ready, apt*; **v.** 158 b 2 *propensus, 176 b 2 *aptus, **is u.** 111 a 3 *promptum erit; cpv. **vllmha** 113 b 4 *propensiora

**umhal** *obedient*; 137 b 11 *obsequens, **go mbimis u.** 74 b 6 obsequamur

**umhla** *obedience*; 139 b 4 obsequium, 232 b 3 oboedientia

**umhlacht** *obedience*; **go hu. athoileson** 128 b 7 ad voluntatis (eius) obsequium

**umhlughadh** *obey*; 129 b 3 *obsequi, 333 b 11 oboedientia, **umhalughadh** 207 a 2 parere; pres. **umblaighidh** 27 b 21 *curbs*

**umuro** *indeed*; 12 b 1 nempe, 13 b 1 scilicet, **umaro** 42 b 1 nempe, 49 b 3, **umro** 125 b 6 scilicet

**urasa** *easy, willing*; **is u.** 111 a 3 *promptum erit; **ro v.** 158 b 4 *facilis

**urnuigh** *prayer*; **virnaidh** 241 a 4 oratio, **re n'virnaidhe** 244 a 2; gen. **urnaidhe** 147 b 2 *prayer*, **urrnaidhe** 179 b 3 preces, 183 b 7; pl. **uirnaidhe** 250 b 1

**urra** *surety*; **ar n'urra** 58 b 9 vadem nostrum

**usisil** [ós íseal] *lowly, slightingly*; **v.** 266 b 7 humilius

**urraim** *right, dignity*; **an urraimse** 351 hanc praerogativam **vrraime** 38 b 1

R *

# APPENDIX I

## The Prefixed Poems

A. Faoisid Eóin Stiúbhairt

The author's floruit must be placed about the end of the sixteenth century, but little is known of him. Two of his hymns are contained in the Fernaig Manuscript, nos. xii and xiii in Macfarlane's edition, in Cameron's *Reliquiae Celticae* vol. II 23-4, and in Henderson's *Leabhar nan Gleann* 218-220; the second of them is also printed in *Mac-talla nan Tùr* (ed. Maclean Sinclair) 6. No other copy of the *Faoisid* is known.

The metre is Deibhidhe, but the poem was either metrically lax or has been badly preserved.

1 a:  *a faoside* stands for something like *a' faoiside* or *a' faoisidin*.
  b:  metre requires *nimhe* for *neimh*.
  c:  *Is le toil teann óm chridhe.*

2 a:  read *óig.*
 c, d:  the rhyme either requires *éad: romhéad*, or implies the pronunciation *romhiad.*

3 a:  prefix *Is* as the line is a syllable short.
  c:  *rinneas* (1st. sg.).
  d:  the author may have written *Tú, a Rí nimhe fhurtaigheas.*

4 a:  *Toil; nár.*

5 a:  a simple reading would be *Do charas saint, fréamh gach uilc.*
  b:  if this hypermetric line is not merely padding it seems odd that the author should have reckoned this among his sins. Possibly *tuaisceart* here means 'wrongdoing', but there is no similar example in the Contrib.

6 b:  read *'s t'urnuighe.*
  c:  for *deirbhlean* cf. Fr. Allan McDonald *Gaelic Words*

215

*from South Uist* 97, and W. Mathieson in *Scottish Studies* iv 208-9. Other possibilities are *deidhbhléan* and *dearbhleanbh*.

    d:    read *seirbhis*. There is no proper rhyme and one syllable too many.

7  a:    *'ga dtuirimh*.

c, d:    for rhyme read *nimhe: trócaire*, omitting *as*.

8  a:    *Tángais*.

    b:    ? *A Rí nimhe 's naomhthalmhan*.

c, d:    *chnis: chuaidhis* or *chuadhais*.

9  a:    *T'fhuil do dhóirteadh*.

c, d:    for rhyme read *dúinne: t'athair-se*, omitting *is í*.

10 a, b: for rhyme read *dhuibh-se: oirrdheirc-se*.

11 c:    properly *do gheallais* (2nd. sg.) which destroys the rhyme; cf. *tángas* 8a and *chuaigheas* 8d for a broad final consonant here.

12 a:    read *'tá*.

    b:    *ar n-eólais*.

    c:    *ad eagla 's ad ghrádh*.

    d:    *'S ad ch.*; emendation to *ad ghar* in *c* will give rhyme but enfeebles the sense. Or read *comhlán* here?

13 a:    ? *Gurb é aoibhneas neimh*.

    b:    the line is too long even if we omit *bheith* and read *réd* for *ré do*. Perhaps *Bheith fád naomhaibh*.

c, d:    *t-slighe: ronimhe*. For *M.E.* read *ME*, the opening word.

B. Is mairg do-ní uaille as óige

This poem is also preserved in six manuscripts, as follows:

O—The Book of the O'Conor Don (catalogue in *Ériu* viii, 78 ff), f. 76b (1631).

E—Gaelic MS xlviii in the National Library of Scotland (Mackinnon's Catalogue, 99), ff. 20a-21a (? *c.* 1750). Also printed in *Reliquiae Celticae* I, 136.

E²—Gaelic MS xxxvi in the same collection (Mackinnon's Catalogue, 91), f. 85b (1690-91).

T—MS H.5.18 in the Library of Trinity College Dublin

(Catalogue of Irish Manuscripts, 1390), pp. 25-27 (1736).

A—MS 23 A 8 in the Library of the Royal Irish Academy (Manuscript Catalogue, 972), pp. 277-78 (1746).

B—British Museum MS Egerton 195 (Catalogue of Irish MSS in the British Museum II, 35), pp. 105-6 (nineteenth century, stated to be a copy of an eighteenth century MS which might well be our A).

Here and in O the poem is attributed to Athairne Mac Éoghain (Arne M<sup>c</sup>kêuín), but in E the author's name is given as Giolla coluim mac Ilebhride mic phersoin Chille comain. From the Origines Parochiales II, 273, it appears that in March 1511 King James IV presented John Cristane Makilbrid to the Vicarage of Kilchoman, Islay. The other manuscripts express no opinion. Athairne Mac Éoghain was one of the family who acted as the hereditary seanachies of Argyll, and the father of the Neil MacEwen who was employed by the Synod to transcribe the early copies of their translation of the Catechism. (Introd. p. xxxiii.)

The Catechism version is contemporaneous with the oldest manuscript, and supposing the author to be Athairne Mac Éoghain, and his son Neil to be the translator of this Catechism, would be of superior authority to any of the manuscripts. There is a clear textual division with the Catechism and the two Edinburgh manuscripts on one side and the Irish manuscripts on the other.

The metre is Séadna; a version of the Catechism text revised in the light of the manuscripts might run somewhat as follows:

1 Is mairg do-ní uaille as óige,
    as iasachd deilbhe, a deirc ghlais,
 a cruth séimh, a suidhe aoibhinn,
    a céibh bhuidhe chaoimhfhinn chais.
2 Dá dtiobhradh Dia dhuit, a dhuine,
    —daoine meallta mheallas siad—
 déad mar an gcuip is taobh taislim,
    duit a-raon is aisling iad.
3 Duille an bheatha bhudh bláth bréige,
    baoghal an chuirp cur rén íoc,

ná déan uaill fa cheann na cruinne,
gearr go buain a duille dhíot.

4 Dá bhfuighe fós, ní fáth díomais,
duille an bheatha nach buan seal,
cuimhnigh réd ré dála an duine,
gurb é námha an uile fhear.

5 Cuimhnigh ar chnuasach na ngráineog,
guais dod thionól bheith mar bhíd,
ní bhfuil achd pian ann dot anmuin,
ná iarr barr don talmhuin tríd.

6 Ubhall ar gach bior dá mbearaibh
beirid don taobh dá dtéid siad,
ar ndul ón choill fhádbhuig fhéarchruinn
fágbhuid fa bhroinn éanphuill iad.

7 Fúigfighthear leat loise an t-saoghail
mar so, a chuirp, ag cosg do mhian,
fa bhéal na h-uaighe an t-anam,
sgéal as truaighe, a chalann chriadh.

8 Gach bhfuarais d'ór agus d'ionnmhus,
d'eachaibh 's do bhuaibh, giodh beart chlé,
ní léigfighthear lat díbh, a dhuine,
achd brat lín don chruinne ché.

9 Ainbhfios an chuirp cuid da uabhar,
eagal dúinn a dhul ós aird,
daor re dhaoirmheas uaill na h-óige,
buain re h-aoibhneas móide is mairg.

The principal variant readings of the manuscripts as compared with the text printed above are as follows: *OTAB* omit stanza 2, $E^2$ omits stanzas 4-8.

1 a:   Is, *all omit*; do, *omit* $E^2$; uaile $E$, uaill *remainder*; as a óige *AB*.

  b:   a hiasa*cht* $O$, a is iasa*cht* $T$, a iasachd $E$, a iasa*cht* $E^2AB$; sa d*er*c $E^2$.

  c:   a agh*aidh* $E$, seimhe a haghuidh $E^2$.

  d:   a ciabh $E^2$; caomhmhin $E$, caomhuin $E^2$.

2 a:   Da ttugadh $EE^2$.

  b:   daoin $E^2$; mheallis iad $E$, go meallf*adh* iad $E^2$.

  c:   mur chuib $E$, mar chuip $E^2$.

d: b*udh* E, bu haislinn $E^2$.

3 a: do bhláth bh*r*eige O, bu bhlaith $E^2$, a blath TA, a blaith B.

b: baoghlach, *all MSS* (báoghl*ach* O); a chuirp $OTEE^2$, a cuirp AB; cuir AB; re ioc E, ria ioc $E^2$.

c: uaile E, uaille $E^2$.

d: sge*arr* E, is g*err* $E^2$; buinfuigh*ear* E; do dhuille $EE^2$.

4 a: Dá bfhaghtha O, Da bhfaghtha T, Da bfhághtha AB, Da fagha E.

c: cuimhne T; re re E.

d: ó sé O, ose E, os se a T, as sé a AB.

5 a: Cuimhnighe T; cruasach E, chnuas*acht* O; na grainoic E, na graineóge T.

b: thineól a bheith T, thineóil b$^t$ AB.

c: ní fhuil O; dot tanmuin O, dod tana*m*uin E.

d: na hiar OE, na híarr TAB; an talmhuin E.

6 a: da biruibh E, da mbéarthoibh AB.

b: beiridh E; a ttéid O, tid E.

c: ar ndol E; on ccoill T, ón ccuill AB; f*er*tr*u*im O, fherchaoin E, fheurthru*im* T, féartruimh AB.

d: fágba*i*d O, facfuidh E, fagbhuid T, fágbhuid AB; ar br*u*in*n* O, air bhruinn T, ar bhroinn A, ar bhríon B, fa bhel E; é*a*npuill O, aonphuil E, enphuill T, éinpuil AB.

7 a: Faigfuighthe*a*r E, fuigfithear AB; libhsi loisi O, libhse a loisi T, libhsi a loisi AB, le*a*t ar los E.

b: mur sogh cuirp ar cosg amhean E; iar ccosg O, air ccosg TAB; do Pían O, do phían TAB; a ccuirp AB.

c: san tanam O, sa tanam TAB, óse an tanam E.

d: an chalann O, an cholann T, an collan AB, a chalan E; chreagh E.

8 a: Gacha abfhuarais dór O, gach abhfuaruis dór TAB, Da tfuar*u*s dor E; sdion*n*mh*u*s O, is dion*n*mhus T, is díon*n*mhuis A, is diomhuis B, ag*u*s a dion*n*mh*u*s E.

b: got b*er*t O, got bheirt T, gut be*a*rt AB.

c: ní leigt*er* O; le*a*t diobh E, leat dhiobh T, leat diob AB.

d: lein E.

9   a:     Áilgios $O$, Ailgheas $TAB$, Ibhinne*as* $E$, Aaobhn*us*
     $E^2$; an cuirp $OAB$, a chuirp $EE^2$; dot uabhar $TAB$.

    b:     eigin duinne a chur $OT$, eigeann duine a cur $AB$,
     e*a*gail duinn a chur $E$, eagla duine chuir $E^2$.

    c:     da sírmhe*as* $O$, dá sáormheas $T$, da saormeas $AB$, ro
     dhaormheas $E^2$; uaille $E^2$.

    d:     buan $EE^2$; da háoibhni*us* $O$, da haoibhne*as* $TAB$,
     ria aoibhn*us* $E^2$; moid $E$, smoide $E^2$; is m*a*irg $O$, is
     mairg $E$, is marg $E^2$, a Mairg $T$, as mairg $A$, as marg B.

## C. An Phaidear

This metrical version of the Lord's Prayer is taken from
Carswell's book, 242. That the two versions do not entirely
agree may in part be due to errors in M'Lauchlan's reprint;
since the Inveraray copy disappeared again he is our only
source for the readings in 1a-5c. Some slight alterations
may, however, have been made; cf. the notes on the Suffixed
Prayers above.

A reconstruction of the poem with some necessary cor-
rections would run somewhat as follows:

1   Ar n-Athair-ne atá ar neamh,
      ós é mo ghean bheith 'gad ghairm,
    ag sin mo bheatha is mo bhrígh,
      gomadh beannaighthe, a Rí, th'ainm.

2   Inte atá sonas is síth,
      gan donas, gan díth go bráth;
    go dtí do ríghe is do reacht,
      go sgaoile do cheart ar chách.

3   Do thoil goma déanta dhúinn
      a dtalmhain, gach dúil dár dhealbh,
    mar do-níd aingil gan chré
      thuas a bhflaitheas Dé go dearbh.

4   Beatha na h-anma 's an chuirp,
      o tharrla dhuit bheith rér mbáidh,
    ar n-arán laoithiuil gach laoi
      tabhair dhúinn gan dlaoi, gan dáil.

5 Na fiacha-sa dhlighthear dhínn,
   maith dhúinn gan a ndíol do ghnáth;
   maith dhuinn ar bpeactha go léir
   amhail mhaithmíd féin do chách.
6 O thréan ar námhad, a Rí,
   déan coimhéad is díon dod shliocht,
   bí a n-aghaidh a mbuaidhridh linn,
   is na léig sinn ar a n-iocht.
7 Eadar anam agas chorp
   saor-sa sinn ó olc gach lá,
   ríghe 's onóir agas neart
   ar gach líne ós leat atá.


D.  Na Deich n-Aitheanta
Another version of this poem is found in the Fernaig
Manuscript (no. xix in Macfarlane's edition) and was also
printed in Cameron's *Reliquiae Celticae* II, 36 (with the
present version added from Reid's *Bibliotheca*), and in
Henderson's *Leabhar nan Gleann*, 222.
In normalised form the poem would run as follows:

1 Creid díreach do Dhia na ndúl
   's cuir ar chúl umhladh do dhealbh,
   ná tabhair ainm Ríogh na Ríogh
   ma ghéabhthar dhíot san ghníomh geall.
2 Domhnach Ríogh nimhe na néal
   déan led chridhe a choimhéad saor,
   do mháthair 's t'athair gach uair
   fá onóir uaid bíodh a-raon.
3 Marbhadh is méirle ná taobh,
   adhaltras ná aomh ad ghar,
   ná tóg fiadhnaise acht go fíor,
   's é sin an ród fa-ríor glan.
4 Ná déan saint ar bheag nó mhór,
   fréamh gach uilc ad chóir ná leig,
   sin deich n-aitheanta Dé dhuid,
   tuig iad go cóir agus creid.

The Fernaig version exhibits a number of differences

from the Catechism text, most of which are unimportant. In 1 *d* it reads *Ma gaiphir ū sī grijwe ī ghail*, transliterated by Macfarlane as *Mu'n gabhar thu 'sa ghnìomh, an geall*, and by Henderson as *Ma gheobhar. . . .* This seems to take *tabhair a ngeall* together, but it makes the line hypermetrical. In 2 *b* Fernaig provides the right word, *soor*, i.e. *saor*, for the rhyme, as against the Catechism's *sior*. In 3 *d* Fernaig reads *Shin ī raid go krighe ghlain*, i.e. *Sin an rathad gu crìch ghlain*, which has the advantage of providing aicill with *fìor*. The Catechism version is weak. In 4 *a* I have inverted *mór* and *beag* for the sake of aicill with *chóir*. In 4 *d* Fernaig reads *Tuig gir fihir ead agas creid*, i.e. *Tuig gur fìor iad . . .* , but the Catechism version with *fíoruaim* may be preferred.

A further version is to be found in Dr Hector Maclean's manuscript of about 1768, referred to in Boswell's *Journal of a Tour to the Hebrides*, ed. Pottle and Bennett, 305, and which runs as follows:

1  Creid dírach aun Righ na ndúel
2  'S cuir air cull umhlachd do dhealbh
3  Na toir ainm Righ no Righ
   In diamhenis, oir bigh sin daor
   Dómhnuch Righ neamh no neul
4  Dian led cridhe chunbhail saor
   'Tahir do Mhathir 's gach uoir,
5  To onoir chuoit biadh araon.
6  Na dian marbhadh na dnú
7  Aghaltranis na aom do ghár
8  Gaduigheachd na goid na dean
   Na tog fian'ish ach gu fír
9  Shin an tsligh bhis dírach glann
   Na sauntich thus dhuit fein
10 Bean fir eile na erneish.—
   Sin deich ainten Dé dhuit
   Tuig iad fír aghus creid
   Mo ni u ule da reir
   Cha negul dhuit fein na dod thaigh.—
   Ors in clerich Beg triach Choll.

In Maclean Sinclair's *Gaelic Bards from 1411 to 1715*, 4,

we read, 'Hector Maclean, fourth of Coll, was a good man,
and an excellent scholar. He was known as An Cleirech Beg,
or the Little Clerk. He composed a few pieces of poetry in
Latin. He succeeded his brother as Laird of Coll, in 1558.
He was then well advanced in years.' See also *History of the
Clan Maclean* by J. P. Maclean, p. 284.


E.  Mairg dar compánach an cholann

This poem is also preserved in at least thirteen manu-
scripts, which, as will appear from the apparatus below, may
be classified in six groups.

1 O   The Book of the O'Conor Don, f. 76a (1631).
2 E   British Museum MS Egerton 192 (Catalogue II,
          565) pp. 19-20 (1729).
  Q   Royal Irish Academy MS 23 Q 2 (Catalogue, 1767)
          pp. 86-7 (*c.* 1810).
3 G   Royal Irish Academy MS 23 G 27 (Catalogue,
          1406) p. 196 (? *c.* 1795).
  F   Royal Irish Academy MS F vi 1 (Catalogue, 650)
          f. 135a-b, p. 267-8 (*c.* 1820).
  N   Royal Irish Academy MS 23 N 34 (Catalogue, 537),
          pp. 6-8 (*c.* 1846).
4 T²  Trinity College Dublin MS H.6.14 (Catalogue,
          1418) pp. 174-5 (1770).
  N²  Royal Irish Academy MS 23 N 14 (Catalogue, 1335)
          pp. 134-5 (1786-1827).
  F²  Royal Irish Academy MS F ii 3 (Catalogue, 674)
          pp. 263-5 (1820).
5 L   Royal Irish Academy MS 24 L 28 (Catalogue, 2535,
          entered as nine separate gnomic quatrains)
          pp. 336-7 (? 17th century).
  T   Trinity College Dublin MS H.4.4 (Catalogue, 1346)
          p. 140 (1727).
  T³  Trinity College Dublin MS H.4.20 (Catalogue,
          1361) p. 228 (1725-9, copied from a MS of 1645).
6 S   British Museum MS Sloane 3567 (Catalogue II, 29)
          f. 8a-b (1664-5).

A fourteenth MS which I have not seen is Göttingen MS Histor. 773, f. 1, cited in R. I. Best, *Bibliography of Irish Philology (1913-41)*, 60. The poem has also been edited from most of these manuscripts by L. J. McKenna in his *Dioghluim Dána*, 108.

The attributions of authorship are various: *O* attributes this poem also to Athairn Mac Ceoghuin; the manuscripts of group 4 and MS *N* agree on O'Daly in one form or another, the group giving (Aonghus) O'Dala Fionn, *N* preferring Donough More O'Daly. Manuscripts *SEQLT* make no attribution, *GF* state that the author is unknown, *F* adding that the subject is the same as in the preceding poem, while *T³* is headed *6.nov.1645 a gcoill an bhardadh an tathair Brian mc Giollapadruic*, which probably indicates merely the source of the copy. McKenna (p. 441) says 'A-deir an t-Ollamh S. Carmichael Watson liom gurab é Athairn (=Athairne?) Mac Eoghain (do réir gach cosamhlachta) do chum an duain seo.'

The Catechism version is again contemporaneous with the oldest manuscript, and supposing the author to be Athairne Mac Éoghain and his son Neil to be the translator of the Catechism, would be of superior authority to any of the manuscripts. None of the manuscript versions corresponds exactly with the Catechism, which may indeed easily be wrong when all the MSS are against it, as in the order of stanzas 2 and 3, and the readings in 2 *a* and 5 *b*, the latter of which is very probably an anticipation of 6 *a*. MS *S* is the nearest to the Catechism version; McKenna's text is nearest to that found in groups 3 and 5. Our revised text below is closer to MS *S* and group 4.

The metre is Séadna; a reconstruction based upon the manuscripts and McKenna's edition, but keeping as close as metre and sense will allow to the Catechism version, might run as follows:

> 1 Mairg dar compánach an cholann,
> comann fallsa ní fuath lé;
> guais thall a cionta fam chomhair,
> tiocfa am bhus omhain é.

2 Gach grádh riamh do radas díse,
  níor dhíol uirre ar fhuath na bpian;
do fhill mo ghrádh 'na fhuath oram,
  lán dár bhfuath an cholann chriadh.

3 Fuath m'anma is annsacht na colla,
  comann meallta mairg do-ní;
mé dá toil congbhaidh an cholann,
  foghlaidh mar soin oram í.

4 Ní díol ceana an cholann mheabhlach,
  giodh mór an toil tugas dí;
minic nach buan críoch a cumainn,
  ní fríoth acht fuar umainn í.

5 Lór dom theagasg gé táim aimhghlic
  ré h-uchd an bháis, giodh breith chruaidh,
na h-uilc san teine ga dtéaghadh,
  's na cuirp eile d'fhéaghadh uainn.

6 Ré h-uchd an bháis is beart chunntair
  an claochlódh truagh tig dá ghné,
an corp ré h-athaidh na h-uaire
  olc an acmhainn uaille é.

7 Na súile i n-aimsir an éaga
  adhbhar biodhgtha mar bhías siad,
—gá beag dúnn ón Rígh mar rabhadh?—
  do-chím cúl ar aghadh iad.

8 Do-chím an béal dearg ar ndubhadh
  's an déad cailce 'na chnáimh ghorm,
mo thoil ní fhuigheam ón uabhar,
  ní chuireann soin uamhan orm.

9 Mo mhian féin is aimhleas m'anma
  eagal dúinne dul ós aird,
fuair an cholann cuid na deise,
  romhall do thuig meise a mairg.

The principal variants from this version are shown below.
The order of stanzas in *O* is 1, 3, 2, 4, 6, 7, 8, 5, 9; all
the manuscripts agree in inverting the order of stanzas 2
and 3; *EQ* omit stanzas 4 and 9; *GFNT²F²N²* invert the
order of stanzas 7 and 8.

1 a:      dan *S*, darb *T²*, darab *F²*, ?? *N²*.
s

b: fallsadh $T^2$; léith $EQ$.

c: damh (*for* thall) $GN$, dam $F$; 's na $EQ$; far ccomhair $E$, sar (?far) $Q$.

d: tiocfadh $F$, tiucfadh $GNT^2F^2N^2$, tiucadh $T^3$; amhuil $F^2$; is $GFN$, budh $T^2$; uathmhuin $T^3$; léith $EQ$.

2 a: do rad*us* $OSEQ$, ro radas $TT^3$, dar rad*us* $G$, dár rad*us* $N^2$, dár radas $FNF^2$, dár raideas $T^2$, radas $L$.

b: nior chuir $G$, níor chuir $FN$; *om*. dhíol $T^2F^2N^2$.

c: dfill $FF^2N^2$, dfill $GN$, do thshill $L$, do tshill $T$; ion*adh* fhuath mhór $T^2$.

d: dom fhuath $GFNN^2$, dóm $F^2$, dam $T^2$.

3 a: mhanma $GFF^2N^2LT$; *om*. is $SGFNF^2N^2T^2$; annsa $LTT^3$; mo cholla $EQ$, na colna $T^2$, mo cholna $LT^3T$.

b: con*n*rad $O$, cunradh $EQ$; do ghnídh $GNT^2F^2N^2$, do ghní $F$.

c: con*nm*aidh $O$, cumuidh $GFNN^2$, cumaidh $T^2$, cumúid $F^2$, congmhuidh $LT$, congaidh $T^3$.

d: foghluidhe $T^2$, foghladh $T^3$; orm mur sin í $FN^2$, orm mar sin í $GNF^2$, orm mair sin í $T^2$.

4 a: céime $O$, cumuinn $LT^3T$; an chlí mheabhlach $LT^3T$.

b: gé $OGFNF^2N^2$, gidh $T^2$; thugas $NLT$.

c: meiste co bhúan $S$; an chumuinn $L$.

d: níor fríth $GFNF^2N^2$, nior fríth $T^2$; amu*m* $G$, amum $NT^2$, uma*m* $F$, uman $F^2$, umuin*n* $L$, uathmhuin $T^3$.

5 a: gidh $T^2$, cé $F^2N^2$; o taim $S$, o taoim $EQ$, ó táim $LT^3T$.

b: a nam $OSEQGFNT^2F^2N^2LT$, an amh $T^3$; *om*. an $F^2$; gé be*r*t $O$, gé beart $GN$, gé*dh* be*r*t $F$, gé bhréath $F^2$, gé breath $N^2$, gidh beathadh $T^2$, budh $\overline{bt}$ $S$, is beart $EQT^3$, as be*a*rt $L$, as be*r*t $T$; bhúidh $EQ$.

c: na huilc do ní teine $O$, an uilc ni teine $S$, an uilc ni tine $EQ$, an uile nídh tine $GFNT^2F^2N^2$, na huilc an teine $LT^3T$; teaghadh $OSNLT^3$, téaghadh $EGFT$, teagadh $QT^2N^2F^2$.

d: *om*. 's, *all MSS*; uile $EQGFNT^2F^2N^2$; dfeaghain $EQT^3$, dfeachuin*n* $G$, dféachuin $FNF^2N^2$, dféachuin*n* $T^2$; uaim *all MSS* (uai*m* $O$).

6 a: as be*r*t cun*n*tair $O$, as $\overline{bt}$ con*n*tair $S$, as beirt chuntair $EQ$, is br*e*ith chiúntuir $GN^2$, is breith chiuntair $F$, is

breath chun*n*tuir $T^2$, is breith ciúntuir $NF^2$, is céim
cunntuir(t) $L$, is céim cunn*t*uir $T$, is céim cruaidhe $T^3$.

b: *om.* $LT^3T$; *om.* an $O$; cruaidh $GFNT^2$, crúaigh $F^2$,
cruaig $N^2$; tig $EQGFN$, t$-N^2$, do thug $T^2$, tug $F^2$; *om.*
dá $Q$; do ghné $N$.

c: an chuirp $GFNN^2$, an cuirp $F^2$; le hathaidh $S$, re
haghaidh $GFF^2N^2$, re haigh*idh* $NT^2$, ar chalbha $LT^3T$;
na huaidhe $GF^2NN^2$, na huaighe $FT^2LT^3T$.

d: fhachain $OEQ$, fach*adh* $S$, fhéachuin $GFNF^2N^2$,
fhéachuin*n* $T^2$, damhna $LT^3T$.

7 a: Ma shúile $LT$, Mo shúile $T^3$; é*a*gadh $T^3$; *om.* i
n- $T^2$.

b: bíogtha $GFNN^2$, bíoghtha $T^2F^2$, béadhgtha $LT$,
bíodhga $T^3$; bhíd $OSGFNT^2F^2N^2$.

c: gar $S$, cá $T^2$, na $F^2$; geag $F^2$; do rabhadh $EQ$, do
rabhaidh $L$, do rabh*aidh* $T$, o righ go ramhuinn $T^3$, mar
róghbh*adh* $T^2$.

d: m*ur* chím $F$, do chiu $T^3$, do chí*eadh* $T$, do chí
(followed by a space) $L$.

8 a: Do chiu $T^3$; ag dubh*adh* $OT$, ag dubhadh $EQLT^3$.

b: sa $EQGFNT^2F^2N^2LT^3T$; chailce $FNGN^2F^2T^2$, cailc
$T$, chailc $L$, *om.* $T^3$.

c: fhaghaim $O$, bfuighiom $EQ$, bfhaghuim $GFNT^2$,
bfhaghaim $F^2$, bfhághaim $N^2$, bhfúigheam $L$, bhfhuigh-
e*am* $T^3$, bhfuighe*am* $T$.

d: 's nach $OS$, 's ní $EQLT^3T$; chuir*eadh* $GFN^2LT$; sin
$QEGFNF^2N^2T^3$, san $T^2$.

9 a: Mo le*a*s $O$, A grádh $GFNT^2F^2N^2$, A mían $LT^3T$;
mhanma $GFNF^2N^2$, manm*adh* $T^2$, m'anam $T^3$.

b: éigin da*m*sa $O$, eig*in* dui*n* $S$, ós éigion dúinn
$GFNT^2F^2N^2$, éigion dúinn $LT$, eigin dhuin*n* $T^3$; a dhul
$OSLT^3T$; as $LT$.

c: do fúair $T^2$.

d: as mairg $O$, a m*airg* $S$, a mhairg $GFN$, a marg $T^2$,
a mairg $F^2N^2$, an mhairg $LT^3T$.

# APPENDIX II

## THE SHORTER CATECHISM

APPENDIX II

Foirceadul Aithghearr,
CHEASNUIGHE,
An dus ar na ordughadh le
Coimhthional na Ndiagh-
aireadh ag Niarmha-
nister an S A S G A N.
Leis an Daontuighe
Ard-seanadh Eagluis na
Halbann, chum abheith na
chuid egin daonmhodh Chrabuigh
edir Eaglaisaibh Chriosd sna tri
R i o g h o c h d a i d h.

Ar na chur a Ngaoidhilg, la Seanadh
E a r r a g h a o i d h e a l.

---

Do chuireadh so a gclo anois an dara
huair.

---

Ar na chur a gclo a Nglasgo le
Aindra Ainderson, a Mbliadhnna
ar D t i g h e a r n a, 1659.

---

## A Leghthora

Ar a rinn a ngrádh do beith aguin do phobul an Tighearna, ata a gnathughadh na teanga gaoidhilg, sinn a bhrosnudhadh ar thús chum a Catachiosma aithghearr so do tharruing as a bhearla dhoibh; is amhluidh do bhrosnuigh an rúnn ceudna sinn anois, tuilleadh do na leabhraibh sin do bhualadh a gclo an dara hudir, le claochladh beg ar cuid do na focla ata san cheud Translasion. Oir ni amhain gu bfuil na leabhair anois ro ghann, achd mar a gceudna, dhaithnigh sinn le gnathughadh na nleabhar do bhith aguin, gu raibh an Translasion sin cruaidh ar an phobul, agus do-thuicse, do bhriogh go do lean sinn ro theann ris an bhearla; achd anois ataid na so-thuicse gu mór le began claochlaidh. Uime sin, a Leughthora Chriosduidh, gabh misneach chum na leabhair so do thanig anois amach, do ghnathughadh le dithcheall, ann a bfuil cinn árid a Chreidimh Chriosduidh ar a ngcur sios go haithghearra iomlan, oir, Is í so a bheatha shuthain, eólus do bhith aguinn ar Dia, is ar a mhac Iosa Criosd, Eoin. 17. 3. Agus guidh thusa ar an Tighearna, so a bheannachadh mar mheadhon árid chum eoluis shoisgeil Chriosd a chraobh-scaoiladh ann sna chriochaibh gaoidhlachsa. Grasa maille riot.

---

l. 10 hudir: *recte* h-uair.

Foirceadul Aithghearr,
CHEASNUIGHE,
An dus ar na ordughadh le
Coimhthional na Ndiagh-
aireadh ag Niarmhanister,
a SASGAN.
Leis an Daontuighe
Ard-seanadh Eagluis na
Halbann, chum abheith na
chuid egin daon mhodh Chrabuigh
edir Eaglaisaibh Chriosd sna tri
Rioghochdaidh.

---

*Ceisd.*

C Reud is crioch arid don duine?
   F. Is í is crioch arid don duine Dia do ghlorughadh
agus do mhealtin gu suthaine.

2. C. Creud an riaghail thug Dia dhuinne dar dteagusg
chum go fedmaoid esin do ghlorughadh agus do mhealoch-
duin?

F. Is é focal De (ata ar na chur sios a sgriobtuiraibh an
tseintiomna agus an tiomna nuaidh) amhain is riaghail
duinn dar dteagusg chum go fedmaoid esin do ghlorughadh
agus do mhealtin.

3. C. Creud ata na Sgriobtuiridh gu harid ag teagosg?

F. Ataid na Sgriobtuiridh gu harid ag teagosg gach ni
is coir don duine chreitsinn adtimcheall Dhe, agus an
dleasdanas ata Dia ag iarraidh ar an duine.

4. C. Creud è Dia?

F. Dia is Spiorad e ata neamh-chriochnuighach, bioth-
bhuain, neamh-chlaochlodhach, ro-ghlic, ro-chumhachdach,
ro-naomh, ro-cheart, ro-mhaith, agus ro-fhior.

5. C. A bfuilid tuille Dée ann achd a haon?

233

F. Ni bfuil achd a haon, an Dia beo fior.

6. C. Cia lion pearsa ata san diaghachd?

F. Ataid tri pearsa san diaghachd, an tathair, an mac, agus an Spiorad naomh, agus an triarsa is aon Dia iad, ionan a nadur, coimhmeas a gcumhachd agus an gloir.

7. C. Creud iad orduigha De?

F. Is iad orduighe De a runn sior'ruidhe, da reir comhairle a thoile, leis an dorduigh se roimh laimh, chum a ghloire fein, gach ni thig gu crich.

8. C. Cionnas ata Dia ag cur a orduigheadh a ngniomh?

F. Ata Dia ag cur a orduigheadh a ngniomh a noibrighaibh an chruthaigh agus an fhreasdail.

9. C. Creud is obair an chruthaigh ann?

F. Is í obair an chruthaigh Dia do dheanamh na huile neithe do neimhni, le focal a chumhachda, a bhfheadh sé laithe agus iad uile ro mhaith.

10. C. Cionnas do chruthaigh Dia an duine?

. Do chruthaigh Dia an duine fear agus bean da reir a iomhaighe fein, a neolas, fireuntachd, naomhthachd, le uachdranachd oscionn na gcretuireadh.

11. C. Creud iad oibrighe freasdail De?

F. Is iad oibrighe freasdail De, gu bfuil se ag coimhed, agus ag riaghladh na nuile chretuireadh, le a nuile ghniomharthaibh gu ro-naomh, ro-ghlic agus gu ro-chumhachdach.

12. C. Creud an gniomh arid freasdail do rinn Dia do thaobh an duine san staid an do chruthuighadh é?

F. An tan do chruthigh Dia an duine, do rinn se coimhcheangal beatha ris, ag iarraidh umhlachd iomlan air mar chumhnant: agus ag toirmiosg dho ni ar bioth ithe do chraoibh eolais maith agus uilc faoi phein a bhais.

13. C. An dfanid ar gceudshinnsir ann san cheud staid ann do chruthuighadh iad?

F. Ar bheith dar ceud shinnsearaibh ar a mbfagbhail gu saoirse a ndtoile fein, do thuiteadar on staid ann do chruthighadh iad le peacadh anadhaigh Dhe.

14. C. Creud é peacadh?

F. Is e peacadh briseadh lagha De.

15. C. Cia è an peacadh leis ar thuiteadar ar ceudshinnsir on staid an do chruthuighadh iad?

F. Do bé an peacadh leis an do thuit ar ceudshinnsir on staid ann do chruthuighadh iad, gu dith siad an meas toirmisgthe.

16. C. An do thuit an cinneadh daonna uile a gceudpheacadh Adhamh?

F. O do bhith an coimhcheangal ar na dheanamh re Adhamh, ni amhain ar a shon fein achd arson a shliochd; uime sin, an cinneadh daonna uile do thánig a nuas uaidh, tre ginnolachadh gnathaighthe, do pheacaidh iad annsan agus do thuit siad maille ris ann sa cheudsheachran.

17. C. Creud an staid ann dtug an leagadh úd an cinneadh daonna?

F. Do thug an leagadh úd an cinneadh daonna a staid peacaidh agus truaighe.

18. C. Creud é peacadh na staide sin ann do thuit an duine?

F. Trid an leagadh ud, ata an duine faoi chionta ceudpheacaidh Adhamh, faoi easbuidh na ceudfhirentachd, faoi thruailleadh a náduir gu hiomlan (da ngoirthear peacadh gein) agus fa gach uile pheacadh gniomha ata geintin uaidh sin.

19. C. Creud é truaighe na staide sin ann do thuit an duine?

F. Trid an leagadh ud, do chaill an cinneadh daonna uile a gcomhchomann re Dia, ataid faoi a fheirg agus mhallachadh Dhe, agus mar sin ataid fa gach uile thruaighe san bheathuidhse, fan bhás fein, agus fa phianaibh ifrinn gu siorruighe.

20. C. An dfág Dia an cinneadh daonna uile da mbeith cailte a staid a pheacaidh agus na truaighe?

F. Ar dtagha do Dhia da ghean maith fein, roimh thosach an tsaoghail, cuid egin do na daoinaibh chum na beatha suthaine, do rinn se coimhcheangal grasa riu; dan saoradh O staid an pheacaidh agus na truaighe, agus da ntabhairt gu staid slanuighe trid fhearsaoiridh.

21. C. Cia is fearsaoruidh do phobul tagha De?

F. Is e is en fhearsaoruidh do phobul tagha De, an Tighearna Iosa Criosd amhain, neoch ar bheith dho na mhac siorruighe do Dhia, do rinneadh e na dhuine, agus mar sin ata se ag fantain na Dhia, agus na dhuine, ann do nadur edirghealighte, agus a naon phearsoin a feasda.

22. C. Ar bheith do Chriosd na mhac do Dhia, Cionnas do rinneadh se na dhuine?

F. Do rinnadh Criosd mac Dhe na dhuine, le corp fior agus anam resunta do ghabhail chuige fein ar bheith dho le cumhachd an Spioraid naoimh ar na ghabhail a mbroinn muire na hoighe, agus ar a bhreith le, gidheadh a bfegmhais peacaidh.

23. C. Cia iad na hoifigeadha ata Criosd ag cur a ngniomh mar ar fearsaoruidhne?

F. Ata Criosd mar ar fearsaoruidhne ag cur angniomh Oiffigeadha Faigh, Sagairt, agus Riogh, a raon a staid an Irisluigh agus an Arduighe.

24. C. Cionnas ata Criosd ag cur Oiffig Faigh a ngniomh?

F. Ata Criosd ag cur Oifig Faigh a ngniomh, an toil De chum ar slanuighe dhfoillsiughadh dhuinn, le na fhocal agus le na Spiorad.

25. C. Cionnas ata Criosd ag cur Oifig Sagairt a ngniomh?

F. Ata Criosd ag cur Oifig Sagairt a ngniomh, an é fein do thabhairt suas aon uair na iobairt do dhioladh ceartuis De; agus do dheanamh ar reitigh re Dia; agus an gnath-eadarghuidhe do dhenamh ar arsoinne.

26. C. Cionnas ata Criosd ag cur Oifig Riogh a ngniomh?

F. Ata Criosd ag cur Oifig Riogh a ngniomh, le sinn do cheannsughadh dho fein, do riaghladh agus do sheasamh agus le cosg do chur ar na huilibh is naimhde dhosan agus duinne.

27. C. Cia iad na neithe ina raibh Criosd ar na iris-liughadh?

F. Do bhi Criosd ar na irisliughadh, ina bheith ar a bhreith, agus sin a staid isail, ar na dheanamh faoi an lagh, ag dol fa gach truaighe na beathadhsa, fa fheirg Dhe, agus fa bhas mhalluighte na croiche, ina bheith ar na adhlacadh, agus ag fuireach faoi chumchachda a bhais re seal.

28. C. Cia iad na neithe ina raibh Criosd ar na ardugh-adh?

F. Do bhi Criosd ar na ardughadh, ina eiserigh o na marbhuibh ar an treas lá, ina dhul suas ar neamh, ina shuidhe ar deaslaimh Dhe a nathar, agus ina theachd do

thabhairt breitheamhnuis ar an tshaoghal ann san la
dheigheannach.

29. C. Cionnas atamoid ar air ndeanamh inar luchd
comhpart don tsaoirse do chosain Criosd?

F. Atamoid ar air ndeanamh inar luchd-comhpart don
tsaoirse do chosain Criosd, leis an tsaoirse sin a chur ruinn
gu heifeachdach le na Spiorad naomhthasan.

30. C Cionnas ata an Spiorad ag cur ruinn na saoirse
sin do chosain Criosd?

F. Ata an Spiorad ag cur ruinn na saoirse sin do chosain
Criosd, an creideamh dhoibriughadh ionnain leis an bfuil se
ag ar comhcheangal re Criosd inar gairm eifeachdigh.

31. C. Creud is gairm eifeachdach ann?

F. Is gairm eifeachdach ann, obair Spiorad De,. leis an
bfuil se ag ar bhfhagbhail ris ionnain fein a bpeacadh agus
truaighe, ag soilsiughadh ar ninntinneadha a neolus Chriosd,
ag athnuadhughadh ar dtoile, agus ar a lorg sin ag ar
ndeanamh deonach agus comasach ar Iosa Criosd a dhlu-
ghabhail chugin, mar ata se ar na thairgse dhuinn go saor is
an tsoisgel.

32. C. Cia iad na sochair ata an drong ata ar a ngairm
gu heifeachdach ag faghail san bheathuidhse?

F. Is iad na sochair ata an drong sin ag faghail, Firenoch-
adh, Ochdmhacachd, Naomhachadh; agus gach uile sochair
ata ag sruthughadh uatha ran bheathuidhse.

33. C. Creud is Firenochadh ann?

F. Is é Firenochadh gniomh saor ghrasa De, leis an
bfuil se ag maitheamh dhuinn ar nuile pheacuidh, agus ag
gabhail ruinn mar fhirenaibh ina fhiaghnaise fein, agus sin
amhain ar son firentachd Chriosd ar na meas duinn, agus
ar a ghabhail chugainn le creidamh amhain.

34. C. Creud is ochdmhacachd ann?

F. Is í an ochdmhacachd, gniomh saorghrasa De, leis
an bfuilmaoid ar ar ngabhail a náireamh chloinne De, agus
leis an bfuil coir aguinn ar gach uile shocharaibh agus uram
bheanus doibh.

35. C Creud is naomhachadh ann?

F. An naomhachadh is obair saorghrasa De é, leis an bfuil
sinn ar air nathnuadhughadh san duine gu hiomlan da reír

fioghrach Dhe, agus ar ar deanamh comasach ni is mo agus ni is mo chum basughadh do pheacadh, as chum bheith beo don fhirentachd.

36. C. Creud iad na sochair ata ann sa bheathuidhse ag sruthughadh o nfhirenochadh, on ochdmhacachd, agus on naomhachadh?

F. Is iad na sochair ata ag sruthughadh uathasin, dearbh-bheachd ar gradh Dhe, siothchaint coguis, aoibhnas san Spiorad naomh, fas a ngrasa, agus buanmhaithreachdin ann gu teachd na criche deighannuidhe.

37. C. Creud iad na sochair ata na creidmhigh ag faghail o Chriosd, re ham a mbáis?

F. Ataid anmanna na gcreidmheach re ham a mbais ar a ndenamh foirfe ann naomhachd, agus ar an mball ataid ag dul chum glóir; agus ar mbeith da ngcorpuibh sior-cheangaillte le Criosd, do níd comhnuidh ina nuaigheannuibh gu nuig an eiseirigh.

38. C. Creud iad an sochair ata na creidmhigh ag faghail ó Chriosd san eiseirighe?

F. Ann san eiseirighe, ar bheith do na creidmheachaibh ar a ndusgadh as a nuaigh a ngloir, bíthid siad ar a naithniughadh gu follas, agus ar a nlán-saoradh a là an bhreitheamhnais, agus ar a ndenamh uille-bheannuight ann Dia a lán-mhealtin gu siorruighe.

39. C. Creud é an dleasdanas ata Dia ag iarruidh ar a nduine?

F. Is é an dleasdanas ata Dia ag iarruidh ar a nduine, umhlachd da thoile ata ar na foilsinghadh.

40. C. Creud an riaghuil umhlachda thug Dia don duine ar thosach?

F. Do bí an riaghuil umhlachda thug Dia don duine ar thosach, lagh ni modhannidh.

41. C. Cia é an táite ina bfuil an laghsa na modhannidh ar an chur sios gu haithghearra iomlan?

F. Ata an laghsa na modhannidh ar na chur sios gu haithghearra iomlan sna deich Aitheantaibh.

42. C. Creud is suim do na deich Aitheantaibh?

F. Is í is suim do na deich Aitheantaibh, an Tighearna ar Dia do ghradhughadh le ar nuile chroidhe, le ar nuile

anam, le ar nuile neart, le ar nuile inntinn, agus ar gcomh-
arsan do ghradhughadh mar sinn fein.

43. C. Creud is Roimhraite do na deich Aitheantaibh?

F. Ata roimhraite na ndeich Aitheanta ar na chur sios
is na briathraibhse [Is mise an Tighearna do Dhia neoch tug
thusa a talamh na Heibhghiphte, a teaghuis na daoirse?]

44. C. Creud ata roimhraite na ndeich Aitheanta ag
teagosg dhuinn?

F. Ata roimhraite na ndeich Aitheanta ag teagosg
dhuinn, do bhriogh gur é Dia is Tighearna ann, agus gur é
is Dia agus is fearsaoruigh dhuinn, uime sin gu bfuil a
Dhfhiachaibh oruinn a uile aitheantasan do choimheud.

45. C. Cia í an cheud Aithne?

F. [Na biodh Dée oile agad am fhiaghnaise.]

46. C. Creud ata ar na iarruidh san cheud aithne?

F. Ata an cheud aithne ag iarruidh oruinn, aithniughadh
agus admhail gurb e Dia amhain an fior Dhia, agus gurb e ar
Diaine, agus sinn adhradh agus gloir do thabhairt do da reir
sin.

47. C. Creud ata ar na thoirmiosg san cheud Aithne?

F. Ata an cheud Aithne ag toirmiosg an Dia fior do
shénadh, no an tadhradh agus an ghloir dhlighthear dhosan
do ligionn thoruinn, no a ntabhairt daon neach eile.

48. C. Creud ata ar na theagusg dhuinn gu sunnradhach
sna briathruibhse san cheud Aithne [am fhiaghnuise?]

F. Ata na briathrase san cheud Aithne, [am fhiaghnuise]
ag teagusg dhuinn, gu bhuil Dia do chi na huile neithe ag
tabhairt aire don pheacadhsa, eadhon Dia ar bith oile do
bheith aguinn, agus gu bfuil se ro dhiomghach dhe.

49. C. Creud í an dara Haithne?

F. Is í an dara Haithne, [Na dén duit fein iomhaigh
ghraifne no en fhioghair neithe ata shuas ar neamh, no ar
talmhuin a bhos, no sa nuisge faoi thalmhuin, na geilse
dhoibh, agas na den seirbhis doibh: oir mise an Tighearna
do Dhia as Dia edmhur me, leanas aingidheachd na naithreach
air an gcloinn, go nuige an treas no an ceathramh cém no
glun ghinealuigh ar an droing fhuathuigheas me, agas a
fhoillsidheas trocaire do na miltíbh don droing ghradhuigheas
me, agas choimhedus Maitheanta.]

50. C. Creud iarthar san dara Haithne?

F. Ata an dara Haithne ag iarruidh gach uile ghne adhruidh agus orduighe dhiagha a diarr Dia ina fhocal do ghabhail chuguinn, do chonmhail, agus do choimhed gu glan iomlan.

51. C. Creud ata an dara Haithne ga thoirmeasg?

F. Ata an dara Haithne ag toirmeasg, adhradh do Dhia trid iomhaigh, no ar modh ar bith oile, nach bfuil orduighte ina fhocal fein.

52. C. Creud iad na resuin ata ceangailte ris an dara Haithne?

F. Is iad na resuin ata ceanguilte ris an dara Haithne, ard-uachdranachd De os ar gcionn, an tsealbh-choir ata ag ionnuinn, an gradh laiste agus eud ata aige da adhradh fein.

53. C. Cia í an treas Aithne?

F. Is í an treas Aithne, [Na tabhair ainm an Tighearna do Dhia an diomhaoineas, oir ge be bherus a ainm a ndiomhaoineas, ni budh neimhciontach a bfiaghnuisi an Tighearna é, no, ni am mease an Tighearna neimhchiontach é.]

54. C. Creud iarthar san treas Aithne?

F. Ata an treas Aithne ag iarruidh, gnathughadh naomh urramach do dhenamh ar ainmnaibh, tiodolaibh, orduighaibh, briathraibh, agus oibrighaibh Dhe.

55. C. Creud ata ar na thoirmeasg san treas Aithne?

F. Ata an treas Aithne ag toirmeasg minaomhachadh no mighnathughadh ar bioth do dhenamh ar en ni leis an bfuil Dia aga fhoillsiughadh fein.

56. C. Cia é an resun ata ar na cheangal ris an treas Aithne?

F. Is é an resun ata ar na cheangal ris an treas Aithne, ge gu bfedsuid luchd briseadh na Haithneasa dhul saor ó dhioghaltas do thaobh dhaoineadh, gidhheadh ni fhuilngionn an Tighearna ar Diaine dhoibh dhul as o cheartbhreathamhnas fein.

57. C. Cia í an ceathramhadh Aithne?

F. Is í an ceathramhadh Aithne, [Cuimhnigh la na Saboide a chonbhail no a choimhed naomhtha: a sè laithibh den hobair agas huile shaothair, achd is é an seachdmhadh la Saboid an Tighearna do Dhia, na den en obair san losin,

tu fein, no do mhac, no hinghen, hoglach, no do bhanoglach,
no hainmhidhe, no en duine coimheach ata don taobh a
stoigh dod dhoirsibh: oir a se laithibh do rinne an Tighearna,
neamh agas talamh, an fhairge, agas gach ni ata ionta, agas
do ghabh se comhnuidh an seachdmhadh la, uime sin do
bheannuigh an Tighearna an Tsaboid, agas do naomh se é.]

58. C. Creud iarthar san ceathramhadh Aithne?

F. Ata an ceathramhadh Aithne ag iarruidh coimhed
naomh do dhenamh do Dhia ar na trathaibh suighighte do
dhorduigh se fein ina fhocal, gu sunnradhach aon la iomlan
do na seachd laithuibh, chum a bheith na shaboid naomhtha
dho fein.

59. C. Cia an la do na seachd laithuibh a dorduigh Dia
bheith na Shaboid gach seachdmhuin?

F. O thosach an tsaoghail a nuas gu nuig eiseirigh
Chriosd dorduigh Dia an seachdmhadh la do bheith na
Shaboid gach seachdmhuin; agas a riamh o sin a leth, an
ceud la don tseachdmhuin dhfhantain agus do ghnathughadh
gu deireadh an domhain chum a bheith na Shaboid do na
Chriosdaighaibh.

60. C. Cionnas is coir an Tsaboid do naomhughadh?

F. Is coir an Tsaboid do naomhughadh le tamh naomh
do ghabhail re fad an la sin gu hiomlan, agus sin fos o
ghnoidhaibh saoghlata, o aigher agus sugartaibh ata cead-
uighte ar laithaibh oile, agus an uile aimsir sin do bhui-
liughadh re oibridhibh crabhuidh gu diomhuir agus gu
follus, le a muigh don mhead is ata iomchubhuigh re na
chaitheamh re hoibrighuibh an egandais agus na trocaire.

61. C. Creud ata ar na thoirmeasg san cheathramhadh
Aithne?

F. Ata an ceathramhadh Aithne ag toirmeasg minaomh-
achadh na Saboid le diomhaoineas, agas neamhchuram ann
oibridhibh an la sin, no fos le smuaintighuibh, briathraibh,
no gniomharaibh neamhfheumamhuil a dtimchioll ghno-
idheadh saoghalta, no re aigher agus sugradh.

62. C. Cia iad na Résuin ata ciangailte ris an ceath-
ramhadh Aithne?

F. Is iad so na Resuin ata ceangilte ris an ceathramhadh
Aithne, Dia do bheith ag ceadughadh dhuinn, se laitheadh

T

don tseachdmhuin dar gnoidhaibh fein agus ag agra cora arighthe dho fein ar an tseachdmhadh la, agus an eisiomplair do thug se fein uaidhe, agus go do bheannuigh se la na Saboid.

63. C. Cia í an cuigeamh Aithne?

F. Is í an cuigeamh Aithne, [Tabhair onoir dod tathair, agas dod mhathair: chum go sinfidhe do laithe air a nfhearonn do bheir an Tighearna do Dhia dhuit.]

64. C. Creud iarthar san chuigeamh Aithne?

F. Ata an cuigeamh Aithe ag iarruidh, an onoir do choimhed, agus an dleasdanas do choimhlionadh, ata a dhfiachaibh do thabhairt do gach en neach alorg a ninmhe agus an diamhaibh dha cheile faleth, mar ataid a nairde, no isle, no coimhmeas inmhe.

65. C. Creud ata ar na thoirmeasg san chuigeamh Aithne?

F. Ata an cuigeamh aithne ag toirmeasg ni ar bith do dhenamh ata a naghaidh na honora agus an dleasdanais bheanus da gach en neach a lorg a ninmhe agus a ndaimhe fa leth dha cheile.

66. C. Creud é an Resun ata ceanguilte ris an chuigeamh Aithne?

F. Is e an Resun ata ceanguilte ris an cuigeamh Aithne, gealladh ar sonus agus saoghal fada d'uile luchd coimheid na haithnesa, do reir mar thig sin le gloir Dhe agus a maith fein.

67. C. Cia í an seismhadh Aithne?

F. Is í an seismhadh Aithne, [Na den marbhadh]

68. C. Creud iarthar san tseismhadh Aithne?

F. Ata an tseismhadh Aithne ag iarruidh gach uile dhithchioll dligheach do dhenamh chum ar nanma fein agus anma dhaoine oile do choimhed.

69. C. Creud ata ar na thoirmeasg san tseismhadh Aithne?

F. Ata an tseismhadh Aithne ag toirmeasg ar nanma do bhuain asuin fein, no as ar gcomharsan gu hegcorach: agus gach uile nith a chuidiughas sin do dhenamh.

70. C. Cia i an seachdmhadh Aithne?

F. Is í an seachdmhadh Aithne, [Na dean adhaltrannus.]

71. C. Creud iarthar san tseachdmhadh Aithne?

F. Ata an seachdmhadh Aithne ag iarruidh coimhed do bheith aguinn ar air ngeanmnuigheachd fein, agus geanmnuigheachd ar gcomharsoin inar gcroidhe, inar gcainte agus inar mbesuibh.

72. C. Creud ata an seachdmhadh Aithne ga thoirmeasg?

F. Ata an seachdmhadh Aithne ag toirmeasg gach uile smuaintiughadh, briathar, agus gniomh neamh-gheanmuigh.

73. C. Cia í an tochdmhadh Aithne?

F. Is í an tochdmhadh Aithne, [Na dean goid.]

74. C. Creud iarthar san ochdmhadh Aithne?

F. Ata an tochdmhadh Aithne ag iarruidh gach cuidiughadh laghamhail do dhenamh, do chum ar saidhbhrios saoghalta fein agus saidbhrios dhaoine eile, do chur ar aghuidh.

75. C. Creud ata ar na thoirmeasg san ochdmhadh Aithne?

F. Ata an tochdmhadh Aithne ag toirmeasg gach neith ar bioth bhacas ar saidhbhrios saoghalta fein, no saidbhrios ar gcomharson gu hegcorach.

76. C. Cia í an naoiamh Aithne?

F. Is í an naoiamh Aithne, [Na dean fiaghnuise bhreige an adhuidh do chomharsoin.]

77. C. Creud iarthar san naoiamh Aithne?

F. Ata an naoiamh Aithne ag iarruidh an fhirinn edir duin is duine; agus ar deaghainm fein, agus deaghainm ar coimharsan do sheasamh, agus sin gu sunradhach an fiaghnuis do dhenamh.

78. C. Creud ata ar na thoirmeasg san naoiamh Aithne?

F. Ata an naoiamh Aithne ag toirmeasg gach neithe ata ag cur lethtrom ar an fhirinn, no ni egcoir ar ar deaghainm fein, no ar deaghainm ar gcomharsan.

79. C. Cia i an deicheamh Aithne?

F. Is í an deicheamh Aithne, [Na smuain duit fein arus no teach do chomharsain, na smuain duit fein bean do chomharsain, no a oglach, no a bhanoglach, no a dhamh, no a asal, no en nith oile bheanus dod comharsan.]

80. C. Creud iarthar san deicheamh Aithne?

F. Ata an deicheamh Aithne ag iarruidh oruinn, bheith

lan-toilighte le ar staid fein, maille re fonn ceart agus
inntinn sheircamhuil do bheith ionnuinn dar gcomharsan
agus da gach uile ni bheanas do.

81. C. Creud ata ar na thoirmeasg san deicheamh
Aithne?

F. Ata an deicheamh Aithne ag toirmiosg gach talach
ar air sdaid fein, gach doilgheas agus formad re maith ar
gcomharsoin, gach togra agus miann anchnest, chum en ni
da mbi aige.

82. An bfuil neach ar bioth comasach ar Aitheanta De
do choimhed gu foirfe?

F. Ni hedir le hein neach nach bfuil achd na dhuine
amhain, ó cheud thuitim ar sinnsear aitheanta De do
choimhed gu foirfe san bheathuidhse, achd ataid siad gach
la gambriseadh a smuaintiughadh, abfocal, agus a ngniomh.

83. C. An bfuil gach uile bhriseadh an lagha coimhmeas
an uathmhuireachd?

F. Ata cuid do pheacaidhaibh ionnta fein, agus do
bhrith moran do neithaibh ata ga nantromughadh ni is
fuathmhuire na cheile a bfiaghnuise De.

84. C. Creud ata gach aon pheacadh ag toilltinn?

F. Ata gach aon pheacadh ag toilltinn feirge, agus
mollachda De araon san bheathuidhse, agus san bheathuidh
ata chum teachd.

85. C. Creud ata Dia ag iarruidh oruinn chum gu
bfedmaoid tearnadh ó na fhreige agus ó na mhallachadhsan
a thoill sinn thaobh ar bpeacaidh?

F. Cum tearnadh o fhreige agus o mhollachadh De a
thoill sinn ar son ar bpeacaidh, ata Dia ag iarruidh orruinn
Creidimh an Josa Criosd, aithrighe chum na beatha, maille
re gnathughadh dicheallach do dhenamh ar na meadhonaibh
ata le a muigh, leis an bfuil Criosd ag compartughadh rinn
sochair na saoirse.

86. C. Creud is Creideamh an Josa Criosd ann?

F. Creideamh an Josa Criosd is gras slaintamhail é, leis
an bfuil sinn ga ghabhailsan, agus ag ar socrughadh fein
airsan na aonar chum slainte, mar ata se ar na thairgse
dhuinn san thoisgeal.

87. C. Creud is aithrighe chum na beatha ann?

F. Aithrigh chum na beatha is gras slaintamhail i, leis
an bfuil an peacach (ar mothughadh dho gu ceart da phea-
cadh fein, agus do throcair Dhia ann a Ncriosd) le doilgheas
agus le fuath a pheacidh ag iompodh uaidh gu Dia, le lan
runn agus gna-thairgse nuadh umhlachd do thabhairt do.

88. C. Creud iad na meadhoin on le amuigh leis an bfuil
Criosd ag compartughadh rinn sochair na saoirse?

F. Is iad na meadhoin sin, orduighe Chriosd, gu harid an
focal, Sacramuinteadha agus Urnuighe: ata gu huilidhe a ra
ndenamh eifeachdach chum slainte, do na daoinaibh taghte.

89. C. Cionnas ata an focal ar na dheanamh eifeachdach
chum slainte?

F. Ata Spiorad De ag denamh leighthoireachd an fhocail
achd gu harid a shearmonughadh; na mheadhon eifeachdach
chum peacacha fhagbhail ris, agus da niompodh, agus da
ntogbhail suas ann naomhachd, agus a gcomhfhurtachd
trid creideamh chum slainte.

90. C. Cionnas is coir an focal do leighadh agus do
eistachd, chum gu mbiodh se eifeachdach chum slanuighe?

F. Cum gu deanta an focal eifeachdach chum slanuighthe,
is feidhmamhail duinn aire do thabhairt do le ulmhughadh,
le urnuighe, agus le diothchioll; a ghabhail chuguinn le
creideamh agus gradh, a chur an taisge inar gcroidheadhaibh,
agus a chur a ngniomh inar mbeathuidh.

91. C. Cionnas ata na Sacramuinteadha ar na ndenamh
na meadhon eifeachdach chum slanuighthe?

F. Ataid siad ar na ndenamh eifeachdadh chum slainte,
ni hann o bhrigh ar bioth ata ionnta fein, no san ti do ni a
mfritheoladh, achd trid bheannughadh Chriosd amhain,
agus oibriughadh a Spioradsan san droing ghabhas chuca
iad le creideamh.

92. C. Creud is Sacramuint ann?

F. An Tsacramuint is ordughadh le Criosd, i ina bfuil
Criosd agus sochair chumhnanta na ngras, ar an taisbenadh,
agus ar an selughadh, agus ar na ngcur ris na gcreidmh-
achaibh le comharthaibh corpordha so-fhaicsin.

93. C. Cia iad Sacramuinteadha an Tìomna Nuaidhe?

F. Is iad Sacramuinteadha an Tiomna Nuaidhe, Baist-
eadh, agus Suipeir an Tighearna.

T*

94. C. Creud is Baisteadh ann?

F. An Baisteadh is Sacramuint é, an a bfuil ionlad le huisge, a nainm an athar, a mhic, agus an Spioraid naoimh; ag ciallughadh agus ag selughadh gu bfuil sin ar air suighughadh ann a Ncriosd, agus inar luchd comhpart do shochairaibh chumhnanta na ngras, agus ag selughadh fos ar mboid gur leis an Tighearna sin.

95. C. Cia da ngcoir a Mbeasteadh do fhritheoladh?

F. Nior choir an Baisteadh do fhritheoladh dein neach ata an taobh amuigh don eagluis fhaicsionnigh, no gu naidmheochaid a ngcreideamh a Gcriosg, agus an umhlachd dho, achd is coir naoidheanna na droinge, ata ina mbuill don eagluis fhaicsionnigh, do bhaisdeadh.

96. C Creud í suipeir an Tighearna?

F. Suipeir an Tighearna is Sacramuint í ann bfuil bas Chriosd ar na fhoillsiughadh, le aran agus fion do thabhairt agus do ghabhail da reir a orduighe fein agus an drong a ghabhas chuca gu hiomchuibh iad, ataid siad (ni ar mhodh feolmar, achd) trid chreideamh ar a ndenamh na nluchd comhpartach da chorp agus da fuilsan, le uile shocaraibh chum an altrum agus a mfas a ngras.

97. C. Creud is feidhmamhail do ndruing sin a dhenamh, leis a mbaill Suipeir an Tighearna do ghabhail gu hiomchaibh?

F. Is feidhmamhail doibh iad fein a cheasnughadh ina neolas chum aithne do dhenamh ar chorp an Tighearna, ina ngcreidamh chum beatha a nanama do tharruing as, ina naithreachas, na ngradh, agus na nuadh umhlachd: dealga, ar dteachd doibh gu neamh-iomchubhaidh gu nithfuid agus go nolfuid breithamhnas doibh fein.

98. C. Creud is urnuidhe ann?

F. Is í is urnuighe ann, tabhairt suas ar nathchoinne do Dhia, ag iarraidh neitheanna da reir a thoile a nainm Chriosd; ag admhail ar bpeacaidh, agus ag tabhairt buidbeachas do arson a thoilaicaibh.

99. C. Creud an riaghail thug Dia dhuinn dar seoladh an urnigh do dhenamh?

F. Ata focal De gu huilidhe gar seoladh ann urnigh do dhenamh, achd is i an riaghail shunnradhach sheolas sinn, an fhoirm urnighe sin do theagaisg Criosd da dheisgioblaibh da ngoirthar, urnighe an Tighearna.

100. C. Creud ata romhraite urnuighe an Tighearna ag teagasg dhuinn?

F. Ata Romhraite urnuighe an Tighearna [iodhon, Ar nathairne ata ar neamh] ag teagasg dhuinn teachd a bfogas do Dhia le gach uile urram naomh, agus muinghinn, mar chloinn chum a nathar ata comasach agus ullamh dar cuidiughadh; agus gur coir guidhe dhenamh maille re daoinaibh oile, agus ar an son.

101. C. Creud ata sinn ag guidhe san cheud iartas?

F. San cheud iartas [iodhon, Gu ma beannaighthe hainmse] ata sinn ag guidhe gu ma toil le Dia sinn agus daoine oile do dhenamh comasach ar é fein do ghlorughadh anns gach en ni leis an bfuil se ag a fhoilsiughadh fein dhuinn, agus gu ma toil leis gach ni do shuighiughadh agus ordughadh chum a ghloire fein.

102. C. Creud ata sinn ag a ghuidhe san dara iartas?

F. San dara iartas [iodhon, Gu dtigeadh do rioghachdsa] ata sin ag guidhe Dhe rioghachd an aibhirseoir do sgrios, agus rioghachd a ghrasa do mheudughadh, sinn fein agus daoine eile do tharruing da thionnsaidh, agus do choimhed innte, agus rioghachd a ghloir do luathughadh.

103. C. Creud ata sinn ag a ghuidhe san treas iartas?

F. San treas iartas [iodhon, Dentar do thoilsi ar dtalmhuin mar do nithar ar neamh,] atamuid ag guidhe Dhe, sinne do dhenamh comasach agus deonach lena ghrás, chum eolas a ghabhail ar a thoil fein, do bheith freagrach agus umhal dí ans gach én ni, amhuil mar ataid na haingil ar neamh.

104. C. Creud ata sinn ag guidhe san cheathramh iartas?

F. San cheathramh iartas [iodhon, Tabhair dhuinn a niugh ar naran laitheamhail,] ata sinn ag iarruidh gu bfhuighmaoid do shaorthoirbheartas De rann chuimiseach do neithaibh maithe na beathasa, agus gu mealmoid a bheannughadh fein maille riu.

105. C. Creud ata sinn ag guidhe san chuigeamh iartas?

F. San chuigheamh iartas [iodhon, Agus maith dhuinn ar bfiacha, amhluidh mar mhathmuid dar bfeicheamhnaibh] atamuid ag guidhe Dhe maitheamhnas do thabhairt duinn gu saor ann ar nuile pheacaidhaibh ar son Chriosd: agus is moid ar misneach so iarraidh, gu bfuilmaoid ar air neartughadh trid a ghras san, ann maitheamhnas do thabhairt do dhaoinaibh eile o air gcroidhe.

106. C. Creud ata sinn a ga ghuidhe san tseisamh iartas?

F. San tseisamh iartas [iodhon, Agas na leig a mbuaidhreadh sinn, achd saor sinn ó olc] ata sinn ag guidhe Dhe ar gcoimhed o bheith ar air mbuaidhreadh chum peacaidh; nó no ar congbhail suas, agus ar saoradh an tan do bhuaidhrear sinn.

107. C. Creud ata comhdhunadh urnuighe an Tighearna ga theagusg dhuinn?

F. Ata comhdhunadh urnuighe an Tighearna [iodhon, Oir is leatsa an rioghachd, an cumhachd, agus an ghloir, gu siorraidh, Amen.] ag teagusg dhuinn ar misneach an urnuighe do ghabhail o Dhia amhain, agus inar nurnuighe esin do mholadh; le rioghachd, cumhachd, agus gloir do thabhairt do: agus mar fhiaghnais ar air miann, agus ar dearbheachd an eisdeachd fhaghail, deirmaid, Amen.

---

## Na deich Niatheanta.

AS meise an Tighearna do Dhia an neoch tug thusa a talamh na Heibhghipte, a teaghuis na daoirsi.

I. Na biodh Dée oile agad am fhiaghnuise.

II. Na den duit fein iomhaigh ghraifne, no en fhioghair neithe ata shuas ar neamh no ar talmhuin a bhos, no sa nuisge faoi thalmhuinn, na geilse dhoibh, agas na den seirbhis dhoibh: oir meise an Tighearna do Dhia as Dia edmhur me, leanas aingidheachd na naithreach air an gcloinn, go nuige an treas no an ceathramh cem no glun ghinealuigh ar an droing fhuathuigheas me, agas a fhoillsidheas trocaire do na miltibh don droing ghradhuigheas me agas choimhedus Maitheanta.

III. Na tabhair ainm an Tighearna do Dhia an diomhaoineas, oir ge be bherus a ainm a ndiomhaoineas, ni budh neimhchiontach a bfiaghnuisi an Tighearna é, no, ni am mease an Tighearna neimhchiontach è.

IV. Cuimhnigh la na Saboide a chonbhail no a choimhed naomhtha: a se laithibh den hobair agas huile shaothair, achd is é an seachdmhadh la Saboid an Tighearna do Dhia, na den en obair san losin, tu fein no do mhac, no hinghen, hoglach, no do bhanoglach, no hainmhidhe, no en duine coimheach ata don taobh a stoigh dod dhoirsibh: oir a se laithibh do rinne an Tighearna, neamh agas talamh, an fhairge, agas gach ni ata ionta, agas do ghabh se comhnuidh an seachdmhadh la, uime sin do bheannuigh an Tighearna an Tsaboid, agas do naomh se é.

V. Tabhair onoir dod tathair, agas dod mhathair: chum go sinfidhe do laithe air a nfhearonn do bheir an Tighearna do Dhia dhuit.

VI. Na den marbhadh.

VII. Na den adhaltrannus.

VIII. Na den goid.

IX. Na den fiaghnuisi bhreige an adhuidh do chomharsoin.

X. Na smuain duit fein arus no teach do chomharsain, na smuain duit fein bean do chomharsain, no a oglach, no a bhanoglach, no a dhamh, no a asal, no en nith oile bheanus dod chomharsan.

---

## Urnuighe an T i g h e a r n a .

AR Nathairne ata ar Neamh, Go ma beannuigte hainmsa, Gu dtig do Rioghachdsa, Dentar do thoilsi air dtalmhuin mar ata air Neamh, Tabhair dhuinn a nuigh ar naran laitheamhuil, Agas maith dhuinn ar bhfiacha, amhuil mhathmuid dar bhfeicheamhnuibh, Agas na leig ambuaidhreadh sinn, achd saor sinn ó olc: Oir is leatsa an rioghachd, an cumhachd, agas an gloir gu siorraidh, Amen.

---

## A Chred.

CReidim an Dia an Tathair uilechumhachdach, cruthuigh-
eoir neamh agus talmhuin: Agus an Josa Criosd aon
Mhacsan ar Tighearna, neach do ghabhadh leis an Spiorad
naomh, do rugadh le Muire oighe, do fhuiling pais faoi
Phontius Philait, do chesadh, do fhuair bas, do adhlacadh,
do chuaidh sios an Ifrinn, do érigh ar an *treas la ó na
marbhaibh, do chuaidh suas ar neamh, do shuigh ar deas-
laimh Dhe an athar, agas do thoicfus as sin do thabhairt
breitheamhnuis ar bheothaibh agus ar mharbhaibh: Creidim
san Spiorad naomh: Gu bfuil Eagluis naomh gu huilidhe,
comhchomann na naomh, maitheamhnas na mbpeacadh,
eiserigh na colla, agas a bheatha shuthain. Amen.

F I N I S.

* Dfuiridh se an staid na marbhadh, agus faoi chumhachd a
bhais gu nuig an treas la.

# SUPPLEMENTARY GLOSSARY
### to the Poems and the Shorter Catechism

Only words, and in exceptional cases forms of words, which do not appear in the main Glossary are entered here.

**Acmhainn** E 6 d means
**Ādhamh,** gen. *Adhamh* 16a, 18b, *Adhuibh* A 10 d
**aigher** 60b, 61b recreation
**aimhġhlic** E 5 a foolish
**aimhleas** E 9 a ill conduct
**ainbhfios** B 9 a ignorance, recklessness
**aisling** B 2 d illusion
**aithreach** A 11 a repentant
**Alba,** gen. *na Halbann* 231, 233
**anchnest** 81 b inordinate
**annsacht** E 3 a love
**aoibhinn** B 1 c pleasant
**aomhadh** D 3 b allow, admit
**Appen,** gen. *na Happen* A tit.
**antromuġhadh** 83b aggravate
**ard,** *a dhul os aird* B 9 b, E 9 b get the upper hand?
**árid** 232, *a-* 1a, 1b chief, *gu ha.* 3a, 3b chiefly
**ārus** 79b house
**athaidh** E 6 c space, time


**Ball,** *ar an mb.* 37b immediately
**baoġhal** B 3 b danger
**Bēarla,** *as a bh.* 232, *ris an bh.* 232
**beart** B 8 b, E 6 a deed
**bhos,** *a bh.* 49b beneath
**biodhġadh,** gen. *biodhgtha* E 7 b start
**bior,** & dat. pl. *bioraibh* B 6 a point, spike
**bláth** B 3 a flower
**bō,** dat. pl. *buaibh* B 8 b cow
**bōid** 94b engagement, vow
**bliadhna,** *a Mbliadhnna* 231 year
**braon** A 10 c drop
**brat** B 8 d cloak, shroud
**buain** 69b, B 3 d, B 9 d take away, cut off, touch
**buan-mhaithreachdin** 36b perseverance
**buidhe** B 1 d yellow, golden
**builiuġhadh** 60b spend (time)

**Cailc,** gen. *cailce* E 8 b chalk
**cainte** 71b speech
**caoimh-fhinn** B 1 d fair
**cas,** dat. f. sg. *cais* B 1 d curly
**catachiosma** 232 catechism
**cathriuġhadh,** pret. *chathrigheas* A 5 a ?
**cé,** *don chruinne ché* B 8 d of the entire globe
**ceaduġhadh** 62b allow
**ciabh,** dat. sg. *céibh* B 1 d hair
**1. cion,** gen. *ceana* E 4 a affection; or *céim* rank, honour?
**2. cion,** pl. *cionta* E 1 c sin
**clé** B 8 b sinister, wicked
**cneas,** gen. *cnis* A 8 c body
**cnuasach** B 5 a gathering
**coġus,** gen. *coguis* 36b conscience
**coiġilt,** pret. *choigleas* A 4 b spare
**coill** B 6 c wood
**cóir,** *ad chòir* D 4 b near thee
**comasach** 82a, 100b, able
**comhair,** *fam ch.* E 1 c to my account
**comhdhūnadh** 107a conclusion
**crābhadh,** gen. *crabuigh* 231, 233 religion
**crābhdha** A 12 d devout
**craos** A 5 c gluttony
**crē,** gen. *criadh* B 7 d earth, clay, dust
**crēd** 250 creed
**creidmheach,** gen. pl. 37b, nom. pl. *creidmhigh* 37a, 38a, dat. pl.
   *creidmheachaibh* 38b believer
**creitsinn** 3b believe
**croch,** gen. *croiche* 27b cross
**cruth** B 1 c shape, form
**cubhaidh** A 10 a fit
**cuimiseach** 104 b competent, sufficient
**cuip** B 2 c foam, nom. *cop*
**cumhnant** 12b covenant, gen. *cumhnanta* 94b
**cunntar,** gen. *cunntair* E 6 a danger, risk

**Dāil,** pl. *dála* B 4 c condition, state
**dāmh,** gen. *daimhe* 65b, *diamhaibh* 64b relations
**daoirmheas** B 9 c contempt, *re dh.* ? to be harshly judged
**daor** B 9 c costly
**déad** B 2 c teeth
**deaġhainm** 78b good name
**dearbheachd** 107b assurance, *dearbh-bheachd* 36b
**dearc,** dat. sg. *deirc* B 1 b eye
**deirbhlean** A 6 c ?orphan
**diadhaire,** gen. pl. *diaghaireadh* 231, 233 theologian, divine

dias, gen. *deise* E 9 c two, both
díleas A 6 c genuine, sincere
díomas, gen. *diomais* B 4 a pride
díomghach 48b displeased
díon A 8 a defend
dleasdanas 3b duty
dligheach 68b lawful
dlū-ghabhail 31b embrace
do-thuicse 232 hard to understand, unintelligible
drong, gen. *droinge* 95b people, dat. *droing* 49b
drúis A 5 c lust, fornication
duille B 3 a foliage; *d. an bheatha* worldly wealth
dubhadh E 8 a blacken
dúil, gen. pl. *na ndúl* D 1 a element, creature
dúthracht A 1 b earnestness, devotion

Each, dat. pl. *eachaibh* B 8 b horse
eagla, *dealga* 97b lest
Earraghaoidheal 231
ēgcorach, *gu he.* 69b unjustly
ēifeachdach 29b, 88b, 89a effectual, dat. f. sg. *eifeachdigh* 30b
eisiomplair 62b example
Eōin A tit.
ēud 52b zeal

Fád-bhog, dat. f. sg. *fádbhuig* B 6 c soft-turfed
fágbhail ris 89b convince (of sin)
fallsa E 1 b, 3 b false, deceptive
fantain 21b, 59b continue
faoisid A tit. confession; vbn. *faoiside* A 1 a ?
fēaghadh E 5 d watch, look on
fear-bunaidh A 3 b 'an old hand'
fēar-chruinn B 6 c ? fully grassed
fearonn 63b land
feidhmamhail 90b, 97a necessary
feolm(h)ar 96b carnal
fogas, *a bf.* 100b near
foghlaidh E 3 d plunderer, reaver
foirceadul 231, 233 catechism
fonn 80b mind, attitude
formad 81b envy
freasdal, gen. *an fhreasdail* 8b providence
fritheoladh 91b, 95a administer
fuathmhar, cpv. *ni is fuathmhuire* 83b more heinous
fuireach 27b continue
furtacht, pres. *d'furtaigheas* A 3 d help, comfort

**Gaoidhilg** 232, *a ng.* 231; *gaoidhlach* 232
**gar,** *ad ghar* D 3 b near thee
**gean** 2ob pleasure
**gearr** B 3 d short, soon
**geintin** 18b proceed
**glas,** dat. f. sg. *glais* B 1 b blue, grey
**Glasgo,** *a ng.* 231
**gnā-thairgse** 87b endeavour
**gnīomh,** *cur a ng.* 8a, 8b execute
**gorm** E 8 b blue, black
**graifne** 49b graven
**gráineog** B 5 a hedgehog
**guais** B 5 b, E 1 c danger

**Iarmhanister,** *a Ni.* 231, 233 Westminster
**iartas** 101a-106b petition
**inmhe** 64b wealth, rank
**iodhon** 100b-107b that is
**iomlan** 12b perfect, 50b entire, 58b whole, *gu haithghearra iomlan*
41a summarily comprehended, 232
**ionlad(h)** 94b wash
**ionnmhas** B 8 a wealth
**ionnsaighe,** *da thionnsaidh* 102b into her, towards her
**irisliughadh** 27a humiliate, gen. *irisluigh* 23b

**Laiste,** *gradh l.* 52b zeal
**lán-saoradh** 38b acquit
**lān-toilighte** 80b fully content
**leabhar,** gen. pl. *na nleabhar* 232, dat. *leabhraibh* 232 book
**lēightheoir,** voc. *leghthora* 232, *leughthora* 232 reader
**lēighthoireachd** 89b reading
**leath,** *le a muigh do* 60b apart from, except for, *ata le a muigh* 85b
outward, *on le amuigh* 88a
**lethtrom,** *cur l.* 78b be prejudicial
**líon,** gen. *lín* B 8 d linen
**līonmhar** A 2 c numerous
**loise** B 7 a brilliance, glamour. (*loise an tsaoghail* also = worldly
wealth)
**lorg,** *a l.* 64b, 65b in consequence of
**luathughadh** 102b hasten

**Mairg** B 1 a, E 1 a woe
**meabhlach** E 4 a treacherous, deceiving
**meadaracht** A tit. metre, metrical form
**meadhoin** dat. *meadhon* 89b, 91a, pl. 88a means, dat. *meadhonaibh*
85b
**mealtin** 1b, 2b enjoy, *lán-mh.* 38b, *mealochduin* 2a

**meas** 33b impute; *am mease* 53b in the judgment of
**mīghnāthughadh** 55b abuse
**mīnaomhachadh** 55b, 61b profane
**misneach** 105b confidence, 107b encouragement, 232 courage
**modh,** *lagh ni na modhannidh* 40b, 41a, 41b the moral law

**Námha** B 4 d enemy
**naoidheanna** pl. 95b infants
**naomhachadh** 32b, 35a sanctification
**nár** A 2 d shame, shameful
**neamhchūram** 61b neglect, carelessness
**neamhfheumamhuil** 61b unnecessary
**neamh-gheanmnigh** 72b unchaste
**neamhumhal** A 6 d disobedient
**néal,** gen. pl. D 2 a heavens
**nuige,** *go n.* 49b until, *gu nuig* 37b, 59b

**Ochdmhacachd** 32b, 34a adoption
**óg** A 2 a young
**omhain** E 1 d fear
**ór** B 8 a gold
**ordugh** A 6 b order, ordinance

**Poll,** gen. *éan-phuill* B 6 d single hole

**Ré** A 12 b, B 4 c time
**rīoghachd,** dat. pl. *rioghochdaidh* 231, 233 kingdom
**riar** A 4 c will
**roimhrāite** 43a, 44a, 100a preface
**rūnn** 7b, 87b purpose, *-ú-* 232 affection

**Saoghalta** 61b, 74b worldly, *saoghlata* 60b
**Sasgan** 231, 233
**seachdmhuin** 59a, 62b week
**sealbh-chōir** 52b proprietorship, rights
**seanadh** 231 synod; *ard-seanadh* 231, 233 General Assembly
**searmonughadh** 89b preach
**sēimh** B 1 c fine, slender
**seircamhuil** 80b charitable
**seol,** gen. *seoil* A 13 c sail
**seoladh** 99a direct
**sgēal** B 7 d tale
**sinnsear,** pl. *ar gceud shinnsir* 13a our first parents, gen. *sinnsear*
82b, dat. *sinnsearaibh* 13b
**slāintamhail** 86b, 87b saving
**sochar,** pl. *sochair* 32a, 36a, 37a, 85b benefits, dat. *socharaibh* 34b
privileges

**socrughadh** 86b rest
**so-fhaicsin** 92b visible
**so-thuicse** 232 comprehensible
**sūgradh** 61b recreation, dat. pl. *sugartaibh* 60b
**suidhe** B 1 c seat
**sunnradhach** *gu s.* 48a, 58b expressly, specially, *-n-* 77b

**Tagha** 20b elect, part. *tagha* 21a, 21b, *taghte* 88b
**taislim** B 2 c soft and smooth
**talach** 81b discontent
**tēaghadh** E 5 c heat
**tēarnadh** 85a escape
**teine** E 5 c fire
**thall** E 1 c yonder, in the next world
**tiodal,** dat. pl. *tiodolaibh* 54b title
**togra** 81b desire
**toilltinn** 84a deserve
**translasion** 232
**trāth,** dat. pl. *trathaibh* 58b time
**tréan** A 7 b strong; cpv. *tréine* A 7 d
**triar** 6b three, trio
**trīonōid** A 2 b Trinity
**truagh ;** cpv. *truaighe* B 7 d sad, pitiful
**tuaisceart** A 5 b the North, see note
**tuirimh** A 7 a enumerate, lament

**Uabhar** B 9 a pride, gen. *uabhair* B tit.
**uaigh** 38b grave, dat. pl. *uaigheannuibh* 37b
**uaill(e)** B tit., B 1 a vanity, boasting
**uasal** A 10 b noble
**uathmhuireachd** 83a heinousness. Cf. *fuathmhar*
**ubhall** B 6 a apple, fruit
**ucht,** *re hu. an bhais* E 5 b at the point of death
**urramach** 54b reverent

# THE SCOTTISH GAELIC TEXTS SOCIETY

THIS Society was founded in 1934 under the aegis of the late Professor W. J. WATSON, LL.D., D.LITT.CELT., Professor of Celtic Languages, Literature &c., in the University of Edinburgh. The objects of the Society were defined in the following statement, printed in Vol. I of the Society's publications:

A very considerable volume of Gaelic literature, prose and verse, is still inaccessible to readers, and the heavy task of publishing it in a systematic and scholarly manner will need the help not only of readers of Gaelic, but of others. Besides the Gaelic texts, the Society's publications will include introductions, commentaries and vocabularies, and in most cases, translations.

Before the War the Society had published the following works:

*Scottish Verse from the Book of the Dean of Lismore*
    ed. by Professor William J. Watson
*The Songs of John MacCodrum*
    ed. by William Matheson
*Heroic Poetry from the Book of the Dean of Lismore*
    ed. by Rev. Dr. Neil Ross

Since the War the Society has published the following:

*The Songs of Duncan Bàn Macintyre*
    ed. by Angus MacLeod
*The Prose Writings of Donald Mackinnon*
    ed. by Lachlan Mackinnon
*The Prose Writings of the Rev. Donald Lamont*
    ed. by the Rev. T. M. Murchison

The present volume, the Gaelic translation of *Calvin's Catechism*, edited by R. L. Thomson, M.A., B.LITT., is published in collaboration with the Dublin Institute of Advanced Celtic Studies. The Edition rests on a unique copy of the second book printed in Gaelic in Scotland.

The Society's income is derived from subscriptions of One guinea from individual members and Two guineas from Libraries, Societies and other Institutions. When the Society was founded in 1934 there were 117 individual members and 19 Libraries &c. At present membership consists of 83 individual members and 27 Libraries &c., and the income from subscriptions is quite insufficient to finance the cost of publication of the works which the Society has in mind. Publication of the books which have been issued since the War would have been impossible if it had not been for donations from the McCaig Trust, the Royal Celtic Society, and other Societies, including the Hertfordshire Highland Games Society. An ultimate guarantee from the Carnegie Trust made possible the publication of the Songs of Duncan Bàn Macintyre.

At present an edition of the *Works of Iain Lom*, edited by Dr Annie MacKenzie, Aberdeen, is in the hands of the printers. Various other works are in preparation. These include an edition of the *Red and Black Books of Clanranald*, edited by Professor Kenneth Jackson; the *Poems of the Clàrsair Dall*, edited by the Rev. William Matheson; a *Collection of Scottish Bardic Verse*, edited by Professor Angus Matheson.

Before the War it was found impossible to produce a volume annually and this has had an adverse effect on membership. It is now hoped to produce a volume biennially if sufficient financial support is forthcoming.

Since the War, the Secretary and Treasurer of the Society has been Sir Hugh Watson, D.K.S., son of the late Professor W. J. Watson. On the death of Mr Angus MacLeod, Professor Angus Matheson was elected to succeed him as President.

# THE SCOTTISH GAELIC TEXTS SOCIETY

## LIST OF MEMBERS

### COMMITTEE

| | |
|---|---|
| *Hon President:* | MURDO MORRISON, M.A., 97 Templehill, Troon, Ayrshire. |
| *President:* | Professor ANGUS MATHESON, M.A., Department of Celtic, The University, Glasgow, W.2. |
| *Vice-Presidents:* | J. L. CAMPBELL OF CANNA, M.A., LL.D., Isle of Canna. |
| | Professor KENNETH JACKSON, M.A., LITT.D., D.LITT.CELT., F.B.A., Minto House, Chambers Street, Edinburgh, 9. |
| | Miss ANNIE MACKENZIE, M.A., PH.D., 14a The Chanonry, Aberdeen. |
| | The Reverend T. M. MURCHISON, M.A., 14 Kinross Avenue, Glasgow, S.W.2. |
| | R. S. THOMSON, M.A., B.A., Department of Celtic, King's College, Old Aberdeen. |
| *Hon. Secretary and Treasurer:* | SIR HUGH WATSON, D.K.S., 16 St. Andrew Square, Edinburgh. |
| *Executive Committee:* | WILLIAM HUME, B.L., 55 West Regent Street, Glasgow, C.2. |
| | Miss MARY C. McCOLL, M.A., Lochaber, 25 Braeside Avenue, Milngavie, Glasgow. |
| | ALEXANDER MACFARLANE, M.A., 12 Hamilton Terrace, Portobello, Edinburgh. |
| | The Reverend WILLIAM MATHESON, M.A., Department of Celtic, The University, Edinburgh, 9. |
| | JOHN PETER MORRISON, B.SC., Bracken Hill, Kilmacolm, Renfrewshire. |
| | Professor ROBERT A. RANKIN, M.A., PH.D., SC.D., F.R.S.E., Department of Mathematics, The University, Glasgow, W.2. |
| | JOHN A. SMITH, M.A., B.ED., 108 Queen Victoria Drive, Scotstoun, Glasgow, W.4. |
| | JAMES THOMSON, M.A., F.E.I.S., 116 West Savile Terrace, Edinburgh. |

*Publications Committee:* J. L. CAMPBELL OF CANNA, M.A., LL.D.
Professor KENNETH JACKSON, M.A., LITT.D.,
D.LITT.CELT., F.B.A.
LACHLAN MacKINNON, M.B.E., M.A., F.E.I.S.,
Rinnigill, 18 Grange Terrace, Fort William.
Professor ANGUS MATHESON, M.A.
The Reverend WILLIAM MATHESON, M.A.
MURDO MORRISON, M.A.
The Reverend T. M. MURCHISON, M.A.
ALEXANDER NICOLSON, M.A., 211 Drumoyne
Road, Glasgow, S.W.1.
Professor ROBERT A. RANKIN, M.A., PH.D.,
SC.D., F.R.S.E.
Provost DONALD THOMSON, M.A., F.E.I.S.,
Atholl Villa, Rockfield Road, Oban, Argyll.
R. S. THOMSON, M.A.(Aber), B.A.(Cantab).

### Life Members

McARTHUR, Mrs, 4 Glencairn Crescent, Edinburgh.
MURRAY, D. C., Balnastraid, Carr-Bridge, Inverness-shire.

### Ordinary Members

BANNERMAN, JOHN M., O.B.E., M.A., B.SC., LL.D., Old Manse, Balmaha,
Drymen, Nr. Glasgow.
BARRON, HUGH, 28 Queensgate, Inverness.
BLACKIE, Miss AGNES A. C., East Gable, Helensburgh, Dunbarton-
shire.
BLAIR, Dr. DOROTHY O. S., 'Violet Bank', West Park Road, Cleadon,
Nr. Sunderland.
CAMPBELL, A., 11 Marston Ferry Road, Oxford.
CAMPBELL, Sir GEORGE, Bt., Crarae Lodge, Inveraray, Argyll.
CAMPBELL, J. L., of Canna, M.A., LL.D., Isle of Canna.
CHRISTISON, General SIR PHILIP, Bt., G.B.E., K.B.E., D.S.O., M.C.,
The Croft, Melrose, Roxburghshire.
COLLINSON, JAMES FRANCIS M., MUS.BAC., Huntlyburn, Melrose,
Roxburghshire.
CONLEY, W. M., M.A., M.B., CH.B., The Mount, 7 Manor Road, West
Hartlepool, Co. Durham.
COUPLAND, ROBERT, B.A., LL.B., Department of Romance Languages
& Literatures, The University, Hull, Yorkshire.
DOAK, J. K. R., B.A., 16 Botanic Crescent, Glasgow, N.W.
DONALD, G. D., Tigh na Mara, Lower Vaul, Isle of Tiree, Argyll.
DUNCAN, The Reverend ANGUS, M.A., B.D., 55 Arden Street, Edin-
burgh, 9.
GORDON, SETON, C.B.E., B.A., F.Z.S., Duntuilm, Isle of Skye.
HAY, GEORGE, 29 Moray Place, Edinburgh, 3.

HOPE, THOMAS, 6 Bruntsfield Avenue, Edinburgh, 10.

HUME, WILLIAM, B.L., 55 West Regent Street, Glasgow, C.2.

LOTHIAN, J. D. W. McL., 4 Poplar Gardens, New Malden, Surrey.

MACASKILL, ALEX. JOHN, M.A., 3 Jamieson Drive, Stornoway, Isle of Lewis.

McCOLL, Miss MARY C., M.A., Lochaber, 25 Braeside Avenue, Milngavie, Glasgow.

MACDONALD, ANGUS W. R., 129 St. George's Crescent, Drummoyne, Sydney, New South Wales, Australia.

MACDONALD, C. M., M.A., D.LITT., Colgarth, Dhailling Road, Dunoon, Argyll.

MACDONALD, D. J., M.A., LL.D., Craigdarroch, 22 Green Drive, Inverness.

MACDONALD, JOHN, M.A., St. Lawrence, Seafield Street, Nairn.

MACDONALD, The Reverend JOHN, Manse of Edrom, Duns, Berwick-shire.

MacDONALD, JOHN A., M.A., 18 Manor Road, Jordanhill, Glasgow, W4.

MacDONALD, The Reverend NORMAN, The Manse, Foyers, Inverness.

McDONALD, WM., 43 Willowbrae Avenue, Edinburgh, 8.

MacEDWARD, The Reverend L., M.A., Grampian View, Spey Street, Kingussie.

MACFARLANE, ALEXANDER, M.A., 12 Hamilton Terrace, Portobello, Edinburgh.

MACFARLANE, Mrs M. C., M.A., Tighnambarr, Taynuilt, Argyll.

McKAY, GIRVAN C., 1 North Park Road, Bramhall, Cheshire.

MACKAY, WM., O.B.E., N.P., 19 Union Street, Inverness.

McKECHNIE, HECTOR, Q.C., B.A., LL.B., LL.D., 64 Great King Street, Edinburgh.

MACKENZIE, Miss ANNIE, M.A., PH.D., 14a The Chanonry, Aberdeen.

MacKENZIE, W. C., Apt. 805, 315 Holmwood Avenue, Ottawa 1, Canada.

MACKINNON, A. H., Q.C., B.A., LL.B., County Court, Judge's Chambers, Antigonish, Nova Scotia, Canada.

MacKINNON, LACHLAN, M.B.E., M.A., F.E.I.S., Rinnigill, 18 Grange Terrace, Fort William.

MACKINNON, N. H. A., Grey Gates, 13 The Upper Drive, Hove, 4.

MACLEAN, JOHN, M.A., Caberfeidh, Oban.

MacLENNAN, Professor R. D., M.A., Manse of Kintail, Inverinate, By Kyle, Ross-shire.

MacLEOD, C. C., M.A., Schoolhouse, Scourie, By Lairg, Sutherland.

MacLEOD, Mrs FLORA, M.A., 27 Merchiston Park, Edinburgh.

MacLEOD, Mrs I., 59 Balgreen Road, Edinburgh, 12.

MacLEOD, IAIN, Torgorm, Conon-Bridge, Ross-shire.

MACLEOD, MALCOLM, 50 Balgreen Road, Edinburgh, 12.

MACLEOD, MURDO, J.P., M.A., 49 Vatisker, Back, By Stornoway, Isle of Lewis.

MacLeod, Ronald, o.b.e., m.a., h.m.i.s., Ardnacoille, 1 Annfield Road, Inverness.

MacLure, J. W., Marling Glen, Merstham, Surrey.

MacNeill, Hector Fletcher, m.a., Barbreck Cottage, Campbeltown, Argyll.

MacRae, Farquhar, m.a., b.sc., Attadale, Eaglesham Road, Clarkston, Glasgow.

MacRitchie, Professor Farquhar, m.a., ll.b., Messrs. Morice & Wilson, 15 Golden Square, Aberdeen.

Martin, Daniel, m.a., b.sc., ph.d., Department of Mathematics, The University, Glasgow, W.2.

Matheson, Professor Angus, m.a., Department of Celtic, The University, Glasgow, W.2.

Matheson, The Reverend William, m.a., Department of Celtic, The University, Edinburgh, 9.

Morrison, John Peter, b.sc., Bracken Hill, Kilmacolm, Renfrewshire.

Morrison, Miss Mary, m.a., ed.b., Lakefield, Bragar, By Stornoway, Isle of Lewis.

Morrison, Murdo, m.a., 97 Templehill, Troon, Ayrshire.

Murchison, The Reverend T. M., m.a., 14 Kinross Avenue, Glasgow, S.W.2.

Murray, Murdo, m.a., Viewfield, Strathpeffer, Ross-shire.

Nicolson, Alexander, m.a., 211 Drumoyne Road, Glasgow, S.W.1.

Purvis, Miss Rosemary B., Bureau of Personnel, UNESCO, Place de Fontenoy, Paris, France.

Rankin, Professor Robert A., m.a., ph.d., sc.d., f.r.s.e., Department of Mathematics, The University, Glasgow, W.2.

Reid, A. M., 7856 Hudson Street, Vancouver, 14, British Columbia, Canada.

Ross, The Reverend Archibald W., Braeriach, Kincraig, Inverness-shire.

Shaw-Zambra, Colonel W. W., c.v.o., c.b.e., t.d., m.a., 6 Woodlands Road, London, S.W.13.

Shirley, Rob, m.a., 320 Rue Mgr. Bourget, Beloeil, P.Q., Canada.

Sinclair, The Reverend D. Maclean, d.d., 5 Rhuland Street, Halifax, Nova Scotia.

Smith, John A., m.a., b.ed., 108 Queen Victoria Drive, Scotstoun, Glasgow, W.4.

Smith, The Reverend Roderick, m.a., The Manse, 2 Cluny Avenue, Edinburgh, 10.

Spencer, Colin, 14 Hollin House, Nowell Road, Middleton, Lancashire.

Steel, Ian, Culsharg, 232 West Princes Street, Helensburgh.

Steele, John F., m.a., The High School, Portree, Skye.

Thompson, F. G., a.m.inst.b.e., f.s.a.(Scot), Dumbrock House, 9 Corslet Crescent, Currie, Midlothian.

THOMSON, Provost DONALD, M.A., F.E.I.S., Atholl Villa, Rockfield Road, Oban, Argyll.

THOMSON, JAMES, M.A., F.E.I.S., 116 West Savile Terrace, Edinburgh.

THOMSON, R. L., M.A., B.LITT., Department of English Language, The University, Leeds, 2.

THOMSON, R. S., M.A.(Aber), B.A.(Cantab), Department of Celtic, King's College, Old Aberdeen.

TOWNSEND, E. R., Lieut-Commander, R.N., Fairholm, 1 North Avenue, Mount Merrion, Dublin.

URQUHART, Mrs MORAG C. M., 7 Morningside Terrace, Edinburgh.

WARE, MARCUS J., Post Office Box 496, Lewiston Professional Buildings, 1219 Idaho Street, Lewiston, Idaho, U.S.A.

WATSON, SIR HUGH, D.K.S., 16 St. Andrews Square, Edinburgh.

# LIBRARIES, SOCIETIES, ETC.

Aberdeen Public Library, Aberdeen.
An Comunn Gaidhealach, Glasgow.
Columbia University Library, New York City 27, U.S.A.
Gaelic Society of Glasgow, Glasgow.
Glasgow Celtic Society, Glasgow.
Glasgow Lochaber Society, Glasgow.
Glasgow Skye Association, Glasgow.
Glasgow University Ossianic Club, Glasgow.
Harvard College Library, Cambridge, Mass., U.S.A.
The Highland Association, Glasgow.
Inverness Burgh & County Public Library, Inverness.
The John Rylands Library, Manchester.
The Mitchell Library, Glasgow.
Mull and Iona Association, Bearsden, Glasgow.
National Library of Ireland, Dublin.
National Museum of Antiquities of Scotland, Edinburgh.
Newberry Library, Chicago, Illinois, U.S.A.
New York Public Library, New York City 18, U.S.A.
North Western University Library, Evanston, Illinois, U.S.A.
Royal Library, Copenhagen.
University of Chicago Libraries, Chicago, Illinois, U.S.A.
University College, London.
University College of South Wales & Monmouthshire, Cardiff.
University College of Swansea, Swansea.
University Library, Aberdeen.

University Library, Glasgow.
University of London Library, London.
University of St. Andrews, St. Andrews.
West Highland Museum, Fort William.